Planetino 2

Deutsch für Kinder

Lehrerhandbuch

Siegfried Büttner
Gabriele Kopp
Josef Alberti

Hueber Verlag

Abkürzungen:

S   =   Schülerinnen und Schüler
L   =   Lehrerinnen und Lehrer
HP =   Handpuppe
AB =   Arbeitsbuch
KB =   Kursbuch
LHB =   Lehrerhandbuch

Wenn im Text ab und an aus Platzgründen nur von „Lehrer" oder „Schüler" die Rede ist, so impliziert dies selbstverständlich immer die weibliche Form und stellt keine Wertung dar.

Hinweis:
Die Begriffe Memory, Walkman und Gameboy sind eingetragene Marken der Firmen Ravensburger (Memory®), Sony (Walkman®) und Nintendo (Gameboy®). Aus diesem Grund sind sie in Kursbuch, Arbeitsbuch und Lehrerhandbuch mit dem Zeichen für „Registered Trademark" gekennzeichnet (®). Diese rechtliche Maßnahme ist jedoch für die Schülerinnen und Schüler nicht relevant.

| 3. | 2. | 1. | | Die letzten Ziffern |
| 2014 | 13 | 12 | 11 | 10 | bezeichnen Zahl und Jahr des Druckes. |

Alle Drucke dieser Auflage können, da unverändert,
nebeneinander benutzt werden.
1. Auflage
© 2010 Hueber Verlag, 85737 Ismaning, Deutschland
Redaktion: Maria Koettgen, München; Kathrin Kiesele, Hueber Verlag, Ismaning
Layout: Lea-Sophie Bischoff, Hueber Verlag, Ismaning
Satz: Catherine Avak, München
Zeichnungen: Bettina Kumpe, Braunschweig; Ute Ohlms, Braunschweig
Gesamtherstellung: Ludwig Auer GmbH, Donauwörth
Printed in Germany
ISBN 978-3-19-321578-9

Inhalt

Inhalt

Zielgruppe

Das Lehrwerk *Planetino* richtet sich an acht- bis elfjährige Kinder ohne Vorkenntnisse der deutschen Sprache. Die Kenntnis der lateinischen Ausgangsschrift wird vorausgesetzt.

Ziel ist es, den Kindern eine authentische, altersgemäße Sprache zu vermitteln. Sie lernen, alltägliche Situationen beim Spielen, in der Familie, in der Schule, mit Freunden usw. in sprachlich einfacher Form zu bewältigen.

Planetino und der Gemeinsame Europäische Referenzrahmen

Planetino orientiert sich konsequent am Gemeinsamen Europäischen Referenzrahmen. Das Lehrwerk vertritt einen handlungsorientierten Ansatz und will die Kinder befähigen, kommunikative Aufgaben sprachlich zu bewältigen. *Planetino* führt in drei Bänden zur Niveaustufe A1 und bereitet auf die Prüfungen der Niveaustufe vor. Dabei werden die Wortliste und alle Grammatikphänomene abgedeckt, die für die A1-Prüfung relevant sind. Im Gemeinsamen Europäischen Referenzrahmen spielen autonomes Lernen und Selbstevaluation eine wichtige Rolle. Dementsprechend vermitteln die Kursbücher von Anfang an altersgemäße Lernstrategien. Die Kurs- und Arbeitsbücher enthalten zahlreiche Übungen, bei denen die Kinder anhand von Lösungswörtern oder Rechenrätseln ihre Ergebnisse selbst überprüfen können. Die Arbeitsbücher bieten nach jedem Modul eine Doppelseite zur Selbstevaluation an. So wird eigenständiges Lernen gefördert und ein Bewusstsein für den Lernfortschritt entwickelt. Auch der **Portfolio**-Gedanke wird konkret umgesetzt: Im Kursbuch gibt es Aufgaben und Anregungen zu kleinen Projekten meist kreativer Art, die im Dossier abgeheftet werden können. Das Arbeitsbuch enthält eigene Portfolio-Seiten zum Heraustrennen und Abheften. Im Lehrerhandbuch finden sich weitere Vorschläge dazu.

Aufbau des Lehrwerks

Für die Lernenden gibt es:
Für die Lehrenden gibt es:

+ ein Kursbuch in drei Bänden
+ ein Arbeitsbuch zu jedem Band
+ ein Lehrerhandbuch zu jedem Band
+ Audio-CDs zu jedem Band

Zusatzmaterial gibt es im Internet unter *http://www.hueber.de/planetino.*
Für viele Länder sind Glossare verfügbar (gedruckt oder als kostenloser Download im Internet).

Planetino 2

Aufbau des Kursbuchs

Das Kursbuch enthält fünf Module/Themenkreise, die in jeweils vier kurze Lektionen gegliedert sind. Jedes Modul beginnt mit einer Einstiegsseite, die anhand von Comics in das Thema des Moduls einführt. Die Comics greifen bekanntes Sprachmaterial wieder auf und stellen einen ersten Kontakt zu Redemitteln her, die für den Themenkreis relevant sind. Jedes Modul wird mit der Seite „Das kann ich schon" abgeschlossen, auf der die wichtigsten gelernten Redemittel, der Wortschatz und die Grammatik zusammengefasst sind. Dabei wird bewusst – wie im gesamten Lehrwerk – auf grammatische Terminologie verzichtet. Grammatik wird dieser Altersstufe entsprechend nicht über Regeln, sondern durch vielfachen Gebrauch und ständige Wiederholung in neuen Situationen geübt.

An die fünf Module schließt sich ein Theaterstück an. Die Teile A und B gehören zum obligatorischen Lehrgang, während die Vorbereitung und Aufführung des Theaterstücks (C und D) zwar sehr empfohlen wird, letztlich aber der Lehrkraft überlassen bleibt. Gleiches gilt für den Teil E (Lesen), der als Umwandlung des ursprünglichen Textes in ein modernes Märchen ideales Material zum Leseverstehen anbietet.

Den Abschluss von *Planetino 2* bildet die Lektion „Feste im Jahr", eine Sonderlektion ohne sprachliche Progression, die in Form von Liedern, Fotos und Bastelanleitungen landeskundliche Informationen zu Festen im deutschsprachigen Raum bietet. Die einzelnen Teile dieser Lektion sollte der Lehrer entsprechend dem jahreszeitlichen Anlass in den Unterricht einbauen.

Eine chronologische Wortliste mit dem vollständigen aktiven und passiven Wortschatz informiert über das jeweils neue Sprachmaterial. Ein Spielplan für ein Würfelspiel mit Ereigniskarten, genannt „Ein Spiel für alle Fälle", schließt das Kursbuch ab.

Modul 6 | Modul 7 | Modul 8 | Modul 9 | Modul 10 | Theater | Feste im Jahr | Tests | Lösungsschlüssel | Transkriptionen | Wortliste

L21 L22 L23 L24 L25 L26 L27 L28 L29 L30 L31 L32 L33 L34 L35 L36 L37 L38 L39 L40

Inhalte des Kursbuchs

Kinder dieses Alters wollen über sich selbst reden, über ihre Spiele, ihre Freunde, die Familie, die Schule usw. Daran orientiert sich die Auswahl der Inhalte von *Planetino*. Themen, die darüber hinaus für die A1-Prüfung relevant sind, finden ebenso Berücksichtigung. Die Themen sind in authentischen, altersgemäßen Situationen und Texten aufbereitet.

Landeskunde

In der progressionsfreien Lektion „Feste im Jahr" wird Landeskunde explizit dargestellt. Hier erfahren die Kinder, welche Feste deutschsprachige Kinder feiern, was sie zu diesen Festen basteln und singen. Darüber hinaus wird in vielen anderen Lektionen Landeskunde implizit über Situationen, Illustrationen und in Texten vermittelt.

Interkultureller Ansatz

Gerade in unserer globalisierten Welt ist es wichtig, schon bei Kindern ein Verständnis für andere Nationalitäten und Kulturen zu entwickeln und bei ihnen Toleranz für Minderheiten zu wecken. Hier findet *Planetino*, ein Kind von einem anderen Planeten und Namensgeber des Lehrwerks, seine Rolle. Sporadisch greift diese irreale Figur in die Handlungsabläufe ein und wird in ihrer Andersartigkeit ohne Probleme akzeptiert.

Viele Themen wie zum Beispiel Freizeitbeschäftigungen und Hobbys, Feiern, Familie, Schule, Einkaufen und natürlich die „Feste im Jahr" regen zur Diskussion und zum interkulturellen Vergleich an.

Fächerübergreifende Aspekte

Die Themen und Inhalte in *Planetino* sind auf ein ganzheitliches Lernen, auf ein Lernen mit allen Sinnen hin angelegt. Den Bedürfnissen der Kinder entsprechend werden Spiel, Bewegung, Aktion, Reim und Rhythmus in den Unterricht einbezogen. So eignen sich viele Themen zur Integration anderer Fächer.

Im Mathematikunterricht können im Zahlenraum bis 100 einfache Rechenoperationen auf Deutsch durchgeführt werden. Im Musikunterricht können die Lieder mit einfachen Instrumenten begleitet werden. Viele Bewegungsspiele können im Sportunterricht eingesetzt werden. Im Kunstunterricht können Bildkarten hergestellt und Bastelarbeiten durchgeführt werden.

Insbesondere bei der Vorbereitung und Aufführung des Theaterstücks bietet sich eine intensive Zusammenarbeit von Deutsch-, Musik- und Kunstlehrer an.

Audio-CD

Die drei Audio-CDs enthalten alle Hörtexte und Dialoge, die Übungen zur Aussprache, die Lieder des Kursbuchs mit einer Playback-Fassung zum Nachsingen sowie das komplette Theaterstück.

Das Arbeitsbuch

Das Arbeitsbuch folgt dem Aufbau des Kursbuchs. Jedes Modul beginnt auch hier mit einer Einstiegsseite, die das Thema inhaltlich und sprachlich vorentlastet. Zu jeder Lektion gibt es Übungen zur Einzel- und Partnerarbeit im Unterricht oder als Hausaufgabe. Alle Übungen sind dem Kursbuch exakt zugeordnet. Um ein binnendifferenziertes Arbeiten zu erleichtern, sind die Übungen mit verschiedenen Piktogrammen versehen, die ihre Schwierigkeit kennzeichnen.

Jedes Modul wird durch folgende Teile abgeschlossen:

• „Weißt du das noch?"

Auf dieser Seite wird Stoff aus früheren Lektionen wiederholt.

• chronologische Wortliste

Die Wortliste zu jedem Modul umfasst den aktiven Wortschatz, also die Wörter, die die Kinder lernen und am Ende beherrschen sollen. Sie ist nicht als bloße Übersicht zu sehen, sondern die Schüler sollen sich aktiv damit beschäftigen. So sollen die Schüler die Artikel und die Pluralformen, die sie in den Lektionen kennengelernt haben, selbst einsetzen. Und die Wortliste soll dazu verwendet werden, die in jedem Modul gelernten Wörter zu wiederholen, zu festigen und in neuen Situationen anzuwenden.

• „Das habe ich gelernt"

Inhalt dieser beiden Seiten sind Wortschatz und Redemittel des gerade abgeschlossenen Moduls. Ziel ist die Selbstevaluation, d.h. eine Selbsteinschätzung des eigenen Lernfortschritts. Die Seiten können herausgetrennt und in das **Portfolio** abgeheftet werden. Im Vorwort zum Arbeitsbuch werden ausführliche Vorschläge für die Bearbeitung dieser Seiten gemacht.

• „Grammatik-Comic"

Diese Seite konzentriert sich auf ein zentrales Grammatikphänomen des Moduls. Auch sie kann für das **Portfolio** herausgetrennt und abgeheftet werden.

• „Lesetexte"

Am Ende des Arbeitsbuchs gibt es einige kleine didaktisierte Lesetexte mit **unterschiedlichen Textsorten**. Sie können individuell in den Unterricht eingebaut werden, wobei jeweils angegeben ist, nach welcher Lektion die sprachlichen Voraussetzungen für die Arbeit mit den Texten gegeben sind. Bei den Übungen zum Leseverstehen werden vorrangig Aufgaben eingesetzt, die auch in A1-Prüfungen verlangt werden.

• „Grammatik"

Diese Seiten mit Übungen zur Pluralbildung (*Mehrzahl*) und zu unregelmäßigen Verben mit Vokalwechsel (*Da ändert sich was!*) können von den Schülern selbstständig bearbeitet werden. Auch sie können für das **Portfolio** herausgetrennt und abgeheftet werden.

Nicht zuletzt folgt das Arbeitsbuch dem Gedanken des autonomen Lernens dadurch, dass an relevanten Stellen „Lerntipps zum Ankreuzen" eingefügt sind, bei denen die Schüler selbst erkennen, wie der angegebene Lerntipp lautet.

Organisation des Unterrichts

Im Mittelpunkt des Unterrichts steht die Eigentätigkeit des Schülers. Der Lehrer führt neues Sprachmaterial ein und zieht sich dann allmählich auf die Position des Helfers zurück, der steuernd und unterstützend eingreift, wo es nötig ist. Dabei hat sich als Helfer und Assistent des Lehrers der **Einsatz einer Handpuppe** sehr bewährt (die Anleitung zum schnellen Basteln einer Socken-Handpuppe findet sich im Anhang dieses Buches auf S. 161; im Internet gibt es unter *www.hueber.de/planetino/handpuppe* die Bastelanleitung für eine Planetino-Handpuppe aus Filz). Da neues Sprachmaterial oft über Dialoge eingeführt wird, dient die Handpuppe dem Lehrer als zweiter Sprecher. Sie kann Mensch oder Tier sein, spricht nur Deutsch und muss so geführt werden, dass sie auf etwas zeigen und Gegenstände greifen und festhalten kann. Der Lehrer sollte als Stimme der Handpuppe in natürlicher Stimmlage sprechen, also keinesfalls verzerrt. Nach der Einführung übernehmen in der folgenden Übungsphase die Schüler gern die Rolle der Handpuppe. Insbesondere schüchterne Kinder verlieren beim Führen der Handpuppe ihre Ängste, denn nun sprechen ja nicht sie selbst, sondern die Handpuppe. Und Fehler macht jetzt die Handpuppe, nicht der Schüler. Der Anregung, eine eigene Handpuppe mitzubringen, werden wohl alle Kinder gern nachkommen. Sie ist dann Dialogpartner in der Klasse und vor allem auch zu Hause. Im Lehrerhandbuch werden immer wieder Vorschläge zur Arbeit mit der Handpuppe gemacht, zum Beispiel bei der Einführung von Wortschatz und bei der Demonstration von Übungsspielen.

Die Übungen und Spiele können von den Schülern in Partner- oder in Gruppenarbeit durchgeführt und oft auch selbst kontrolliert werden. Oft sind Hilfen eingebaut, um zu vermeiden, dass zu viele Fehler gemacht werden – so zum Beispiel die Farbpunkte als visuelle Hilfe beim Einüben der Artikel. Das Fehlermachen ist jedoch ein natürliches Phänomen und ein Teil des Lernprozesses. Der Lehrer sollte den Kindern diese Einstellung unbedingt vermitteln und ihnen so die Angst vor Fehlern nehmen. In einem angstfreien Lernumfeld sind Motivation und Lernerfolg größer.

Die Schüler sollten das Material für Übungsspiele, wie zum Beispiel Bild- und Wortkarten, selbst herstellen. So entsteht ein persönlicher Bezug zu dem Übungsmaterial, der Motivation und Lernerfolg verstärkt. Besonders die Bild- und Wortkarten sollten in der Klasse immer für **Freiarbeitsphasen** bereitstehen.

Arbeitsphasen in der Gruppe bieten sich als eine gute Möglichkeit zur **Binnendifferenzierung** an. Der Lehrer kann mit schwächeren Schülern arbeiten, während bessere Schüler die Übungen selbstständig durchführen. Oder die Partnerarbeiten werden so organisiert, dass der bessere Schüler dem schwächeren hilft. Im Lehrerhandbuch werden immer wieder Vorschläge zur Differenzierung gemacht.

Sprache im Unterricht

Es ist wichtig, dass die Schüler in den Unterrichtsstunden möglichst viel Deutsch hören. Deshalb sollte die Unterrichtssprache nach Möglichkeit nur Deutsch sein. Wenn der Lehrer seine Arbeitsanweisungen, die ja oft in den Unterrichtsstunden wiederholt werden, anfangs durch Mimik und Gestik unterstützt, werden die Schüler sehr schnell den Sinn verstehen und richtig reagieren können. Wie oft bei Erklärungen die Muttersprache eingesetzt werden muss, bleibt dem Fingerspitzengefühl des Lehrers überlassen.

Ein kleines Wörterbuch der Unterrichtssprache

Begrüßung und Verabschiedung:

Guten Morgen / Guten Tag / Hallo / Auf Wiedersehen / Tschüs, Kinder.

Im Unterrichtsverlauf:

Alle zusammen.
Hör(t) genau zu.
Fang(t) an.
Noch einmal, bitte.
Wiederhole, bitte.
Zeig(t) bitte ...
Wer ist schon / noch nicht fertig?
Nicht so laut! – Seid bitte leise.
Sprich/Sprecht genau nach.
Schau(t) das Bild an.
Wir singen/schreiben/lesen/malen/ ... jetzt.
Nimm/Nehmt das Buch / das Heft / den Bleistift / ... (heraus).
Teil(t) bitte die Hefte/Bücher aus.
Bitte die Hefte einsammeln.
Leg(t) bitte das Buch/Heft auf/unter den Tisch.
Mach(t) bitte das Buch/Heft ... auf/zu.
Schlagt bitte das Buch auf, Seite ...
Lies bitte (laut).
Lies/lest den Text bitte still.
Ihr arbeitet zusammen. (für Partnerarbeit)
Schreib(t) bitte.
Komm bitte an die Tafel.
Geh bitte auf deinen Platz. – Geht wieder auf euren Platz.
Ihr seid Gruppe ... – Ihr spielt/übt zusammen.
Mach(t) bitte die Tafel sauber.
Und jetzt die Hausaufgaben.
Stellt euch zu zweit/nebeneinander/hintereinander auf.
Die Deutschstunde ist zu Ende.

Methodische Erläuterungen

1. Allgemeine methodische Erläuterungen

Die dem Lehrwerk zugrunde liegende Methode orientiert sich an der psychologischen Disposition der Kinder: Sie lernen mit allen Sinnen, haben einen großen Bewegungsdrang, sind begeisterungsfähig, verfügen aber meist über wenig Ausdauer. In *Planetino* gibt es daher vielfältige Aufgaben und Übungsformen, die ein Lernen mit allen Sinnen ermöglichen und für Abwechslung im Unterricht sorgen. Spiele, Reime und Lieder wechseln mit Partner- und Gruppenarbeit und der szenischen Darstellung von Dialogen ab und fördern das interaktive Lernen. Die Herstellung von Bildkarten und Bastelaufgaben sprechen das Haptische an und fördern die Konzentration, und ein Theaterstück gibt Anreiz zum Einstudieren und Aufführen eines in sich abgeschlossenen deutschen Textes. Die lustigen Comics der Einstiegsseiten wirken identifikationsbildend und fordern die Kinder zum Mitmachen auf. Dank dieser Vielfalt ist gewährleistet, dass alle Kinder einer Klasse angesprochen werden und „für jeden etwas dabei" ist.

2. Spezifische methodische Hinweise zu den Fertigkeiten

Die Fertigkeiten Hören, Sprechen, Lesen und Schreiben können nicht separat, sondern nur im Verbund miteinander vermittelt werden. Nur was der Lerner einer Fremdsprache gehört hat, kann er auch richtig sprechen, und nur was er als Schriftbild gelesen hat, kann er auch richtig schreiben. Dabei stehen im Anfangsunterricht das Hören und Sprechen im Vordergrund; das Lesen in sich geschlossener Texte und das Schreiben eigener Texte bauen dann darauf auf. Dies gilt besonders für den Unterricht mit Kindern, die das Bedürfnis haben, selbst aktiv zu sein, sich zu artikulieren.

2.1 Hören

Auf der CD werden Übungen zum Hörverstehen angeboten, bei denen die Kinder auf Anweisungen reagieren oder sich mit komplexeren Hörgeschichten auseinandersetzen, indem sie Fragen beantworten, Aussagen richtigstellen oder Bildfolgen ordnen. Es ist wichtig, immer deutlich zu machen, dass es durchaus nicht immer nötig ist, Hörgeschichten in allen Einzelheiten zu verstehen. In den meisten Fällen geht es zunächst um ein globales Verstehen der Texte. Die Kinder lernen, Vor- und Zusatzinformationen – seien es Bilder, seien es Geräusche – zu nutzen, um auf den Inhalt zu schließen. Je nach Aufgabenstellung werden Strategien zum *Globalverstehen* (= Heraushören von Kernaussagen, grobes Verständnis des Gehörten) und zum *Detailverstehen* (= Heraushören von Details und Einzelheiten, genaues Verständnis der Gesamtaussage) entwickelt. Auch das *selektive Hören* (= Heraushören bestimmter Informationen) wird angebahnt.

2.1.1 Vorschläge zum Erarbeiten von Hörgeschichten

- zur Vorentlastung Bild/Bilder ansehen und über die Situation sprechen
- den Text ganz hören und auf Geräusche achten
- den Text in Abschnitten hören
- den Text hören und auf den Bildern die Personen / den Handlungsablauf mitzeigen
- Schlüsselwörter zu den Bildern nennen
- je nach Aufgabenstellung
  - eine Aufgabe lesen, den Text hören, die Aufgabe beantworten usw.
    oder
  - alle Aufgaben lesen, den Text hören, die CD unterbrechen, sobald eine Aufgabe beantwortet werden kann
  - die begleitende Bildfolge kopieren, den Text hören und die Bilder in der richtigen Abfolge ordnen oder an die Tafel heften
    oder
  - den Text hören und einzeln oder in Partnerarbeit die Bilder sortieren
- Fragen zum Textverständnis
  - durch den Lehrer
  - durch die Schüler, auch als Gruppenwettkampf
  - durch die Schüler in Partnerarbeit
  - mit dem „Fragewürfel" (siehe LHB S. 16, Punkt 5.3)

2.1.2 Anbahnen des selektiven Hörens über das Heraushören von Schlüsselwörtern

- „Platzwechselspiel": Die Klasse steht im Kreis; der Lehrer nennt immer zwei sich gegenüberstehenden Schülern dasselbe Schlüsselwort aus der Geschichte; den Text hören oder vorlesen; jeweils die beiden gegenüberstehenden Schüler tauschen ihren Platz, wenn sie ihr Wort hören
- Schlüsselwörter auf Karten schreiben; jeder Schüler hat alle Karten vor sich liegen; den Text hören; jeder Schüler hält die entsprechende Karte hoch, wenn das Wort im Text genannt wird

2.2 Sprechen

Neue Redemittel werden häufig durch Dialoge eingeführt und über beigefügte Varianten geübt. Alle Dialoge sind auf der CD. Es ist wichtig, dass sie vor dem Nachsprechen intensiv gehört werden, damit sich das Klangbild einprägen kann; die Dialoge sollten auch nach dem Nachsprechen zur Kontrolle gehört werden.

Nach wie vor sollte auf eine phonetisch korrekte Aussprache großer Wert gelegt werden, denn sie ist für das Funktionieren der Kommunikation sehr wichtig. Ein grammatischer Fehler wird von einem Muttersprachler im Kopf blitzschnell richtiggestellt und behindert das Verstehen nicht entscheidend. Fehler in der Aussprache können dagegen das Verstehen sehr beeinträchtigen. Und haben sich solche Fehler erst einmal verfestigt, ist es sehr mühsam, sie nachträglich zu korrigieren. Sollten sich bei einzelnen Schülern spezielle Ausspracheprobleme zeigen, sollten mit ihnen individuell abgestimmte Übungen durchgeführt werden (siehe Punkt 2.2.3).

2.2.1 Vorschläge zum Erarbeiten der Dialoge

- den Dialog hören, dabei das Bild anschauen
- den Dialog hören und still mitlesen
- den Dialog hören und auf die jeweiligen Sprecher/Gegenstände auf dem Bild zeigen
- den Dialog satzweise hören und im Chor / mit verteilten Rollen nachsprechen
- „Imitatives Nachsprechen": L spricht neues bzw. schwieriges Sprachmaterial (einzelne Wörter oder Sätze) mit wechselnder Stimmlage vor (laut, leise, fröhlich, traurig, aggressiv, mit hoher/tiefer Stimme usw.); S sprechen genau nach
- den Dialog hören und versuchen, halblaut mitzusprechen
- den Dialog in Partnerarbeit einüben
- den Dialog mit verteilten Rollen vorlesen
- Varianten des Dialogs in Partnerarbeit einüben
- aus vorgegebenen bekannten Dialogteilen neue Dialoge machen
- Dialoge szenisch darstellen

Unterstützende Übungen für das Erarbeiten von Dialogen

- L/S liest einen Satz aus dem Dialog vor; S zeigen auf den Satz im Buch
- L/S liest einen Satz vor; S nennen den Sprecher
- „Was kommt dann?": Variante 1: L / später S liest einen Satz aus dem Dialog vor; S suchen die Textstelle und lesen den nächsten Satz vor oder sprechen ihn auswendig
  Variante 2: L / später S liest den ersten Teil eines Satzes vor; S suchen die Textstelle, lesen den ganzen Satz vor oder sprechen ihn auswendig
- „ Was kommt vorher?": entsprechend der Übung „Was kommt dann?" abgeändert
- „Wie heißt der Satz?": L nennt ein Wort aus einem Satz (neuer Wortschatz); S suchen den Satz und lesen ihn vor oder sprechen ihn auswendig
- „Tamburin-Spiel": L liest/spricht einen Satz, lässt aber ein Wort weg und schlägt stattdessen auf ein Tamburin oder klatscht in die Hände, hustet oder schnippt mit den Fingern. Alle oder einzelne S lesen oder sprechen den ganzen Satz mit dem fehlenden Wort. Mit dieser Übung lässt sich ganz gezielt neues Sprachmaterial einüben.
- „Flüsterübung": L liest mit kaum hörbarer Stimme (flüsternd) einen Satz vor; S suchen den Satz und lesen ihn vor. Diese Übung zwingt die S zu großer Aufmerksamkeit und damit zur Ruhe. Sie sollte beim Einüben neuer Redemittel oft eingesetzt werden.
- „Sprechlesen": S schauen ins Buch, lesen einen Satz still und sprechen ihn dann auswendig.
- „Rollenlesen": Text mit verteilten Rollen vorlesen; eventuell auch mit dem Buch in der Hand („Sprechlesen")
- „Flüsterlesen" in Gruppen- oder Partnerarbeit: wie „Rollenlesen", jedoch flüsternd, damit andere Schüler bei ihrer Arbeit nicht gestört werden
- „Flüsterlesen" mit Fingerpuppen: Ein S kann bis zu drei Rollen flüsternd einüben

HINWEIS: Die Methode „Flüsterlesen" ermöglicht nicht nur vielen S, gleichzeitig zu üben, so kann man auch ohne große Mühe im Unterricht Dialoge auswendig lernen.

2.2.2 Ausspracheübungen mit der CD

Unter dem Titel „Hören und Nachsprechen" wird in fast jeder Lektion die Aussprache des neuen Sprachmaterials eingeübt. Dieses wird oft verbunden mit Ausspracheübungen zu speziellen phonetischen Phänomenen.

• die Übung abschnittweise hören und genau nachsprechen; dabei auf die Intonation achten
• „Klatschübung zur Betonung": hören, nachsprechen und die Silbenbetonung mitklatschen; bei der betonten Silbe (b) in die Hände klatschen, bei den unbetonten Silben (u) mit der Faust in die Handfläche klopfen; Beispiel: Ma-the-ma-tik = u-u-u-b

Unter dem Titel „Laute und Buchstaben" werden Buchstaben und Buchstabengruppen geübt, bei denen das Lautbild vom Schriftbild abweicht. Beispiel: Lautbild oi – Schriftbild eu. Es bleibt dem Lehrer überlassen, wann er die einzelnen Übungen zur Aussprache im Unterricht einsetzt. Naheliegend ist, die Aussprache von neuen Redemitteln zeitnah zur Einführung zu üben. So ist es auch bei *Planetino* vorgesehen. Aber auch die Aussprache bereits bekannter Redemittel sollte sporadisch immer wieder geübt werden.

2.2.3 Vorschläge für Ausspracheübungen ohne CD

HINWEIS: Die folgenden Übungen müssen immer vom Lehrer als Sprachvorbild durchgeführt werden.

• „Fehler erkennen":
L spricht ein bekanntes Wort oder einen Satz fünfmal vor; beim ersten und letzten Mal richtig, beim zweiten, dritten oder vierten Mal falsch. Die Schüler sollen erkennen, an welcher Stelle das Wort / der Satz falsch ausgesprochen wurde. Sie „fangen" den Fehler mit der Hand oder nennen die Stelle mit einer Ziffer (2, 3 oder 4; eventuell die Ziffer aufschreiben). Danach muss das Wort / der Satz noch einmal vom L vorgesprochen und von den S im Chor nachgesprochen werden. Beispiel: *zwanzig – zwanzig – swanzig – zwanzig – zwanzig*.
HINWEIS: Diese Übung zur Sensibilisierung des Gehörs ist deshalb besonders wichtig, weil ein Fremdsprachenlerner nur das richtig sprechen kann, was er auch richtig hören kann.

• „Imitatives Nachsprechen":
L spricht neues bzw. schwieriges Sprachmaterial mit wechselnder Stimmlage vor (laut, leise, fröhlich, traurig, wütend, verzweifelt, mit hoher/tiefer Stimme …). S sprechen genau nach.

• Spielerische Lautierung:
  ⬧ schwierige Laute übermäßig verlängern oder isolieren (Beispiel: *sprechen*; *schlafen*)
  ⬧ bei zusammengesetzten Wörtern den Knacklaut deutlich herausarbeiten (Beispiel: *Musik-lehrer*)

• Gestische Unterstützung:
  ⬧ gedehnt Vokale mit Handzeichen verdeutlichen (*Großmutter*, *Noten*, *Informatik*)
  ⬧ bei Anlaut-h die Hand anhauchen und so den Hauch und die Wärme spüren; oder ein kleines Papierstückchen auf den Handrücken legen – bei richtig gesprochenem „h" (*haben*) bewegt es sich und fliegt weg.

• Assoziationshilfen und Lautmalerei:
  ⬧ *sch*:   eine alte Dampflokomotive imitieren
  ⬧ *w*:   den Wind imitieren
  ⬧ *ü*:   Feuerwehr oder Krankenwagen imitieren (*ta-tü-ta-tü*)
  ⬧ *ö*:   wie ein Schaf blöken
  ⬧ *ich*-Laut: wie eine Katze fauchen; wenn der ich-Laut wie „sch" gesprochen wird, den Zeigefinger quer vor die leicht geöffneten Zähne halten und *ich* sprechen
  ⬧ *ach*-Laut: schnarchen
  ⬧ stimmhaftes *s* im Anlaut: wie eine Biene summen
  ⬧ *z*:   wie eine Schlange zischen

• Spiel- und Liedformen:
  ⬧ Rhythmisierung durch in die Hände Klatschen, mit den Füßen auf den Boden Stampfen, mit der Faust in die Handfläche Klopfen; vor allem als Übung zur Betonung
  ⬧ Melodien mit Unsinn-Silben nachsingen; dabei schwierige Laute verwenden (*sim-sim-sim / lö-lö-lö / sü-sü sü / …*)
  ⬧ „Ratespiel zur Betonung": die in der „Klatschübung zur Betonung" (siehe oben, Punkt 2.2.2) nur akustisch dargestellten Wörter nachklatschen und das Wort erraten

2.3 Lesen

Ausgangspunkt sind ganz unterschiedliche Textsorten, wie sie Kindern in diesem Alter begegnen. Neben Comics, Anzeigen, E-Mails, Artikeln aus Kinderzeitschriften, Preisschildern und Briefen gibt es auch längere erzählende Texte. Diese Lesetexte enthalten häufig bekanntes Sprachmaterial in einer neuen Situation. Zum Lösen der Aufgaben ist es nicht immer nötig, den Text in allen Einzelheiten zu verstehen. Die Kinder sollen lernen, Vorinformationen und den Textzusammenhang zu nutzen, um so auf den Inhalt der Texte schließen zu können. Natürlich sollte auch die Lesefertigkeit weiter verbessert werden.

2.3.1 Vorschläge zum Erarbeiten von Lesetexten

- Vorerfahrungen aktivieren und Erwartungshaltung wecken
- Wortfeld des Themas aktivieren
- zur Vorentlastung Bild/Bilder ansehen und über die Situation sprechen
- aufgrund des Titels bzw. der Illustrationen Vermutungen über den Inhalt äußern
- den Text still lesen; dabei jedem Kind entsprechend seinem Lesetempo ausreichend Zeit lassen
- L liest einen Teil des Textes bis zum Spannungshöhepunkt vor; S lesen still weiter.
- den Text kopieren und die Kinder unterstreichen alles, was sie verstehen; **wichtig:** Nicht unterstreichen lassen, was die S *nicht* verstehen; es reicht aus, wenn die Kinder den Text so weit verstehen, dass sie die gestellten Aufgaben lösen können
- je nach Aufgabenstellung:
  - Text/Textteile und Bilder kopieren und an der Tafel die Bilder dem Text zuordnen bzw. die Textteile den Bildern zuordnen
  - die Textteile kopieren und in Partnerarbeit in die richtige Reihenfolge bringen
  - eine Aufgabe lesen, klären, ob die Aufgabenstellung verstanden wurde, den Text lesen und die Aufgabe lösen

2.3.2 Übungen zum Leseverstehen

Bei den Übungen zum Global- und Detailverstehen werden im Kurs- und Arbeitsbuch insbesondere auch Aufgaben zum Leseverstehen eingesetzt, die in A1-Prüfungen (z. B. „Fit in Deutsch 1") verlangt werden.

- vorgegebene Aufgaben lösen:
  - Richtig-Falsch-Aufgaben
  - vorgegebene Fragen zum Text beantworten
- L/HP macht falsche und richtige Aussagen zum Textinhalt; S stellen die falschen Aussagen richtig
- L gibt Teilüberschriften vor; S suchen die passenden Textabschnitte
- L liest einen Satz aus dem Text vor; S zeigen auf die Stelle im Text
- „Wer sagt das?" (bei dialogischen Texten): L liest einen Satz vor, S nennen den Sprecher
- „Wo steht das?": die Zeilen in Textkopien nummerieren; L liest einen Satz vor; S nennen die Zeile
- wichtige Schlüsselwörter erkennen und kennzeichnen
- Überschriften zu Textabschnitten formulieren
- Fragen zum Text stellen:
  - L stellt Fragen
  - S stellen Fragen, auch in Partnerarbeit
  - Frage und Antwort mit dem „Fragewürfel" (siehe S. 16, Punkt 5.3) in Klassen-, Gruppen- oder Partnerarbeit

2.3.3 Übungen zur Verbesserung der Lesefertigkeit

Die Lesefertigkeit sollte auch weiterhin sehr vorsichtig aufgebaut werden. Und es gilt auch weiterhin das Kriterium: Sollten sich beim Lautlesen Aussprachefehler einschleichen, ist das Klangbild noch nicht gefestigt. Dann muss der Lehrer spontan spezielle Übungen für die Ausspracheprobleme einsetzen (siehe Punkt 2.2.3) und außerdem die schwierigen Textteile vorlesen und nachsprechen lassen.

- L liest einen Textabschnitt oder Satz vor und tauscht ein Wort aus oder lässt ein Wort weg. S lesen still mit, rufen *Stopp!* und lesen den Satz richtig vor.
- L liest beim Vorlesen eines Textes plötzlich einen Satz mit falscher Intonation vor; S lesen still mit, rufen bei dem fehlerhaften Satz *Stopp!* und lesen ihn richtig vor.

- Suchübungen im Text:
  - „Satzanfang": L / später S liest einen beliebigen Satzanfang vor; S suchen den Satz im Text und lesen ihn vollständig vor
  - „Was kommt dann?": L / später S liest einen Satz aus dem Text vor; S suchen und lesen den nächsten Satz vor
  - „Was kommt vorher?": L / später S liest einen Satz aus dem Text vor; S suchen und lesen den vorherigen Satz vor
  - „Wie heißt der Satz?": L / später S nennt ein Schlüsselwort aus dem Text; S suchen die Stelle im Text und lesen den Satz vor
- „Nummern rufen": Jeder S bekommt eine Nummer. Ein S liest den ersten Satz und ruft dann eine Nummer; der S mit der aufgerufenen Nummer liest den zweiten Satz usw.
  oder
  Ein S liest, bis der Spielleiter eine neue Nummer ruft; der S mit der aufgerufenen Nummer muss sofort weiter lesen

2.4 Schreiben

Ein natürlicher, realistischer Schreibanlass ist eine wichtige Motivation zum Schreiben. Solch ein Schreibanlass ist das Erstellen von Spielen. Die Schüler schreiben Wort- oder Satzkarten zu verschiedenen Spielen. Durch das Schreiben und anschließende Spielen entsteht ein doppelter Übungseffekt. Anfangs mithilfe von Vorgaben, später als freie Aufgabe lernen die Kinder dann, realistische Schreibsituationen zu bewältigen, so z.B. das Anlegen von Listen (Stundenplan, Klassenordnung …) und das Schreiben von E-Mails, SMS-Nachrichten und Karten oder Briefen. Der kreative Umgang mit der neuen Sprache beim Erfinden neuer Liedstrophen oder beim Schreiben von Comics, Quatsch-Sätzen oder kleinen Geschichten macht den Kindern Spaß. Die Ergebnisse können sie als Nachweis ihres Erfolges im Dossier ihres **Portfolios** sammeln.

2.4.1 Spiele erstellen

Die Schüler schreiben Wort- und Satzkarten zu verschiedenen Spielen.
- die Vorgaben lesen
- in Partner- oder Gruppenarbeit Wort- oder Satzkarten schreiben
- die Karten für die individuelle Arbeit in **Freiarbeitsphasen** aufbewahren

2.4.2 „Echte" Schreibanlässe

Mithilfe der Vorgaben im Kursbuch schreiben die Schüler Listen, Tabellen, E-Mails, SMS-Nachrichten oder Karten und Briefe.
- die Vorgaben lesen
- in der Klasse gemeinsam ein Beispiel oder mehrere erarbeiten
- in Partner- oder Gruppenarbeit weitere Texte entwickeln; die erarbeiteten Texte in der Klasse vorlesen und verbessern
Differenzierung: Gute Gruppen arbeiten selbstständig, schwächere mit dem Lehrer

2.4.3 Geschichten schreiben

Die Schüler schreiben eine ungeordnet vorgegebene Geschichte in der richtigen Reihenfolge auf.
- den ungeordneten Text still lesen
- in der Klasse gemeinsam / in Gruppen den Text mündlich richtigstellen
- in Stillarbeit den Text in der richtigen Reihenfolge aufschreiben
Differenzierung: für schwächere Schüler die Reihenfolge durch Nummern kennzeichnen

2.4.4 Texte weiterdichten

Die Schüler können zu den meisten Liedern selbst weitere Strophen erarbeiten, indem sie einige Wörter austauschen.
- das Lied einüben (siehe S. 14, Punkt 4.1)
- in der Klasse gemeinsam ein Beispiel erarbeiten
- in Gruppenarbeit weitere Strophen schreiben
- die neuen Liedstrophen zur Playback-Fassung auf der CD singen

2.4.5 Hinführung zum freien Schreiben

Die Schüler schreiben eigene Texte und orientieren sich dabei an vorgegebenen Mustern. Dazu wird häufig Sprachmaterial angeboten. Je nach Sprachvermögen können die Kinder aber auch schon frei formulieren. Im Arbeitsbuch reichen die schriftlichen Übungen von gebundenen über freiere Übungsformen bis zur Textproduktion.

- den Mustertext im Buch lesen
- Stichwörter zu einem neuen Text lesen bzw. sammeln
- in der Klasse gemeinsam ein Beispiel erarbeiten
- in Partner- oder Einzelarbeit eigene Texte erarbeiten
  Differenzierung: Gute S arbeiten selbstständig, schwächere S mithilfe des L.
- die Texte in der Klasse vorlesen, besprechen und, wenn nötig, verbessern

3. Arbeit mit den Wortlisten im Arbeitsbuch

Aus lernpsychologischer Sicht ist es nicht sinnvoll, neue Wörter in Wortgleichungen zu lernen, also deutsches Wort – muttersprachliche „Übersetzung". Solche isolierten Begriffe prägen sich im Gedächtnis nur schwer ein. Der effektivere Weg ist es, Wörter in eine Situation und Strukturen einzubetten, weil dadurch im Gehirn spontan und dauerhaft Verknüpfungen hergestellt werden.
Beispiel: Wortschatzarbeit zum Thema *Tiere* in Gruppenarbeit: S1 nennt das Wort *Affe*; S2: *Affen können ganz toll klettern.* – S3: *Affen sind lustig.* – S4: *Im Zirkus gibt es manchmal auch Affen.* – S5: *Affen können nicht rechnen.* – ... Auf diese Weise können die S neuen Wortschatz in schon länger bekannten integrieren. In diesem Zusammenhang ist auch der Lerntipp im AB auf Seite 16 „Fass Wörter unter einem Thema zusammen." zu verstehen. Dieser für die Kinder sehr motivierenden und effektiven Idee von Wortschatzarbeit folgend werden auch in *Planetino 2* im Lehrerhandbuch am Ende eines jeden Moduls Vorschläge für die Arbeit mit der Wortliste gemacht. Auch der Spielplan „Ein Spiel für alle Fälle" im Kursbuch auf Seite 97 wird wieder in diese Arbeit integriert.

4. Lieder

Auch in *Planetino 2* sind Lieder als fester Bestandteil in den Unterricht integriert.
Abgesehen vom musischen Aspekt sind sie ein hervorragendes Mittel zum Spracherwerb. Neue Redemittel können eingeführt, geübt und durch Wiederholung gefestigt werden. Auch der kreative Aspekt sollte gepflegt werden, denn viele der Lieder eignen sich zum Weiterdichten, d.h. zum Erfinden neuer Strophen. Auf der CD gibt es zu jedem Lied eine Playback-Fassung, zu der die Kinder auch ihre selbst geschriebenen Strophen singen können.

4.1 Vorschläge zur Arbeit mit den Liedern

- das Lied hören; neue Redemittel werden oft durch Abbildungen semantisiert
- das Lied hören und die Melodie mitsummen
- das Lied hören und dazu rhythmisch klatschen
- bei Liedern mit sich wiederholenden Textteilen (Refrain) diese zuerst einüben
- die Melodie durch Mitsingen auf Silben einüben (*sim-sim-sim*, *la-la-la* ...); dabei auch je nach Muttersprache schwierige Laute verwenden (*lö-lö-lö*, *lü-lü-lü* ...)
- den Text durch rhythmisches Sprechen einüben
- das Lied durch Mitsingen mit dem Sänger einüben
- bei Liedern mit vielen Strophen jeden Tag eine neue Strophe lernen
- die gelernten Strophen zur Playback-Fassung singen
- dafür geeignete Lieder durch Klatschen, Schnippen mit den Fingern, ein Tamburin, eine Triangel oder andere Instrumente begleiten
- geeignete Lieder im Stehen singen und den Körper mitschwingen lassen
- Lieder auch zu einem späteren Zeitpunkt wiederholen
- dafür geeignete Lieder zu einem anderen Thema und Wortfeld mit neuem Text abändern und zur Playback-Fassung singen

5. Spiele und Übungen, die im Unterricht immer wieder eingesetzt werden können

5.1 Zum Sprechen

„Imitatives Nachsprechen"

L spricht neues bzw. schwieriges Sprachmaterial mit wechselnder Stimmlage vor (laut, leise, fröhlich, traurig, aggressiv, mit hoher/tiefer Stimme usw.). S imitieren genau.

„Kofferpacken"

S1 nennt einen Satz. S2 wiederholt und ergänzt Verb, Nomen … S3 fängt wieder von vorne an und ergänzt …
Beispiel: S1: *Ich möchte springen.* – S2: *Ich möchte springen und klettern.* – S3: *Ich möchte springen, klettern und Rad fahren.* – S4: *Ich möchte ...*
oder
S1: *Wir spielen Volleyball.* – S2: *Wir spielen Volleyball oder Tennis.* – S3: *Wir spielen Volleyball, Tennis oder Basketball.* – S4: ...

„Der lange Satz"

S1 sagt ein Wort, S2 wiederholt und ergänzt ein weiteres Wort usw., bis der Satz vollständig ist.
Beispiel zum Thema *Tiere*: S1: *Ein*; S2: *Ein Löwe*; S3: *Ein Löwe kann*; S4: *Ein Löwe kann nicht*; S5: *Ein Löwe kann nicht fliegen.*
Variante: Mehrere Wörter nennen und hinzufügen, zum Beispiel beim Thema *Wochentage* und *Stundenplan*: S1: *Wir haben*; S2: *Wir haben am Mittwoch*; S3: *Wir haben am Mittwoch in der*; S4: *Wir haben am Mittwoch in der dritten Stunde*; S5: *Wir haben am Mittwoch in der dritten Stunde Musik.*

„Dalli-Dalli"

In diesem schnellen Spiel wird Wortschatz wiederholt. Die S bekommen die Aufgabe, innerhalb einer festgesetzten Zeit (30 Sekunden / eine Minute) möglichst viele Wörter aus einem bestimmten Wortfeld zu nennen.
Beispiel: *Essen und Trinken* → *Kuchen, Saft, mitbringen, ich mag, Brötchen* usw.

„Assoziationsspiel"

Immer zwei zusammenpassende Begriffe zu einem Thema nennen, zum Beispiel zum Thema *Zirkus*:
S1: *Akrobat* – S2: *klettern*; S1: *Bär* – S2: *tanzen*; S1: *Clown* – S2: *Quatsch machen* usw.
Variante mit drei Schülern: S1 und S2 wie vorher, S3 macht mit den beiden Wörtern eine Aussage, auch im Plural;
Beispiel: *Akrobaten können sehr gut klettern.*

„Tamburin-Spiel"

L oder S nennt einen Satz, lässt aber ein Wort weg und schlägt stattdessen auf ein Tamburin, hustet, klatscht in die Hände oder schnippt mit den Fingern. S sprechen dann den vollständigen Satz.
Beispiel: L: _____ *Hals tut weh.* – S / alle S: *Mein Hals tut weh.* L: _____ *Füße tun weh.* – S: *Meine Füße tun weh.*
oder
L: ___ *Papagei ist lustig.* – S / alle S: *Der Papagei ist lustig.*
Diese Übung eignet sich sehr gut zum Einüben der Artikel! Da der Kasus des Artikels vom Verb abhängt, sollte bei dieser Übung immer im ganzen Satz gesprochen werden.

„6-Richtige-Spiel"

Der Spielleiter (L oder S) stellt einem Schüler oder einer Gruppe sechsmal eine mündliche Aufgabe – wer die sechs Aufgaben richtig löst, hat „6 Richtige".
Beispiel: Der Spielleiter nennt sechs Zahlen aus dem Zahlenraum 1–100. Ein S muss sie nacheinander richtig anschreiben.
oder
Der Spielleiter schreibt sechs Zahlen an die Tafel. Ein S muss die Zahlen richtig lesen.
oder
In Kombination mit dem „Tamburin-Spiel" (siehe oben): L nennt nacheinander sechs Lückensätze – S spricht jeweils die vollständigen Sätze. Beispiel: L: *Ich wünsche mir _____ Handy.* – S: *Ich wünsche mir ein Handy.* – L: *Ich wünsche mir _____ Hund..* – S: *Ich wünsche mir einen Hund.* usw.

5.2 Zum Hören

„Fehler erkennen"

HINWEIS: Diese Übung zur Sensibilisierung des Gehörs ist besonders wichtig, weil ein Fremdsprachenlerner nur das richtig sprechen kann, was er auch richtig hören kann. Sie kann bei allen Ausspracheproblemen spontan eingesetzt werden. Es ist wichtig, dass immer nur der Lehrer vorspricht, da die Aussprache Vorbildcharakter haben muss.

Ablauf der Übung: L spricht ein bekanntes Wort oder einen Satz fünfmal vor. Beim ersten und beim letzten Mal wird das Wort / der Satz immer richtig gesprochen, beim zweiten, dritten oder vierten Mal wird das Wort / der Satz einmal falsch gesprochen. S sollen erkennen, an welcher Stelle das Wort / der Satz falsch ausgesprochen wurde. Sie „fangen" den Fehler pantomimisch mit einer Hand oder benennen die Stelle mit einer Ziffer (2, 3 oder 4; eventuell die Ziffer aufschreiben). Dann muss das Wort / der Satz vom L noch einmal richtig vorgesprochen und von den S im Chor nachgesprochen werden, damit die richtige Aussprache im Gedächtnis bleibt.

Beispiel: <u>Z</u>wanzig – <u>Z</u>wanzig – <u>Z</u>wanzig – <u>S</u>wanzig – <u>Z</u>wanzig

5.3 Zum Lesen

„Fragewürfel"

Einen Würfel basteln und die Seiten mit den Fragewörtern *Wer?, Was?, Wie?, Wo?, Warum?* oder *Woher?* und *?* (nur ein Fragezeichen für eine Ja-/Nein-Frage) beschriften. Ein S würfelt. S1 stellt mit dem Fragewort eine Frage zu einem Lesetext. S2 antwortet. Das Spiel ist auch als Gruppenwettkampf geeignet.

VORSCHLAG: den Würfel nicht selbst herstellen, sondern einen größeren Spielwürfel nehmen und die Seiten bekleben und beschriften

5.4 Zum Schreiben

„Buchstabenspinne"

Das Spiel eignet sich besonders dafür, bekannten Wortschatz innerhalb eines Wortfeldes zu aktivieren und zu festigen sowie die Rechtschreibung schwieriger Wörter zu üben.

Beispiel: Das Wortfeld *Tiere* soll aktiviert werden. L/S wählt ein bekanntes Wort aus, z. B. *Katze*. L/S macht an der Tafel für jeden Buchstaben einen Strich: __ __ __ __ __. Die Klasse nennt Buchstaben. Jeder richtige Buchstabe wird auf den entsprechenden Strich geschrieben. Ein Schüler sagt z. B. „a"; die Zeichnung verändert sich so: __ a __ __ __. Die Klasse darf das Wort erst sagen, wenn alle Buchstaben erraten sind.

Wenn Buchstaben genannt werden, die in dem Wort nicht vorkommen, entsteht nach und nach eine Spinne: zuerst der Leib, dann vier Beine auf jeder Seite, zum Schluss in zwei Schritten ein Kreuz auf dem Rücken der Spinne, sodass die Schüler zehnmal falsch raten können. Beim elften falsch geratenen Buchstaben ist die Spinne komplett und die Klasse hat „verloren".

„Zahlenbingo"

Gespielt wird in einem begrenzten Zahlenraum. Jeder Schüler zeichnet ein Bingokreuz —|— oder -gitter —|—|— in sein Heft und schreibt Zahlen hinein. Der Spielleiter ruft Zahlen aus diesem Zahlenraum. Wer eine seiner Zahlen hört, kann sie durchstreichen. Wer zuerst alle Zahlen durchgestrichen hat, ruft „Bingo!" und hat gewonnen.

„Wortbingo"

Wie „Zahlenbingo", aber mit Wörtern aus einem Wortfeld, z. B. *Körperteile*.

„Buchstabenspiel"

In Gruppenarbeit werden Wortkarten geschrieben und in Einzelbuchstaben zerschnitten. Der Spielleiter (S oder L) nennt ein Wort, und die Gruppen legen das Wort so schnell wie möglich mit den Buchstabenkärtchen. Sieger ist die Gruppe, die das Wort am schnellsten gelegt hat. Sie bekommt einen Punkt.

Variante: Jeweils die schnellste Gruppe darf einen Strich zu einem Häuschen zeichnen. Sieger ist die Gruppe, die das Häuschen am schnellsten fertig hat.

Variante: Wörter in Silben zerschneiden.

5.5 Beobachtungsspiele

„Kimspiele"

Bildkarten oder Wörter werden geordnet oder ungeordnet an die Tafel gehängt bzw. angeschrieben. Alle Schüler schauen genau hin und machen dann die Augen zu. Der Spielleiter nimmt ein Bild weg / deckt ein Bild oder Wort zu / wischt ein Wort weg. Die Schüler müssen das fehlende Wort/Bild nennen oder aufschreiben.

„Rasterspiel"

Das „Rasterspiel" festigt insbesondere den Gebrauch der Genera.
Beim Rasterspiel ohne Pluralformen ein Raster mit drei senkrechten Spalten und beliebig vielen waagerechten Spalten an die Tafel zeichnen. Die senkrechten Spalten mit A (blauer Farbpunkt), B (grüner Farbpunkt), C (roter Farbpunkt) für die Genera kennzeichnen, die waagerechten Spalten mit Ziffern 1, 2, 3 ... kennzeichnen. In die Rasterflächen werden verdeckt Bildkarten gehängt, zum Beispiel *Tiere*. S1 fragt: *Was ist A2?* – S2: *Der Hund.* S2 dreht die Bildkarte zur Kontrolle um.
Beim Rasterspiel mit Singular- und Pluralformen muss eine senkrechte Spalte D (gelber Farbpunkt) ergänzt werden.

5.6 Ratespiele

„Zeichnen und Raten"

Die Schüler schreiben Wörter auf Wortkarten, zum Beispiel aus dem Wortfeld *Gegenstände für die Freizeit*. Ein Kind zieht eine Karte, zum Beispiel *Fahrrad* und lässt Schritt für Schritt an der Tafel eine Zeichnung des Fahrrads entstehen. Nach jedem Schritt versucht die Klasse, das Wort zu erraten.

„Worträtsel"

Ein Ratespiel, das mit realen Gegenständen, Wort-/Bildkarten oder auch nur verbal durchgeführt werden kann. Es kann zum Training vieler Begriffe und Strukturen gespielt werden.
Beispiel zum Wortfeld *Schulsachen*: S1 steht vor der Klasse und hält einen Radiergummi hinter dem Rücken.
S1: *Ich habe den hüpe küre. Ratet mal.*
S2: *Hast du den Spitzer?*
S1: *Nein.*
S3: *Hast du das Mäppchen?*
S1: *Nein, ich habe den hüpe küre.*
S4: *Hast du den ... ?*

„Pantomime raten"

S spielen einen Begriff oder eine Handlung pantomimisch vor. Die anderen müssen raten.
Beispiel mit Wortfeld *Spiele* zum Einüben der 2. Person Singular Präsens: S1 steht vor der Klasse und spielt pantomimisch z. B. Tennis. S2: *Du spielst Tennis.* – S1: *Richtig.*

„Verstehst du Planetanisch?"

In Planetanien, der Heimat Planetinos, spricht man natürlich Planetanisch. Diese Sprache hat keine Vokale, wie die deutsche Sprache, sondern stattdessen die Umlaute ö und ü.
Beispiel: auf Planetanisch: *Wör spölön Föngön.* – auf Deutsch: *Wir spielen Fangen.*
Üch müchtü büstüln. – Ich möchte basteln.
Vorschlag: S1 spricht ein bekanntes Wort oder einen Satz auf Planetanisch. S2 „übersetzt" Wort oder Satz ins Deutsche.
Diese Übungsform festigt nicht nur spielerisch die Aussprache schwieriger Laute, sondern sie übt auch den Gebrauch von Wörtern und Strukturen.

„Mehr oder weniger?"

Es handelt sich um ein Ratespiel mit Zahlen oder Geld.
Beispiel: Die Zahlen bis 100 werden eingeübt. Ein Schüler als Spielleiter schreibt eine Zahl aus dem Zahlenraum bis 100 hinter die Tafel, z. B. 79. Die anderen Schüler müssen die Zahl erraten. Der Spielleiter führt die Schüler zur richtigen Zahl, indem er *mehr* oder *weniger* sagt. Vor dem Spiel die Anzahl der Versuche festlegen; eventuell ein Haus oder ein Tier zeichnen (siehe die Zeichnungen zum Spiel „Buchstabenspinne" bzw. „Buchstabenspiel", jeweils unter Punkt 5.4, S. 16)

„Früher oder später?"

Variante des Spiels „*Mehr oder weniger?*" mit Zeitangaben; der Spielleiter schreibt eine Uhrzeitangabe hinter die Tafel oder stellt sie auf der Demonstrationsuhr ein; Ablauf des Spiels wie bei „*Mehr oder weniger?*"

5.7 Kartenspiele

„Memory®"

Kartenpaare (z. B. Bild- und Wortkarten oder Frage- und Antwortkarten) werden hergestellt, gemischt und verdeckt auf einen Tisch gelegt. Jeder Spieler deckt zwei Karten auf und sagt, was er aufgedeckt hat. Wenn die Karten zusammenpassen, darf er das Paar nehmen und zwei weitere Karten aufdecken. Sieger ist, wer die meisten Kartenpaare gefunden hat.
Beispiel mit Bild- und Wortkarten aus dem Wortfeld *Gegenstände für die Freizeit*: S1: *Ich habe den Computer und das Pony. Falsch.* – S2:. *Ich habe das Pony und das Pony. Richtig. Ich bin noch mal dran.*

„Mono-Memory®"

Die Schüler stellen in Spielgruppen Bild- oder Wortkarten her, zum Beispiel zum Thema *Geburtstagswünsche*, für jedes Wort nur eine Karte. Die Karten werden gemischt und verdeckt auf den Tisch gelegt. S1 sagt zum Beispiel: *Ich wünsche mir einen Computer.* Er dreht eine Karte um und findet das Bild/Wort *Pulli*. S1: *Ich habe leider einen Pulli bekommen.*
Die Karte zurücklegen und alle Karten neu mischen.

„Schwarzer Peter"

Kartenpaare (z. B. Bild- und Wortkarten, Frage- und Antwortkarten oder Zahl und Ziffer) werden hergestellt, dazu eine Karte „Schwarzer Peter".
Vier Kinder bilden eine Gruppe. Die Karten werden gemischt und ausgeteilt. Wer jetzt schon ein Kartenpaar hat, legt es auf den Tisch und liest vor. Dann zieht er eine Karte von seinem rechten Mitspieler. Hat er jetzt wieder ein Paar, kann er wieder ablegen und vorlesen. Dann ist der nächste Schüler dran. Wer am Schluss den „Schwarzen Peter" übrig hat, hat verloren.

5.8 Bewegungsspiele

„Klopfspiel"

Alle Schüler klopfen leise mit den Fingern auf den Tisch.
Der Spielleiter (L oder S) macht richtige und falsche Aussagen. Wenn der Satz richtig ist, heben die Schüler die Hände. Ist der Satz falsch, klopfen sie weiter.
Variante: richtige Aussagen – S bleiben auf dem Stuhl sitzen, falsche Aussagen – S stehen auf.
Beispiel zu *Kleidung und Farben*: L/S (zeigt auf seine grüne Hose): *Meine Hose ist grün.* – S heben die Hand / bleiben sitzen. – L/S (zeigt auf sein Hemd): *Meine Jacke ist blau.* – S klopfen weiter / stehen auf.
Variante: Um mehr Wortschatz üben zu können, stehen ein Junge und ein Mädchen vor der Klasse. L: *Lisas Rock ist …* – *Marcos Pulli ist …* Oder die zwei S sprechen selbst.

„Partnersuchspiel"

Wie für das „Memory®-Spiel" werden Kartenpaare hergestellt, so viele, dass jeder S eine Karte hat. Alle Schüler gehen durch die Klasse, sprechen leise das Wort oder den Satz auf ihrer Karte und suchen den Schüler mit der passenden Karte.

„Schnipp-Schnapp-Boogie"

Das Spiel ist als Wortschatzübung zu bestimmten Oberbegriffen geeignet, zum Beispiel *Tiere*:
Alle Schüler stehen an ihrem Platz oder sitzen im Kreis; L / später S schnippt mit den Fingern und spricht dabei: *Schnipp-Schnapp, ein Tiger, ein Löwe*; alle S imitieren und sprechen nach; L / später S: *Schnipp-Schnapp, ein Löwe, ein Affe*; also immer das zweite Wort wiederholen und ein neues hinzufügen
Variante: als Reihenübung: S1: *Schnipp-Schnapp, ein Tiger, ein Löwe* – S2: *Schnipp- … – ein Löwe, ein Affe* – S3: *… – …, ein Affe, …* usw.
VORSCHLAG: dieses Bewegungsspiel auch mit Pluralformen durchführen

„Sitzboogie"

Das Spiel eignet sich sehr gut zum Einüben von neuem Wortschatz.

Alle S sitzen im Kreis oder bei größeren Klassen an ihren Tischen, aber mit genügend Abstand vom Tisch, um die Bewegungen ausführen zu können. Der Spielleiter (zuerst L) führt eine Bewegung aus und spricht dazu eines der Wörter, die geübt werden sollen. Alle S wiederholen die Bewegung und das Wort und zwar jedes Wort und jede Bewegung zweimal.

Beispiel mit *Unterrichtsfächer*:

einmal schnippen – *Englisch* (S imitieren)   noch einmal schnippen – *Englisch* (S imitieren)

rechte Hand auf den Kopf – *Sport* (S imitieren)   linke Hand auf den Kopf – *Sport* (S imitieren)

rechte Hand ans Ohr – *Deutsch* (S imitieren)   linke Hand ans Ohr – *Deutsch* (S imitieren)

rechte Hand auf die Schulter – *Mathematik* (S imitieren) – usw.

usw. mit Nase – Bauch – Oberschenkel …; zuletzt mit den Füßen auf den Boden stampfen

Wichtig ist dabei, dass Bewegung und Sprechen immer gleichzeitig ablaufen.

Langsam beginnen; je schneller das Spiel wird, umso lustiger wird es. S lösen bald L als Spielleiter ab.

Variante: Jedes Wort nur einmal sprechen

„Platzwechselspiel"

Das Heraushören von Schlüsselwörtern oder neuem Wortschatz soll geübt werden.

Die Klasse steht im Kreis; L nennt immer zwei sich gegenüberstehenden S dasselbe Wort aus einer Hörgeschichte oder einem Lesetext. Das ist „ihr" Wort. Die Schüler hören den Text. Bei Lesetexten liest L vor. Jeweils die beiden sich gegenüberstehenden Schüler tauschen den Platz, wenn sie „ihr" Wort hören.

„Interview-Spiel"

Das Spiel ist sehr gut geeignet, einzelne Strukturen und spezifische Lexik zu üben. Außerdem bietet es die Möglichkeit, dass alle Schüler gleichzeitig und intensiv miteinander kommunizieren können.

Erklärung des Spiels am Beispiel des Wortfeldes *Tätigkeiten*:

• S schreiben die Wörter des Wortfeldes in Tabellenform an die Tafel

• die Wörter werden durchnummeriert

Wichtig: Das Tafelbild muss während des gesamten Spiels sichtbar bleiben.

• Eine Frage wird festgelegt, die von allen S benutzt wird, z.B. *Kannst du gut …?*

• Jeder S schreibt auf die Rückseite eines Blattes seine Lieblingstätigkeit, z.B. *Rad fahren*.

• Nun faltet er das Blatt so, dass die anderen das Wort nicht sehen können.

• Alle S gehen in der Klasse herum und fragen sich gegenseitig

Beispiel:

S1: *Claudia, kannst du gut Rad fahren?*

Claudia: *Ja.*

• Bei jeder positiven Antwort schaut S auf die Tabelle an der Tafel und schreibt Name und Ziffer auf sein Blatt, z.B. *Claudia 3*

• Wer zuerst eine vorher festgelegte Anzahl an Namen und Ziffern notiert hat, ruft: *Ich bin fertig.*

• Zur Kontrolle werden die Kurzinformationen auf dem Zettel überprüft.

Beispiel:

S1: *Claudia kann gut Rad fahren.*

Claudia: *Richtig.*

S1: *Jan kann gut schwimmen.*

Jan: *Richtig.*

„1, 2 oder 3?"

Nomen (zu einem Wortfeld) werden nach Artikeln geordnet an die Tafel geschrieben oder Bildkarten werden entsprechend aufgehängt: 1. senkrechte Spalte: maskulinum (blauer Farbpunkt) – 2. senkrechte Spalte: neutrum (grüner Farbpunkt) – 3. senkrechte Spalte: femininum (roter Farbpunkt). S schauen kurz auf die Tabelle an der Tafel und stellen sich dann mit dem Rücken zur Tafel. Der Spielleiter nennt ein Nomen ohne Artikel. S stellen sich mit dem Rücken vor die Spalte an der Tafel, in der das Wort steht. Die Klasse kontrolliert.

„1, 2, 3 oder 4?"

wie Spiel „1, 2 oder 3", aber mit einer 4. senkrechten Spalte: Plural (gelber Farbpunkt).

5.9 Spiel mit dem Spielplan „Ein Spiel für alle Fälle" (Kursbuch S. 97 / Umschlag hinten)

Material: Figuren, Würfel und Karten mit Aufgaben für die Ereignisfelder

Das Spiel eignet sich sehr gut zum Einüben und Wiederholen von bekanntem Sprachmaterial, besonders auch für die individuelle Arbeit in Freiarbeitsphasen.
Der Spielplan hat weiße, farbige und Planetino-Felder. Wenn der Spieler auf ein farbiges Feld (Ereignisfeld) kommt, muss er eine Aufgabe lösen. Kann er die Aufgabe nicht lösen, muss er einmal aussetzen. Wer auf ein Planetino-Feld kommt, darf noch einmal würfeln.
Die Aufgaben für die Ereignisfelder werden von den Schülern erstellt und auf einzelne Karten geschrieben oder gemalt. Diese Karten werden umgedreht auf einen Stapel gelegt. Wer auf ein farbiges Feld kommt, nimmt die oberste Karte vom Stapel und versucht, die Aufgabe zu lösen.

Beispiel:
Mit den Bild- oder Wortkarten *Tätigkeiten*: Die Satzstruktur *Ich kann gut / ganz toll / sehr gut / nicht gut / ...* wird für alle vorgegeben und an die Tafel geschrieben. S1 zieht die Bild- oder Wortkarte *klettern* und löst die Aufgabe: *Ich kann ganz toll klettern.* Dann ist der nächste Schüler dran.

Methodisch-didaktische Hinweise

AB/Portfolio Die Seite *Das bin ich* (Seite 7) heraustrennen und als oberste Seite ins Portfolio einheften (sofern nicht vorhanden, für das Portfolio eine Mappe anlegen); den eigenen Namen eintragen und ein Foto einkleben oder ein Bild von sich malen. L erklärt den S, dass die Seite *Das bin ich* im Laufe der Arbeit mit *Planetino 2* Schritt für Schritt ausgefüllt wird.

Themenkreis Was tut denn weh?

Sprechhandlungen	Personen beschreiben; nach dem Befinden fragen; Schmerz ausdrücken; auffordern; ablehnen
Wortschatz	Körperteile; Essen und Trinken; krank sein
Grammatik	Genitiv bei Namen; Verneinung mit *nichts* und *nicht;* Modalverben *können, müssen, dürfen;* Verbformen (1./2./3. Pers. Sing. von *essen* und *trinken*)
AB	die Einstiegsseite in den Themenkreis (Seite 9) in Partnerarbeit erarbeiten; Vorschläge siehe Lösungsschlüssel, LHB S. 129

1 und 2 Comic
Modul 6 | S.5

☞ Hinführen zum Thema, dabei Reaktivieren von bekanntem Sprachmaterial und erster Kontakt mit neuen Redemitteln des Themenkreises

1 Comic
Modul 6 | S.5

HINWEIS: Überlegungen und Vorschläge zum Einsatz einer Handpuppe (HP): siehe LHB S. 7, Abschnitt „Organisation des Unterrichts"
• Vorentlastung: L und HP (L mit einem Schal um den Hals):
  HP (jammernd): *Mein Hals tut so weh.* – L: *Hier, nimm den Schal.* – HP: *Danke.*

➲ 1a	• Comic 1 anschauen, still lesen und versuchen, die Sprechblasen zu ergänzen (den Text unten abdecken); die Lösungen nennen
➲ 1b	• die Sätze zu Comic 1 (blau) im Kasten unter den Comics lesen; Comic 1 noch einmal still lesen und in Partnerarbeit die passenden Sätze einsetzen
➲ 1c CD1/2	• Comic 1 hören, mitlesen und mit den eigenen Lösungen vergleichen
	• den Comic satzweise hören, unterbrechen und mit verteilten Rollen nachsprechen • die neuen Redemittel einüben („Imitatives Nachsprechen", siehe LHB S. 11, Punkt 2.2.3) • die Szene vor der Klasse spielen
Differenzierung	1. mit dem Buch in der Hand vor der Klasse („Sprechlesen", siehe LHB S. 10, Abschnitt „Unterstützende Übungen") 2. in Partnerarbeit den Comic einüben und frei spielen

2 Comic
Modul 6 | S.5

➲ 2a	• Comic 2 still lesen und versuchen, die neuen Redemittel aus dem Kontext zu verstehen
➲ 2b	• L schreibt die Lückensätze (rot) im Kasten unten an die Tafel und liest sie vor • den Comic still lesen und in Partnerarbeit die passenden Sätze ergänzen
➲ 2c CD1/3	• den Comic hören und mitlesen; mit den eigenen Lösungen vergleichen • den Comic satzweise hören, unterbrechen und mit verteilten Rollen nachsprechen • die neuen Redemittel einüben („Imitatives Nachsprechen") • Comic 2 vor der Klasse spielen
Differenzierung	siehe die Vorschläge zu Comic 1

Lektion 21 Kopf, Bauch und so weiter

☞ *Personen beschreiben*; Wortschatz *Körperteile*; *Genitiv bei Namen* einführen und einüben; Wiederholen: Possessivartikel (*mein/dein*) im Nominativ Singular und Plural

1 Lied: Mein Kopf macht so und so
2 Hören und Nachsprechen } als Einheit behandeln

---

1 Lied: Mein Kopf macht so und so
Lektion 21 | S. 6

☞ Wortschatz *Körperteile* einführen und einüben

CD1/4
- Strophe 1 des Liedes hören. L macht dazu Bewegungen mit dem Kopf und einer Hand
- L bewegt Kopf und Hand und spricht die Wörter mehrfach; S führen die gleichen Bewegungen aus.
- Strophe 1 noch einmal hören und die Bewegungen dazu ausführen
- L bewegt einen Fuß und bewegt mit einer Hand seine Nase. S führen die gleichen Bewegungen aus; dann Strophe 2 hören und sich dazu bewegen
- ebenso mit Strophe 3; S stellen sich dabei hin
- das Bild im Kursbuch anschauen, die drei Strophen noch einmal hören und dabei jeweils auf die genannten Körperteile zeigen

---

2 Hören und Nachsprechen
Lektion 21 | S. 7

☞ Wortschatz *Körperteile* einführen und einüben

➲ 2a CD1/6
- die Wörter hören; L zeigt mit; S zeigen bei sich selbst mit; die Übung mehrmals durchführen
- ebenso, aber L baut Fallen ein; er zeigt hin und wieder auf das falsche Körperteil. S rufen: *Nein, falsch!*
- hören und mitzeigen; L hilft nicht mehr

➲ 2b CD1/7
- 2 S stehen sich gegenüber, hören die Wörter und zeigen bei sich selbst (*meine Nase*) oder dem Partner (*deine Nase*) mit.

➲ 2c CD1/8
- die Wörter hören und auf dem Bild von Übung 1 auf die genannten *Körperteile* zeigen; eventuell die Pause-Taste benutzen, damit S mehr Zeit zum Suchen haben

➲ 2d CD1/9
- das Bild von Übung 1 anschauen; die Wörter hören, darauf zeigen und nachsprechen; Vorsicht Falle! (Wörter, die nicht zum Wortfeld *Körperteile* gehören, natürlich nicht nachsprechen, z. B. *ein Schal*)
  Variante: „Klopfspiel" (siehe LHB S. 18, Punkt 5.8) mit CD1/9

HINWEIS zur Aussprache:
Nach der Arbeit mit *Planetino 1* müsste die Aussprache der S weitgehend gesichert sein. Wenn jedoch individuell noch Aussprachefehler auftreten, sollten auch weiterhin spezielle Übungen zur Fehlerkorrektur eingesetzt werden. Vorschläge dazu siehe LHB S. 11, Punkt 2.2.3; hier insbesondere der Abschnitt „Assoziationshilfen und Lautmalerei".

fakultativ bei Ausspracheproblemen: Übung „Fehler erkennen" ohne CD (siehe LHB S. 11, Punkt 2.2.3); Beispiel: L: *Gesicht – Gesicht – Gesischt – Gesicht – Gesicht*

AB   Übungen 1 und 2

---

1 Lied: Mein Kopf macht so und so (Fortsetzung)
Lektion 21 | S. 6

- den Text des Liedes durch „Imitatives Nachsprechen" einüben (siehe LHB S. 11, Punkt 2.2.3)

CD1/4
- das Lied hören und einüben (mitsummen; die Melodie auf *la-la-la* mitsingen; den Text mitlesen und mitsingen)
- das Lied mitsingen und sich dazu bewegen

| CD1/5 | • die Strophen zur Playback-Fassung singen |

• den Possessivartikel *mein/meine – dein/deine* und den unbestimmten Artikel *ein/eine* im Singular und Plural wiederholen: L bereitet eine Tafelanschrift vor, in der die Artikelspalten durch die Artikelfarben gekennzeichnet sind. Mehrere S kommen gleichzeitig mit dem Buch nach vorn und schreiben die Wörter aus Übung 1 in die richtigen Spalten. Die Artikelfarben im Buch helfen dabei.
HINWEIS: Diese Tabelle wird auch für die Übungen 3 und 4 benötigt. Es wird empfohlen, sie während der weiteren Arbeit mit Lektion 21 in der Klasse aufzuhängen.
Tafelanschrift:

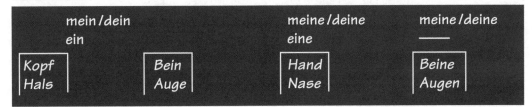

• mithilfe der Tabelle weitere Liedstrophen erfinden und zur Playback-Fassung singen; dabei auch die Possessivartikel wechseln; Beispiel: *Dein Fuß macht so und so …*

fakultativ: die Klasse in Gruppen einteilen; jede Gruppe bereitet eine neue Liedstrophe vor. Gruppe 1 singt ihre Strophe zur Playback-Fassung; Gruppe 2 schließt sofort daran an, dann Gruppe 3 …
fakultativ: Spiel „Buchstabenspinne" mit dem Wortfeld *Körperteile* zur Festigung des Schriftbildes (siehe LHB S. 16, Punkt 5.4)
fakultativ: „Wortbingo" (siehe LHB S. 16, Punkt 5.4)

| AB | Übungen 3 und 4 |

3 Schnipp-Schnapp-Boogie
Lektion 21 | S. 7

☞ | Wortschatz *Körperteile* einüben

HINWEIS: Wenn möglich sollten die S im Kreis sitzen oder stehen. Bei großen Klassen sollten sich die S hinter ihre Tische stellen. Wichtig ist nur, dass sie genügend Bewegungsfreiheit haben.

• die Bilder anschauen und versuchen, die Spielregel zu verstehen
• L demonstriert den Ablauf der Übung; alle S machen mit. L: rechts und links schnippen – dazu sprechen; alle S imitieren. L: auf zwei Körperteile zeigen – dazu sprechen; alle S imitieren. Die Übung mit verschiedenen Wörtern durchführen.
• Ein S übernimmt die Rolle des L, die anderen machen mit
VORSCHLAG: Diese Übung in späteren Unterrichtsstunden immer mal wieder einsetzen, wenn die S mental ermüdet sind und Bewegung brauchen.

fakultativ: „Sitzboogie" mit dem Wortschatz *Körperteile* (siehe LHB S. 19, Punkt 5.8)

| AB | Übung 5 |

4 Laute und Buchstaben
Lektion 21 | S. 7

☞ | Ausspracheschulung

⮞ 4a CD1/10 | • die Sätze und Wörter hören und genau nachsprechen

⮞ 4b | • das Bild anschauen; mit weit geöffnetem Mund „Schlafen" demonstrieren, aber nur leise schnarchen
• die Wörter *Bauch – Buch – Mach auf – doch – auch – Ach – Nacht* an die Tafel schreiben; den *ch*-Laut farbig markieren oder unterstreichen
• den *ch*-Laut imitieren und sofort danach eines / später mehrere der Wörter sprechen; Beispiel: *ach-ach-Mach auf!; uch-uch-Buch …*

➲ 4c CD1/11	• die Aufgabe wie angegeben durchführen
Differenzierung	1. hören – mitlesen – satzweise nachsprechen 2. laut lesen – Kontrollhören – satzweise wiederholen
AB	Übung 6

5 Wie siehst du denn aus?
Lektion 21 | S. 7

☞	Wortschatz *Körperteile* einüben; Adjektive wiederholen
	• die Sätze lesen • die Tabelle (siehe LHB S. 23 zu Übung 1 – Fortsetzung) um den bestimmten Artikel ergänzen
➲ 5a	• die Sätze noch einmal lesen und ein Bild dazu malen • einzelne S kommen mit ihrem Bild nach vorne und sprechen darüber Beispiel: *Die Ohren sind groß. Die Nase ist lang. Die Haare sind …*
	fakultativ: Das Lied „Lang oder kurz" (siehe *Planetino 1,* Lektion 19 Übung 5) wiederholen; neue Strophen mit dem Wortschatz *Körperteile* schreiben und zur Playback-Fassung singen (CD3/22) Beispiele: Eine Nase ist lang oder kurz.　　Haare sind lang oder kurz. Ein Arm ist dick oder dünn.　　　Arme sind dick oder dünn. Ein Mund ist groß oder klein.　　Ohren sind groß oder klein. Na ja, das muss wohl so sein.　　Na ja, … HINWEIS: wegen des Reims muss die 3. Zeile immer auf *klein* enden.
➲ 5b	zu dem Bild Sätze schreiben und das Blatt in das **Portfolio** legen
AB/Wortliste	in der Wortliste zu Lektion 21 (AB S. 22) die Wörter aus dem Wortfeld *Körperteile* mit den Artikelfarben markieren und die fehlenden Artikel und Pluralformen eintragen (siehe dazu auch Kursbuch S. 6)
	• „Schnipp-Schnapp-Boogie" (siehe Lektion 21 Übung 3) als Übung für den Plural: alle Wörter aus dem Wortfeld *Körperteile,* für die in der Wortliste der Plural ausgewiesen ist, im Singular, nach Artikeln geordnet, an die Tafel schreiben; den „Schnipp-Schnapp-Boogie" durchführen; Beispiel: *Schnipp – Schnapp – ein Ohr – zwei Ohren;* bei dem Wort *Kopf* geht es so: *Schnipp – Schnapp – ein Kopf – viele Köpfe* (S zeigen mit einer Armbewegung, dass in der Klasse viele Köpfe zu sehen sind.
AB	Übung 7

6 Pias Hand
Lektion 21 | S. 8

☞	Genitiv bei Namen einführen und einüben
	• Einige S schreiben ihren Vornamen untereinander an die Tafel (nur S, deren Namen nicht auf -s oder -x enden) • L geht mit HP zu einem S, dessen Vorname an der Tafel steht 　HP (berührt die Nase des S): *Das ist Marcos Nase.* Dann weitere Beispiele • wie vorher, aber alle S wiederholen nun den Satz • L ergänzt die Tafelanschrift und schreibt zu jedem Namen einen Körperteil: L liest vor – alle S wiederholen; L markiert die Endung -s Tafelanschrift: 　　　Marcos Nase　　　　Marias Haare Achtung! Bei Vornamen wie Thomas oder Alex (*Das ist Thomas' Nase. Das ist Alex' Nase.*) gilt die Regel: Bei Namen mit der Endung -s oder -x wird kein -s angehängt. Zur Verdeutlichung des Genitivs wird hier ein Apostroph gesetzt. (Bitte nicht gesondert üben!)

➲ 6a	• die Aufgabe wie angegeben durchführen • die Bilder anschauen und das Ratespiel spielen
Differenzierung	1. Die Bilder hängen an der Wand 2. Die Bilder liegen auf Gruppentischen
	fakultativ: „Ratespiel" mit Schulsachen: Vornamen an die Tafel schreiben; von jedem S einen Schulgegenstand einsammeln. L oder HP / später S: *Das ist Marias Füller.* – Maria: *Richtig* oder *falsch*
AB	Übung 8

7 Lesen: Wie werde ich ein Clown?

Lektion 21 | S. 8

☞	Leseverstehen; Genitiv bei Namen anwenden
	• den Text abdecken; die drei Clowns anschauen und deren Namen nennen • Wortschatz *Farben* wiederholen: L: *Ich sehe grün.* – S nennen weitere Farben in Gesicht und Kleidung der Clowns; weitere bekannte Farben aufzählen und an die Tafel schreiben

Tafelanschrift:

Farben			
grün	schwarz	gelb	braun
rot	blau	...	

➲ 7a	• Aufgabe zum Globalverstehen: Den Text still lesen und mithilfe bekannter Wörter und erklärender Zeichnungen herausfinden, welcher der drei Clowns in dem Text geschminkt wird. L gibt in der Muttersprache den Hinweis, dass die kleinen Zeichnungen im Text wichtige Wörter erklären. • S lesen still und beantworten die Frage (Lösung: PIPO)
➲ 7b	• Aufgabe zum Detailverstehen: L liest die vier Fragen vor und schreibt sie an die Tafel. S lesen die erste Frage und nennen das Schlüsselwort / die Schlüsselwörter; Beispiel: *Wie ist der Kreis um den Mund?* L markiert an der Tafel die Wörter (Kreis) und (Mund). S suchen die Schlüsselwörter im Text und beantworten die Frage. Ebenso mit den anderen Fragen (Lösung: (schwarz) – rot – blau – rot)
➲ 7c	• zur Vorbereitung die Übung im Klassenverband bei geöffneten Büchern durchführen; L / später S stellt die Fragen • das Spiel wie vorgeschlagen durchführen
	fakultativ: Das „6-Richtige-Spiel" (siehe LHB S. 15, Punkt 5.1) spielen; S1 steht vor der Klasse, ihm werden sechs Fragen zu den Clowns gestellt
AB	Übung 9

Lektion 22 Was ist denn los?

☞	*nach dem Befinden fragen; Schmerz ausdrücken; auffordern; ablehnen;* Wortschatz *Körperteile* und *krank sein;* Verneinung mit *nicht;* Modalverb *können*

1 Au! Au! Au!

Lektion 22 | S. 9

☞	*nach dem Befinden fragen; Schmerz ausdrücken;* Wortschatz *Körperteile* anwenden
CD1/12	• Vorentlastung: die Comics (siehe Kursbuch S. 5) wiederholen und szenisch darstellen • den Text zudecken; die beiden Bilder anschauen und die Dialoge hören • die Dialoge noch einmal hören und mitlesen

- *... tut so weh. / ... tun so weh* einüben: L spricht vor und zeigt pantomimisch mit, S wiederholen. Beispiele: *Mein Bauch tut so weh. – Meine Arme tun so weh. ...*
- „Tamburin-Spiel" (siehe LHB S. 15, Punkt 5.1);
  Beispiel: L (zeigt auf ein Körperteil): *Mein _____ tut so weh.* – Alle S sprechen den vollständigen Satz.
- Spiel „1, 2, 3 oder 4?" (siehe LHB S. 20, Punkt 5.8); dazu die Körperteile wie in der Tabelle von Übung 1 an die Tafel schreiben

---

- die Dialoge noch einmal von der CD hören und mitlesen
- noch einmal hören und satzweise nachsprechen
- in Partnerarbeit weitere Dialoge mit den Wörtern im Kasten machen und sprechen
- einige Szenen vor der Klasse spielen

AB	Übungen 1 und 2

2 Partnersuchspiel
Lektion 22 | S. 9

☞	neuen Wortschatz einüben; das Gehör durch leises Sprechen sensibilisieren
Material	Kärtchen zum Schreiben der Sätze, am besten in zwei verschiedenen Farben, damit man damit auch Memory® spielen kann
➲ 2a	• wie angegeben Satzkarten schreiben
➲ 2b	• das „Partnersuchspiel" wie gewohnt spielen (siehe auch LHB S. 18, Punkt 5.8)

3 Kommst du?
Lektion 22 | S. 9

☞	Modalverb *können* (1. und 2. Pers. Sing.) und Verneinung mit *nicht* wiederholen; Wortschatz *Körperteile* anwenden
Material	wenn möglich Spielzeugtelefone oder Handys
CD1/13	• den Text zudecken; das Bild ansehen und den Dialog hören • L erklärt pantomimisch das Wort *schwimmen* • den Dialog hören und mitlesen • den Dialog satzweise hören und in Gruppen nachsprechen; auf die Intonation achten • wenn nötig einige Sätze durch „Imitatives Nachsprechen" einüben • den Dialog in Partnerarbeit einüben („Flüsterlesen"; siehe LHB S. 10, Punkt 2.2.1, Abschnitt „Unterstützende Übungen") • den Dialog in der Klasse vorspielen; eventuell Spielzeugtelefone oder Handys benutzen; S dürfen sich während des Telefongesprächs nicht ansehen
	• die Varianten („Ebenso mit ...") lesen, ergänzen und in zwei Spalten (*Tätigkeiten / Körperteile*) an die Tafel schreiben • Dialoge mit Varianten in Partnerarbeit lesen, einüben und vor der Klasse szenisch darstellen
Differenzierung	1. mit dem Buch in der Hand („Sprechlesen") 2. frei
	• in Partnerarbeit Quatschdialoge machen und vortragen; Beispiel: S1: *Wir gehen heute schwimmen. Kommst du auch mit?* – S2: *Ich kann nicht. Meine Haare tun so weh.* – S1: *So ein Quatsch!*
AB	Übungen 3 und 4

4 Dialoge selbst machen
Lektion 22 | S. 10

☞	bekannte Redemittel anwenden
	• die Sätze still lesen und die beiden unvollständigen Sätze ergänzen • einige der Sätze mit Intonations-Varianten sprechen; L spricht zum Beispiel den Satz *Das gibt's doch nicht.* Einige S sprechen den Satz jeweils mit anderer Intonation (wütend, erstaunt, ungläubig, ganz leise ...), verstärkt durch Mimik und Gestik.

Variante: den Satz an die Tafel schreiben, dann sprechen

fakultativ: Adjektive wie *müde – traurig – wütend – erstaunt – froh – ganz leise …* in der Muttersprache an die Tafel schreiben; ein Satz von Übung 4 wird genannt oder angeschrieben; L / später S zeigt auf ein Adjektiv; S muss den Satz mit der entsprechenden Intonation sprechen

- einige Dialoge als Beispiel in Klassenarbeit machen
- wie vorgeschlagen Dialoge in Partnerarbeit machen
- Dialoge mit möglichst vielen Teilen vor der Klasse vortragen

- Vorschlag für **Freiarbeitsphasen**: Die Sätze wie im Kursbuch auf Karten schreiben und in der Freiarbeit individuell einsetzen; eventuell auch Dialoge aufschreiben

AB	Übung 5

5 Pantomime raten
Lektion 22 | S. 10

☞	die neuen Redemittel anwenden; Possessivartikel *dein/deine* festigen
Material	eine Planetino-Handpuppe (Bastelanleitung siehe im Internet unter http://www.hueber.de/planetino/handpuppe)
	• Variante 1: mit der Planetino-HP das Ratespiel einführen (L + HP) • Variante 2: die Spielszene im Kursbuch anschauen und still lesen • wie vorgeschlagen „Pantomime raten" spielen
Differenzierung	1. die Tabelle von Übung 1 an die Tafel schreiben und *dein/deine* darüber schreiben; Variante: S dürfen während des Ratespiels die Tabelle im Buch anschauen 2. frei spielen

6 E-Mail
Lektion 22 | S. 10

☞	Wortschatz *krank sein* erweitern und einüben

- L und HP führen die neuen Wörter ein. L zeichnet ein *Bett* an die Tafel, sagt aber nichts.
  HP (jammernd): *Mir geht es gar nicht gut.*
  L: *Was ist denn los?*
  HP (hält sich den Bauch): *Ich bin krank.*
  L: *Du bist krank? Was tut denn weh?*
  HP: *Mein Bauch. Mein Bauch tut so weh.*
  L (Zeigt auf die Zeichnung *Bett*): *Du musst ins Bett!*
  HP: *Nein!*

- *Mir geht es gar nicht gut* einüben („Imitatives Nachsprechen")
- die E-Mail lesen
- Minidialoge zum Einüben der neuen Wörter machen;
  S1 simuliert eine Krankheit:
  S1: *Mir geht es gar nicht gut.*
  S2: *Was ist denn los?*
  S1: *Mein Zahn tut so weh.*
  S2: *Das tut mir leid. / So ein Mist! / Das gibt's doch nicht. / Schade.*

- die E-Mail wie vorgeschlagen beantworten

7 SMS
Lektion 22 | S. 10

☞	Leseverstehen; den Wortschatz *krank sein* erweitern

- die SMS-Kette still lesen und versuchen, die neuen Wörter aus dem Kontext zu verstehen
- L erklärt den Begriff *wieder gesund sein*:

Variante: den Satz an die Tafel schreiben, dann sprechen

Einführung | Modul 6 L22 L23 L24

L21 | Modul 7 L25 L26 L27 L28 | Modul 8 L29 L30 L31 L32 | Modul 9 L33 L34 L35 L36 | Modul 10 L37 L38 L39 L40 | Theater | Feste im Jahr | Tests | Lösungsschlüssel | Transkriptionen | Wortliste

♦ Szene 1: L, mit einem Schal um den Hals oder kräftig hustend spricht wie jemand mit Halsschmerzen: *Mein Hals tut so weh. Ich bin krank. Ich kann nicht singen.* (misslungene Gesangsdemonstration)

♦ Szene 2: L nimmt den Schal ab und freut sich: *Ich bin wieder gesund. Ich kann wieder singen.* (gelungene Gesangsdemonstration)

• *Ich bin wieder gesund* einüben („Imitatives Nachsprechen")
• eine Tätigkeit ergänzen: S1: *Ich bin wieder gesund. Ich kann wieder tanzen.*
• *krank sein* und *gesund sein* gegenüberstellen; auf die Intonation achten:
S1: *Ich bin krank. Ich kann nicht reiten.*
S2: *Ich bin wieder gesund. Ich gehe heute schwimmen.*

• in Partnerarbeit die SMS-Kette ordnen (Lösungswort: HALS)

AB	Übung 6

Lektion 23   Ich bin krank

☞   *nach dem Befinden fragen; Schmerz ausdrücken; auffordern;* Modalverben *können, müssen, dürfen; Verneinung mit nichts*

1 Spiel: Ich kann nicht!

Lektion 23 | S. 11

☞   Wortschatz *Körperteile* und Modalverb *können* (1. Pers. Sing.) anwenden; Wortschatz *Tätigkeiten* wiederholen

---

Material	Spielplan im Kursbuch, Satzkarten, Spielfiguren, Würfel

HINWEIS: Die Spielerklärung im Kursbuch nicht laut vorlesen lassen. S müssen nicht jedes Wort verstehen, versuchen aber dennoch, die Spielregel zu erkennen und eventuell in ihrer Muttersprache zu formulieren.

• an der Tafel Wortschatz *Tätigkeiten* sammeln, z. B. *lesen, schreiben, Basketball spielen* usw.; *laufen* und *sprechen* einführen (siehe Abbildungen im Kursbuch oder durch Pantomime)
• mit den Tätigkeiten einige Sätze bilden und an die Tafel schreiben (Beispiel: *Ich kann nicht tanzen.*)
• S1 liest einen Satz von der Tafel vor. Alle S fragen: *Warum denn nicht?* S1: *Mein/Meine ... tut weh.* S überlegen gemeinsam, ob die Antwort passt.

➲ 1a   • die Klasse in Spielgruppen (4–6 Schüler) einteilen; jede Gruppe schreibt wie angegeben Sätze mit *Ich kann nicht ...* auf Karten

---

➲ 1b   • S versuchen, anhand des Spielplans die Spielregel zu verstehen und formulieren sie in der Muttersprache. L hilft, wenn nötig

---

• an einigen Beispielen einüben, wann und wie man spricht
• an Gruppentischen spielen; **wichtig:** S müssen sprechen, wenn sie auf ein Körperteil-Feld gekommen sind und eine Karte gezogen haben. Beispiel: *Ich kann nicht tanzen. Mein Bein tut weh.* Die Mitspieler entscheiden dann über *richtig* oder *falsch*.

---

fakultativ: den Spielplan auf ein großes Plakat zeichnen; mit der ganzen Klasse an einem großen Tisch spielen

---

VORSCHLAG: in **Freiarbeitsphasen** diesen Spielplan für individuelle Übungen benutzen

---

AB	Übung 1

2 Der Arzt kommt

☞ | Redemittel zu *nach dem Befinden fragen*, *Schmerz ausdrücken* und *auffordern* einführen und einüben; Wortschatz *krank sein* erweitern und einüben; Modalverben *müssen* (1. und 2. Pers. Sing.) und *dürfen* (2. Pers. Sing.) einführen und einüben

⮑ 2a
• den Text still lesen und versuchen, die rechts abgebildeten Wörter in die Lücken einzusetzen; nur den jeweiligen Buchstaben aufschreiben (Lösungssatz: TINA IST KRANK)

⮑ 2b CD1/14
• den vollständigen Text von der CD hören und mitlesen

• L stellt einfache Fragen zum Textverständnis: *Wer sagt: Der Arzt ist da? – Wer sagt: Guten Tag, Herr Doktor? – Wer sagt: Ich habe auch Kopfschmerzen? …*

⮑ 2c CD1/15/16
• die Wörter unter den Abbildungen hören, darauf zeigen und genau nachsprechen
• die Sätze mit neuen Wörtern aus dem Text hören und genau nachsprechen; die Aufgabe mehrmals durchführen

• bei Bedarf Ausspracheübungen ohne CD zu den Wörtern *schnell*, *Schmerzen*, *Kopfschmerzen*:
  ◆ Übung „Fehler erkennen (siehe LHB S. 11, Punkt 2.2.3): Beispiel: *Schmerzen – Schmerzen – Schmerzen – Smerzen – Schmerzen*
  ◆ Lautmalerei: eine alte Dampflokomotive imitieren: *sch – sch – sch – Schmerzen* (Das *Sch* bei *Schmerzen* etwas länger klingen lassen)

• Einüben der neuen Redemittel:
  ◆ „Tamburin-Spiel" (siehe LHB S. 15, Punkt 5.1) mit den neuen Wörtern und Redewendungen. L: *Schau mal, Tina, der____ ist schon da. –* S suchen den Satz und lesen oder sprechen ihn vollständig. L muss darauf achten (siehe Wortliste), dass alle neuen Wörter geübt werden

Differenzierung
1. S suchen die Stelle im Buch und lesen vor
2. ebenso, aber dann nicht vorlesen, sondern „Sprechlesen"
3. ohne im Buch nachzusehen
  ◆ Übung „Wie heißt der Satz?" L / später S nennt ein (neues) Wort oder mehrere Wörter; S suchen den entsprechenden Satz und lesen ihn vor oder sprechen ihn auswendig.
  Wichtig: Auch die Formen von *müssen* und *dürfen* üben!
  ◆ aus der Wortliste zu Lektion 23 (S. 12) alle Wörter und Redewendungen an die Tafel schreiben; S1 sucht sich ein Wort aus und macht damit eine Aussage aus dem Text oder frei. Beispiel: *bald –* (wie im Buch) *Du darfst bald wieder aufstehen. –* (frei) *Du darfst bald wieder zur Schule gehen.*
  S1 geht dann zur Tafel und streicht das Wort *bald* durch.

• Übung zu *müssen* und *dürfen*:
Tafelanschrift:

ich muss	ich darf	du musst	du darfst

◆ L: *Du hast Kopfschmerzen.* | S1: *Ich muss im Bett bleiben.*
S2: *Ich darf nicht fernsehen.*
S3: …

◆ L: *Und was sagt deine Mutter?* | S1: *Du musst im Bett bleiben.*
S2: *Du darfst nicht fernsehen.*

⮑ 2d CD1/14
• den Text satz- bzw. zeilenweise hören, unterbrechen und nachsprechen
• in Partnerarbeit den Text einüben und vortragen

Differenzierung
1. Rollenlesen
2. mit dem Buch in der Hand („Sprechlesen")
3. ohne Buch

AB
Übungen 2, 5 und 6

3 Tina ist krank

☞	Leseverstehen; Wortschatz *krank sein* erweitern; 3. Pers. Sing. der Modalverben *können*, *müssen* und *dürfen* einführen und einüben; Verneinung mit *nichts* einführen und einüben
⮩ 3a CD1/17	• den Text still lesen • Satz 1 vorlesen, im Text die entsprechende Stelle suchen und vorlesen; über *richtig* oder *falsch* entscheiden; eventuell den falschen Satz korrigieren; den Satz zur Kontrolle von der CD hören; ebenso mit den anderen Sätzen

	• Einüben: 3. Pers. Sing. von *können*, *müssen* und *dürfen*:
	  ♦ S suchen im Text die Informationen über Tina (Sätze mit *nicht* und *nichts*); Beispiele: *Sie muss nicht ins Krankenhaus. – Sie kann nichts essen.*
	
	Tafelanschrift: **kann (nicht / nichts)...**
	                   sie/er muss (nicht) ...
	                   darf (nicht/nichts) ...
	
	  ♦ Anwenden bei erdachten Personen; L: *Klaus sagt: Mein Finger tut weh.* – S reagieren: S1: *Er kann nicht Gitarre spielen.* – S2: *Er darf nicht Basketball spielen.* usw. – L: *Mein Bruder sagt: Meine Zähne tun weh.* – S1: *Er darf nichts trinken.* – S2: *So ein Quatsch!*

AB	Übung 4 (in Klassenarbeit durchführen; die Sätze ergänzen und vorlesen)
⮩ 3b	• den Anfang der E-Mail lesen; wenn nötig gemeinsam einige weitere Sätze aus dem Text oben in die Ich-Form umwandeln • Tinas E-Mail an Kerstin schreiben
Differenzierung	1. gemeinsam in der Klasse alle Sätze mündlich umwandeln 2. jeder S schreibt eine E-Mail (eventuell als Hausaufgabe)
AB AB	Übung 3 Übung 7 (nicht als Hausaufgabe, sondern in Klassenarbeit)
AB	Lesen: den Lesetext „Krank!" (Seite 103) lesen und bearbeiten

Lektion 24   Hunger und Durst

☞	Schmerz ausdrücken; Wortschatz *Essen* und *Trinken*; 1./2./3. Pers. Sing. der Verben *essen* und *trinken*

1 Hören: Krankenbesuch

☞	Hörverstehen; Wortschatz *Essen* und *Trinken* einführen und einüben
Material	einige Nahrungsmittel und Getränke mitbringen; zum Beispiel Wasser, Saft und Limonade und etwas zum Essen, auf jeden Fall auch Schokolade und Obst, am besten so viel, dass im Laufe der Unterrichtsstunde jeder Schüler etwas davon bekommt; eventuell auch Plastikbecher für die Getränke

	• L stellt nach und nach die mitgebrachten Sachen auf den Tisch und spricht dabei: *Saft. Ich trinke gern Saft.* – Obst: *Ich esse gern Obst.* – Schokolade. *Ich esse gern Schokolade.* – HP oder S: *Ich auch:* – L: *Ja, später bekommst du / bekommt ihr was.*
	• L: *Ich habe Durst.* – und trinkt einen Schluck Wasser
	  L: *Ich habe auch Hunger.* – und isst ein Stück von dem Brötchen
	  L schreibt an die Tafel: Hunger und Durst
	                           essen trinken

⮩ 1a CD1/18	• die Bilderserie anschauen; die Wörter hören, die entsprechenden Bilder suchen und darauf zeigen • noch einmal hören, mitzeigen und nachsprechen

⊃ 1b CD1/19	• Vorentlastung: an die aus Lektion 23, Übungen 2 und 3 bekannte Situation erinnern: *Tina ist krank.* Über ihre Krankheit und die Folgen sprechen bzw. die Übungen 2 und 3 von Lektion 23 noch einmal lesen • die Geschichte hören; wenn ein S eines der Wörter von Aufgabe 1a hört, zeigt er auf das passende Bild
⊃ 1c CD1/19	• Detailverstehen: die Geschichte hören und die Fragen beantworten (Lösungswort: MILCH) Variante 1 in Klassenarbeit: Frage 1 und die Auswahlantworten dazu lesen; die Geschichte hören, an der Stelle mit der Antwort *Stopp!* rufen und die richtige Auswahlantwort nennen; ebenso mit den weiteren Fragen Variante 2 in Partnerarbeit: alle Fragen und Auswahlantworten lesen; die ganze Geschichte hören und versuchen, die Fragen zu beantworten; nur die Lösungsbuchstaben aufschreiben • Frage und Antwort: S1 liest die Fragen, S2 antwortet; S2 liest die nächste Frage …
AB	Übung 1 (im Unterricht zur Vorbereitung auf das Schreiben der Wortkarten (Aufgabe 1d) durchführen
⊃1d CD1/19	• Anbahnen des selektiven Hörens: Die 13 Wörter auf Karten schreiben und mit dem „Platz-wechselspiel" das Heraushören der neuen Wörter üben (siehe LHB S. 10, Punkt 2.1.2); bei großen Klassen zusätzlich die neuen Wörter *besuchen, mitbringen* und außerdem *essen, trinken, krank, gesund* auf Karten schreiben; das Spiel wie gewohnt durchführen
	• persönlicher Bezug: Was ich gern esse und trinke L/HP: *Ich esse gern Obst. Und du, NN?* – S1: *Ich esse gern Kuchen. Und du, NN?* – S2: *Ich esse auch gern Kuchen. Und du, NN?* – S3: *Ich trinke gern …* Variante zur Erhöhung der Sprechhäufigkeit: Bis zu 4 S gehen gleichzeitig durch die Klasse, sprechen wie oben und tippen jeweils dem Mitschüler, der antworten soll, auf die Schulter.
	fakultativ: die vom Lehrer mitgebrachten Sachen sollten während dieser Unterrichtsstunde von den S gegessen und getrunken werden HP: *Ich esse gern Schokolade.* HP nimmt ein Stück und ruft einen S: *NN, komm bitte! Was möchtest du?* – S1: *Ich esse gern Obst.* Und nimmt sich eine Weintraube usw., bis alle S etwas bekommen haben; vielleicht können auch zwei oder drei S gleichzeitig nach vorne kommen.
	• „Kofferpacken" zum Einüben der neuen Wörter (siehe LHB S. 15, Punkt 5.1): S1: *Ich esse gern Obst.* – S2: *Ich esse gern Obst und Kuchen.* … Variante: S1: *Ich esse gern Schokolade.* – S2: *Ich esse gern Schokolade und ich trinke gern Saft.* – S3: *Ich esse gern Schokolade und Kuchen und ich trinke gern Saft und Limo.* …
	• Übung zur Entwicklung der Schreibfähigkeit: „Wortbingo" (siehe LHB S. 16, Punkt 5.4); da die Wörter bis jetzt noch kaum geschrieben worden sind, dürfen S aus dem Kursbuch, Übung 1 abschreiben
AB	Übung 2

2 Lied: *Was möchtest du denn essen?*

Lektion 24 | S. 14

☞	Wortschatz *Essen* und *Trinken* einüben; Modalverb *möchte-* wiederholen
	HINWEIS: Das Lied mit dem Text „Was möchtest du denn machen?" ist aus *Planetino 1* bekannt (siehe Lektion 10 Übung 4)
CD1/20	• das Lied hören • das Lied noch einmal hören und mitlesen
	• jeweils die 5. und 6. Zeile einüben: rhythmisch sprechen, zuerst langsam, dann immer schneller • ebenso mit den Zeilen 7 und 8 • das Lied hören, mitlesen und mitsingen
CD1/21	• die beiden Strophen zur Playback-Fassung singen

	• Schnellsprech-Wettkampf: Jeweils zwei S üben im Wechsel die drei oder vier letzten Zeilen des Liedes ein, und zwar mit verschiedenen *Speisen* und *Getränken*; das Sprechtempo langsam steigern und mehrmals hintereinander sprechen; dann vor der Klasse präsentieren. Wer ist Schnellsprech-Sieger? Variante: nicht sprechen, sondern singen
	• weitere Strophen erfinden und zur Playback-Fassung singen; eventuell die Wörter an die Tafel schreiben: Beispiel: *Brötchen? Brötchen? Kuchen? Kuchen?* *Brötchen? Kuchen? Brötchen? Kuchen?*
AB	Übung 3

---

3 Hunger und Durst
Lektion 24 | S. 14

☞	Wortschatz *Essen* und *Trinken* erweitern und einüben
Material	jeweils ein Glas Honig und Marmelade mitbringen
	• den Text zudecken; das Bild anschauen und darüber sprechen; L steuert mit Fragen: *Wer ist das? – Was bringt die Mutter? – Was hat Tina mitgebracht?*
➲ 3a CD1/22	• den Text zudecken, das Bild anschauen und die Szene hören • noch einmal hören und auf die jeweils sprechende Person zeigen • noch einmal hören und mitlesen • L zeigt die mitgebrachten Honig- und Marmeladengläser und deutet bei den Abbildungen zu Übung 1 auf die Tassen mit Kaffee und Kakao • die Szene satz- bzw. zeilenweise hören und mit verteilten Rollen nachsprechen
➲ 3b	• die Fragen lesen und die Antworten im Text suchen
	• die Szene in Dreiergruppen einüben, vorlesen oder szenisch darstellen („Sprechlesen" mit dem Buch in der Hand oder frei)
➲ 3c	• die Szene mit anderen Speisen und Getränken in Dreiergruppen einüben • die Ergebnisse vorlesen oder die Szenen vor der Klasse spielen
	fakultativ: die 13 Wortkarten aus Übung 1d noch einmal auf andersfarbige Karten schreiben und mit den 26 Karten Memory® spielen (siehe LHB S. 18, Punkt 5.7); die Karten für **Freiarbeitsphasen** aufbewahren
AB	Übung 4

---

4 Ratespiel
Lektion 24 | S. 14

☞	Wortschatz *Essen* und *Trinken* anwenden; 1. und 2. Pers. Sing. der Verben *essen* und *trinken* einführen und einüben
Material	die Wortkarten zu Übung 1 Aufgabe d Vorschlag: anstatt die Wortkarten zu benutzen jeweils zur Festigung der Rechtschreibung das zu erratende Wort hinter die Tafel schreiben
CD1/23	• das Foto anschauen und das Ratespiel hören • noch einmal hören und mitlesen
	Tafelanschrift:

```
trinken          essen

ich trinke       ich esse
du trinkst       du isst
```

• L und HP: L nimmt eine Wortkarte und führt mit HP das Ratespiel durch
• ebenso HP mit der ganzen Klasse
• dann ein S mit der ganzen Klasse

5 | Lesen: Clown Paul

Lektion 24 | S. 15

☞ Leseverstehen; Wortschatz erweitern; 3. Pers. Sing. von *essen* und *trinken* einführen und einüben; 1./2. Pers. Sing. von *essen* und *trinken* einüben

Material	Text in Kopie für jeden S

VORSCHLAG: Zur Einstimmung in den Lesetext gibt L in der Muttersprache ein paar Informationen zu Klinikclowns in deutschen Krankenhäusern:
In manchen Kliniken werden die Kranken ab und zu – wenn sie das möchten und wenn die Ärzte es erlauben – von Clowns besucht. Die Clowns bringen den Patienten mit einem Lied, einem Musikstück, ein paar freundlichen, lustigen Worten oder einem kleinen Zaubertrick etwas Abwechslung, Freude und Trost. Besonders beliebt sind sie natürlich bei Kindern. Der Clown auf dem Foto unten auf Seite 15 ist so ein Klinkclown. Er erzählt die Geschichte von Clown Paul, wenn er kranke Kinder besucht.
Weitere Informationen dazu im Internet: http://www.heilbronner-klinikclowns.de

➲ 5a
• die Bilder anschauen und in der Muttersprache Vermutungen über den Inhalt der Lesegeschichte äußern
• Globalverstehen: den Text still lesen mit der Aufgabe, jedes Bild einem der Textabschnitte zuzuordnen (Lösungswort: PAUL)
• S lesen den kopierten Text mit der Aufgabe, alles zu unterstreichen, was sie verstehen (siehe auch LHB S. 12, Punkt 2.3.1)
• L erklärt eventuell einige unbekannte Wörter
• L gibt S die Aufgabe, die Schlüsselwörter zu den einzelnen Bildern im kopierten Text zu markieren und zu nennen
VORSCHLAG:
zu Bild P: Clownshausen – Straße – Lollistraße – Nummer
zu Bild A: Morgen – Mantel – schläft – Ohr – Aufstehen! – Bett
zu Bild U: Schmerz – Bauch – Nase
zu Bild L: … zieht den Mantel an – Schokolade – Kuchen – Lolli

5b
• Detailverstehen: die Sätze lesen
• in Partnerarbeit die Sätze mit den Informationen im Text vergleichen und über *richtig* oder *falsch* entscheiden; die falschen Aussagen korrigieren
(Lösung: 1) Pauls Haus sieht aus wie eine Clownsnase. 2) richtig. 3) Pauls Floh ist sehr klein. 4) Paul steht auf und zieht sofort die Clownsschuhe an. 5) Paul hat nur Hunger. 6) richtig. 7) Paul isst gern Schokolade, Kuchen und Lollis. 8) richtig.)
• alle Sätze richtig vorlesen

HINWEIS: Wegen der vielen passiven Wörter ist der Text nicht zum Vorlesen durch die Schüler geeignet.

• persönlicher Bezug: sagen, wo man wohnt (Stadt, Straße, Hausnummer)
 ♦ L: *Paul wohnt in Clownshausen, Lollistraße Nummer 3XL*; L schreibt den Satz an die Tafel
  L: *Ich wohne in …* L schreibt *Ich wohne* unter *Paul wohnt* an die Tafel
 ♦ einige S sagen, wo sie wohnen
fakultativ: Ratespiel: Jeder S schreibt auf einen Zettel, in welcher Stadt und Straße er wohnt; ein *M* für *Mädchen* und ein *J* für *Jungen* hinzufügen; die Zettel einsammeln; ein S zieht einen Zettel und fragt: *Sie wohnt in … in der … Wer ist das?* Die Klasse muss den Namen des Mädchens erraten.

• das Wortfeld *Familie* und *Freunde* aktivieren und an die Tafel schreiben
• S geben Informationen: *Meine Freundin wohnt in …* (Stadt, Straße, Hausnummer)

• 1./2./3. Pers. Sing. von *essen* und *trinken* einüben:

  ♦ „Interviewspiel" (siehe LHB S. 19, Punkt 5.8):

VORSCHLAG: In zwei Durchgängen spielen; zunächst nur mit dem Verb *essen*, dann mit *trinken*

1. *essen:*

Tafelanschrift:

Isst du gern ...?

1	Honig	5	Marmelade
2	Kuchen	6	Eis
3	Obst	7	Schokolade
4	Brötchen	8	Lollis

  ♦ Erklärung in Kurzform:

  eine Frage stellen: siehe Tafelanschrift

  bei der Antwort *Ja* nur die Kurzform notieren *(Marco 2)*

Auswertung: S lesen nacheinander einige Informationen von ihrem Zettel vor (Marco 2 = *Marco isst gern Kuchen*); Marco bestätigt: *Richtig. Ich esse sehr gern Kuchen.*

2. *trinken*

Tafelanschrift:

Trinkst du gern ...?

1	Tee	5	eine Tasse Kaffee
2	Wasser	6	eine Tasse Kakao
3	Saft	7	Milch
4	Limonade		

  ♦ Ablauf der Übung wie oben

fakultativ: die Informationen zu *wohnen*, *essen* und *trinken* zusammenfassen; über sich selbst, Familienmitglieder, Freunde, Hund und Katze sprechen; Beispiel: *Meine Schwester wohnt in Berlin, Breitestraße 25. Sie isst sehr gern Kuchen. Aber sie trinkt nicht gern Tee.* Zunächst mündlich, dann einige Informationen ins Heft schreiben und vorlesen.

AB	Übung 5
AB	*Weißt du das noch?* (S. 21); ein Beispiel von 1a gemeinsam mit L machen, dann macht jeder allein weiter; in Klassen- oder Partnerarbeit kontrollieren
AB/Portfolio	• *Das habe ich gelernt* (S. 23/24) wie im AB S. 6 vorgeschlagen für das Portfolio bearbeiten; wenn nötig bei *Das kann ich schon* (KB S. 16) nachschauen. Eventuell sollte L die Bearbeitung der Seiten erklären. • den *Grammatik-Comic* (S. 25) für das Portfolio bearbeiten; wenn nötig bei *Das kann ich schon* (KB S. 16) nachschauen
AB/Portfolio	in den Extraseiten *Mehrzahl* (Seite 107/108) den Teil *nach Lektion 24* in Partnerarbeit bearbeiten; dazu zunächst die neun Körbe und ihre Plural-Endungen anschauen. L erklärt den S, dass sie Planetino beim Einsortieren der Mehrzahl-Endungen in seine Körbe helfen sollen (ggf. Unterschiede zur Muttersprache erklären). S füllen die Karten neben Planetino mit der richtigen Endung aus und weisen sie mit einer Zahl dem richtigen Korb zu.
AB/Wortliste	Arbeit mit der *Wortliste* zu den Lektionen 21–24 (Seite 22) Vorbemerkung: siehe LHB S. 14, Punkt 3
	HINWEIS: Viele der vorgeschlagenen Übungen können auch schon während der Arbeit mit den Lektionen an geeigneter Stelle eingesetzt werden. Sie lassen sich gemeinsam, in Einzel- oder Partnerarbeit oder in Kleingruppen durchführen, und zwar insbesondere auch in **Freiarbeitsphasen.**
	• Übung 1: soweit noch nicht geschehen in der Wortliste zu den Seiten 5–8 (AB S. 22) den Wortschatz *Körperteile* mit den Artikelfarben markieren und die Artikel und einige Pluralformen ergänzen; eventuell im Kursbuch auf Seite 6 nachsehen

• Übung 2: in der Wortliste zu den Seiten 13–15 den Wortschatz *Essen* und *Trinken* mit den Artikelfarben markieren und die Artikel ergänzen; eventuell im Kursbuch auf Seite 13 nachsehen

• Übung 3: L / später S (mit dem Arbeitsbuch in der Hand) nennt ein Wort / eine Wortfolge aus der Wortliste und die Nummer der Lektion; Beispiel: L: *bleiben – Lektion 22 und 23*

Differenzierung

1. Alle S suchen die Stelle im Kursbuch; ein S nennt Seite und Übung und liest den Satz / die Zeile vor.
2. S liest die Stelle im Buch still; dann „Sprechlesen"
3. nicht im Buch suchen, sondern aus der Erinnerung: *Ich bleibe heute zu Hause.* (L 22); *Tina muss 5 Tage im Bett bleiben.* (L 23)
4. frei als Transfer, Beispiel: *Mein Bruder hat Halsschmerzen. Er muss heute zu Hause bleiben.*

• Übung 4: Wortschatzwiederholung zum Thema *Krank sein* – möglichst viele Wörter aus der Wortliste geordnet an die Tafel schreiben; L / später S schreibt außerdem Strukturen und Redewendungen aus der Wortliste und der Seite **Das kann ich schon** (KB S. 16), die man in Aussagen und Dialogen miteinander kombinieren kann, an die Tafel.
Tafelanschrift:

Kopf	Schmerzen	... krank	Wie geht's?	Hast du Schmerzen?	... tut so weh.	Arzt	Fußball spielen
Arme	Kopf-schmerzen	Was tut denn weh?	... bald wieder gesund	Kommst du mit?		Apotheke	Seil-springen
Zahn	Hals-schmerzen	Tut mir leid.	Tut dein/ deine ... weh?	Gute Besserung!		Rezept	sprechen
Bauch	...	Ich darf nichts ...	Ich habe ____ schmerzen.	Ich muss ...		Medizin	singen
...		Mir geht es gar nicht gut.	Hast du Lust?	Ich kann nicht ...		...	...
		usw.					

♦ in Klassenarbeit und später in Partner- und Gruppenarbeit Aussagen und kürzere oder längere Dialoge machen
Beispiele:
♦ Aussage: *Meine Schwester ist krank. Sie hat Bauchschmerzen.*
♦ kurzer Dialog: S1: *Wir gehen schwimmen. Kommst du mit?*
　　　　　　　　S2: *Nein, ich darf nicht.*
　　　　　　　　S1: *Warum denn nicht?*
　　　　　　　　S2: *Ich habe Ohrenschmerzen.*
　　　　　　　　S1: *Schade.*
♦ langer Dialog: S1: *Ich kann heute nicht Basketball spielen.*
　　　　　　　　S2: *Was ist denn los?*
　　　　　　　　S1: *Mir geht es gar nicht gut.*
　　　　　　　　S2: *Bist du krank?*
　　　　　　　　S1: *Ja, mein Bauch tut so weh.*
　　　　　　　　S2: *Das tut mir leid.*
　　　　　　　　S1: *Und ich muss heute im Bett bleiben.*
　　　　　　　　S2: *Wie langweilig. Gute Besserung!*

• Übung 5: Wortschatzwiederholung zum Thema *Essen* und *Trinken*
VORSCHLAG: das „Interviewspiel" zu Lektion 24 Übung 5 noch einmal durchführen
(s. LHB S. 19 / S. 34)

Themenkreis Zirkus, Zirkus!

Sprechhandlungen	Zeitangaben machen; Können ausdrücken; jemanden auffordern; Tiere beschreiben; einkaufen
Wortschatz	Wochentage und Uhrzeit; Familie; Tiere; Zahlen 21–100
Grammatik	Zeitangaben; Imperativ Singular; Personalpronomen im Akkusativ; Modalverben *müssen*, *können*, *möchte-*
AB	die Einstiegsseite in den Themenkreis (S. 27) in Partnerarbeit erarbeiten

1 und 2 Comic

Modul 7 | S. 17

☞	Hinführen zum Thema, dabei Reaktivieren bekannten Sprachmaterials und erster Kontakt mit neuen Redemitteln des Themenkreises
Material	Demonstrationsuhr

1 Comic

Modul 7 | S. 17

➲ 1a	• den Text unten abdecken; Comic 1 still lesen und in Partnerarbeit versuchen, die Lücken zu ergänzen; die Ergebnisse vortragen
➲ 1b	• die vorgegebenen Sätze unten (rot) lesen und mit den eigenen Ergebnissen vergleichen; die Sätze in die Lücken einsetzen
➲ 1c CD1/24	• Comic 1 hören und mitlesen • L stellt die Demonstrationsuhr auf 3 Uhr. L: *Nicht vergessen! Um 3 Uhr.* Alle wiederholen • Comic 1 satzweise hören und genau nachsprechen • in Partnerarbeit Comic 1 einüben und die Szene vor der Klasse spielen
Differenzierung	1. mit dem Buch in der Hand („Sprechlesen"; siehe LHB S. 10, Abschnitt „Unterstützende Übungen") 2. frei

2 Comic

Modul 7 | S. 17

➲ 2a	• Comic 2 still lesen und versuchen, die Lücken zu ergänzen; L sollte eine Hilfe für die Lücke in der ersten Sprechblase geben und an die Tafel schreiben: *Meine Füße sind …*
➲ 2b	• die vorgegebenen Sätze (blau) lesen und mit den eigenen Ergebnissen vergleichen; noch einmal lesen und versuchen, die richtigen Sätze einzusetzen
➲ 2c CD1/25	• Comic 2 hören, mitlesen und mit den eigenen Ergebnissen vergleichen • noch einmal hören und satzweise nachsprechen • in Partnerarbeit einüben und vorlesen

Lektion 25 Was machst du am Wochenende?

☞	Zeitangaben machen; jemanden auffordern; *Wochentage* und *Uhrzeit*

1 Radio „Lollipop"

Lektion 25 | S. 18

☞	Zeitangaben machen, *Wochentage* und *Uhrzeit* einführen und einüben
Material	Kalender mit Wochentagen; große Demonstrationsuhr

HINWEIS: *Wochentage* und *Uhrzeit* wurden bereits in Teil B der Theater-Lektion in *Planetino 1* eingeführt. Lehrer, die die Theater-Lektion durchgenommen haben, können die folgenden Arbeitsvorschläge als Angebot zur Wiederholung betrachten.

• die *Wochentage* einführen:
  ♦ L nennt den aktuellen Wochentag und zeigt dabei auf den Kalender (z.B.: *Heute ist Freitag.*)
  ♦ L nennt alle *Wochentage* und zeigt auf dem Kalender mit; S sprechen noch nicht nach

⊃ 1a CD1/26

• Vorwissen aktivieren als Vorbereitung auf den Hörtext: Den Wochenkalender im Kursbuch anschauen und darüber sprechen; L stellt Fragen, S antworten in Kurzform. L: *Was ist am Montag los?* – S.: *Fernsehen, Indianer.* – L: *Und am Dienstag?* – S: *Kino.* – L: *Richtig, ein Film.* – usw.
• die Einleitung hören (bis *Ich habe ein paar tolle Tipps für euch.*)
• den Hörtext ganz hören und versuchen, *Wochentage* und *Ereignisse* auf dem Wochenkalender mitzuzeigen

VORSCHLAG zu Aufgabe 1b: Wegen der Vielzahl an Informationen zu *Wochentagen*, *Ereignissen* und *Uhrzeit* in der Radiosendung wird eine Höraufgabe in drei Teilen vorgeschlagen. Außerdem sollte der Hörtext in kurzen Abschnitten gehört werden.
Vorschlag für die Unterbrechung der Radiosendung:
Einleitung: bis *Ich habe ein paar tolle Tipps für euch.*
Teil 1: bis *… wieder um 5 im Cinema.*
Teil 2: bis *Und Teil 3 ist am Samstag um 2 Uhr, immer im Kinder-TV.*
Teil 3: bis *Also, ihr habt Lust auf Zirkus? Nichts wie hin!*
Teil 4: bis *… des Reitclubs statt und fängt um 4 Uhr an.*
Teil 5: bis *Ihr könnt lesen, so lange ihr wollt.*
Teil 6: bis *… um 5 Uhr auf dem städtischen Sportplatz statt.*
Teil 7: bis zum Schluss

⊃ 1b CD1/26

• Höraufgabe 1: auf die *Wochentage* achten und auf dem Kalender mitzeigen; L hilft, indem er die Schlüsselwörter wiederholt; Beispiel: S hören Teil 1, zeigen auf *Dienstag* und *Samstag*; L: *Richtig, am Dienstag und am Samstag.*
  Teil 1 (Kino): L – *Richtig, am Dienstag und am Samstag*
  Teil 2 (Kinder-Fernsehen): L – *Richtig, am Montag, am Donnerstag und am Samstag*
  Teil 3 (Zirkus): L – *Richtig, am Mittwoch und am Samstag*
  Teil 4 (reiten): L – *Richtig, am Samstag*
  Teil 5 (lesen): L – *Richtig, am Samstag und am Sonntag; also am Wochenende*
  Teil 6 (Fußball): L – *Richtig, am Freitag, am Samstag und am Sonntag*

• Höraufgabe 2: auf die *Ereignisse* achten und auf dem Kalender mitzeigen; L nennt Beispiele für *Ereignisse* (Zirkus, Reitturnier, Fußballspiele); wie bei Höraufgabe 1 unterbrechen und viel Zeit zum Suchen lassen

• Höraufgabe 3: auf die *Uhrzeit* achten
VORSCHLAG: L hat für jeden S die folgende Tabelle als Kopie vorbereitet; zunächst jedoch diese Tabelle an der Tafel entstehen lassen; L spricht dabei:
Tafelanschrift:

Mo	Di	Mi	Do	Fr	Sa	So
Kino	5				5	
Fernsehen						
reiten						
lesen						
Fußball						

  ♦ Teil 1 als Beispiel hören; S tragen die *Uhrzeit* (als Zahl) in ihre Kopie ein; L bestätigt und ergänzt die Tabelle an der Tafel: L: *Richtig, am Dienstag und am Samstag um 5 Uhr.* Dann die übrigen Teile hören.

Differenzierung	1. zuerst noch einmal die Höraufgabe 1 (*Wochentage*) durchführen und in den entsprechenden Kästchen ein Kreuz (x) machen; dann im zweiten Durchgang die *Uhrzeit* heraushören 2. *Wochentage* und *Uhrzeit* in einem Durchgang heraushören
	• „Platzwechselspiel" (siehe LHB S. 19, Punkt 5.8); Vorschlag für die Wortauswahl: *am Wochenende; am Montag, am Dienstag* usw. ... *um ein Uhr* usw. *bis um sechs Uhr; Zirkus; Film; Bibliothek*
➲ 1c CD1/27	• die richtigen Sätze hören und die Angaben mit der eigenen Tabelle vergleichen • noch einmal satzweise hören und nachsprechen; die längeren Sätze zwei- oder sogar drei-mal unterteilen; Beispiel: *Die Fernsehserie läuft am Montag / und am Donnerstag um sechs Uhr / und am Samstag um zwei Uhr.*

	• die *Wochentage* einüben; dazu die Tabelle an der Tafel anschauen:
	  ♦ L: *Wann ist das Reitturner?* – S: *am Samstag und am Sonntag.* – L: *Richtig, am Wochen-ende.* – Alle S: *am Wochenende.* – L: *Wann sind die Lesetage?* – usw.
	  ♦ S machen wie in Aufgabe b angegeben Sätze, jedoch mit den Angaben in der eigenen Tabelle

	• die *Uhrzeit* mithilfe der Demonstrationsuhr einüben: HP: *Ich gehe heute schwimmen.* L: *Wann denn?* HP: *Rate mal.* L: *Um zwei Uhr?* (L stellt jeweils, für die S sichtbar, die Uhr) HP: *Nein.* L flüstert der Klasse die folgende *Uhrzeit* zu; alle S fragen dann. alle S: *Um vier Uhr?* HP: *Nein, falsch.* usw.
	• Übung „Fehler erkennen" (siehe LHB S. 16, Punkt 5.2) zu *um ein Uhr*: Beispiel: *um ein Uhr – um ein Uhr – um ein Uhr – um <u>eins</u> Uhr – um ein Uhr*
	• das Ratespiel noch mehrmals durchführen; S übernehmen die Rolle der HP
	fakultativ als Variante das Ratespiel „Früher oder später?" (siehe LHB S. 18, Punkt 5.6)
➲ 1d	• in Partnerarbeit wie angegeben die Tabelle auswerten
	• persönlicher Bezug: S erzählen von ihren Aktivitäten; Beispiel: S1: *Ich gehe immer am Montag um 4 Uhr schwimmen.* L / S stellen dazu Fragen: *Gehst du allein? Wer geht mit? Ist das Wasser warm? Kannst du schnell schwimmen?* ... S1 antwortet.
AB	Übungen 1 und 2

② Kommst du mit? Lektion 25 | S. 18

☞	jemanden auffordern; Wortschatz *Wochentage* und *Uhrzeit* einüben
Material	wenn möglich Videokassette und DVD, Spielzeugtelefone oder Handys mitbringen
➲ 2a CD1/28	• den Text zudecken; das Telefongespräch hören und dabei das Bild anschauen • die Namen der Kinder nennen (Leon und Maike) • noch einmal hören und auf die jeweils sprechende Person zeigen • L erklärt oder zeigt *DVD* und *Videokassette* • hören, mitlesen und satz- bzw. zeilenweise nachsprechen • hören, mitlesen und halblaut mitsprechen
	• den Dialog in Partnerarbeit einüben („Flüsterlesen") • Rollenlesen, möglichst als „Sprechlesen"
➲ 2b	• die Sätze in den farbigen Kästen lesen; L erklärt, wenn nötig, die neuen Wörter (*Bibliothek* siehe die Bilder von Übung 1)

• die passenden Teile zusammenfügen und die Sprecher der Antworten im unteren rosa Kasten benennen (Lösung: Antwort 1: Sonja; Antwort 2: Hakan; Antwort 3: Paula; Antwort 4: Timo)

Differenzierung	1. die Dialoge hören (CD1/29–32) und die Sätze suchen 2. in Klassenarbeit 3. in Partnerarbeit; dann die Ergebnisse vorlesen
⮐ 2c CD/29–32	• alle Dialoge zur Kontrolle hören und mitlesen • noch einmal hören und die Sätze aus den farbigen Kästen halblaut mitsprechen
⮐ 2d	• die Szenen spielen
Differenzierung	1. mit dem Buch in der Hand („Sprechlesen") 2. frei (L / ein S souffliert, wenn nötig)
AB	Übungen 3 und 4

---

3   Hallo Ronny!

Lektion 25 | S. 19

☞   Wortschatz *Wochentage* einüben; Wortfeld *Tätigkeiten in der Freizeit* erweitern

• Vorentlastung: das Wortfeld *Tätigkeiten in der Freizeit* aktivieren (siehe auch *Planetino 1*, Lektion 1 und 18): L spricht mit S über ihre Freizeitbeschäftigungen *(Was macht ihr gern?)*; L stellt auch Ergänzungsfragen, z. B.: S1: *Fußball* – L: *Wer spielt mit?* S2: *Musik hören* – L: *Was hörst du am liebsten?* – S3: *Fahrrad fahren* – L: *Ist dein Fahrrad neu?* usw.
Variante: L stellt zunächst Fragen; dann übernehmen S und fragen selbst
Eventuell die Tätigkeiten nach und nach an die Tafel schreiben
Tafelanschrift:

⮐ 3a CD1/33	• den Dialog hören und die Frage „Wie findest du Ronny"? in der Muttersprache beantworten
⮐ 3b CD1/33	• die Bilder anschauen; den Dialog hören und auf das jeweilige Bild zeigen • noch einmal hören und die Bilder ordnen
Differenzierung	1. nach einer oder zwei genannten Tätigkeiten die CD unterbrechen, die Bilder suchen und den/die Buchstaben aufschreiben 2. den ganzen Dialog ohne Unterbrechung hören und die Buchstaben aufschreiben (Lösungswort: DIENSTAG)
⮐ 3c	• sagen, was Ronny an bestimmten Tagen macht; L hilft, wenn nötig: *Er spielt am ... Volleyball (Tennis, Basketball, Gitarre).* *Er macht am ... Karate.* *Er fährt am ... Rad.* *Er bleibt am ... zu Hause.* • die Sätze *Er macht Karate.* und *Er fährt Rad.* durch Vor- und Nachsprechen einüben • wie vorgeschlagen Ronnys Wochenplan aufschreiben
AB	Übungen 5 und 6

---

4   Ratespiel: Wann?

Lektion 25 | S. 19

☞   Zeitangaben machen; *Wochentage* und *Uhrzeit* einüben

• Einführen: *Wann?* – *Um wie viel Uhr?* L fragt HP: *Wann spielst du immer Tennis?* – HP: *Am Dienstag und am Freitag.* – L: *Und um wie viel Uhr?* – HP: *Um drei Uhr.* – L: *Und wann machst du Karate?* – HP: *Am Mittwoch.* – L: *Um wie viel Uhr?* – HP: *Um ...*
• *Wann?* – *Um wie viel Uhr?* durch „Imitatives Nachsprechen" einüben

⮌ 4a	• wie angegeben Wochenpläne schreiben
⮌ 4b CD1/34	• den Ablauf des Ratespiels hören und mitlesen • noch einmal hören und halblaut mitsprechen
	• das Ratespiel in der Klasse spielen
	fakultativ: Jeder S schreibt nur einen Satz auf einen Zettel und schreibt dahinter seinen Namen. Die Zettel werden umgedreht auf einen Haufen gelegt. S1 kommt nach vorne, zieht einen Zettel und liest den Satz still und führt das veränderte Ratespiel durch: S1: *Er/Sie spielt Tennis. Ratet mal, wann?* S2: *Am Sonntag?* … S1: *Ja. Um wie viel Uhr?* S4: *Um zwei Uhr?* … S1: *Richtig. Und wie heißt er/sie?*
AB	Übungen 7 und 8
AB	Lesen: den Lesetext „Anzeigen" (S. 104) lesen und bearbeiten

Lektion 26 Der Zirkus kommt!

☞ jemanden auffordern; Wortschatz *Tiere* und *Familie*

1 Lied: Der Zirkus Tamburelli
Lektion 26 | S. 20

☞	Wortschatz *Tiere* einführen und einüben
	• Hinführen: L ruft: *Der Zirkus kommt!* und schreibt diesen Satz an die Tafel. • in der Muttersprache mit den S über eigene Zirkuserfahrungen sprechen
⮌ 1a CD1/35	• das Lied hören, dabei das Plakat und die Bilder anschauen • das Lied noch einmal hören und mitlesen • die Strophen 1–3 hören; auf Tiere, Akrobaten und Clowns zeigen • nach Strophe 3 die CD stoppen; L gibt die Aufgabe: *Hört genau zu und zeigt auf den Bildern mit.* Dann Strophe 4 zeilenweise hören; am Ende eines jeden Trommelwirbels unterbrechen und die genannten Personen und Tiere auf den Bildern suchen • L/HP liest Strophe 4 mit Fehlern vor; S hören zu und korrigieren; Beispiel: *Der Zirkus Tamburelli präsentiert: Lehrer und Jongleure.* • L stellt Fragen: *Wo sind die Affen?* – S: *In Bild G.* usw.
⮌ 1b/1c	• die beiden Aufgaben durchführen (Lösung zu 1c: Der Zirkus kommt. Er kommt am Samstag um 4 Uhr.)
⮌ 1d	• die Fragen lesen und die Antworten im Text des Liedes suchen
⮌ 1e	• die Aufgabe wie vorgeschlagen durchführen (Lösungswort: CALIGULA)
	• das Lied einüben: ◆ die Strophen 1–3 hören, mitlesen und im Rhythmus des Liedes leise mitsprechen ◆ die Strophen 1–3 hören und auf *la-la-la* (oder andere Silben) mitsingen ◆ die Strophen 1–3 hören und mitsingen ◆ Strophen 4 und 5: Strophe 4 zeilenweise hören, am Ende eines jeden Trommelwirbels unterbrechen und genau nachsprechen; dann Strophe 5 hören und mitsingen ◆ den Text von Strophe 4 zeilenweise durch „Imitatives Nachsprechen" einüben
CD1/36	• das Lied zur Playbackfassung singen; Strophe 4 sollten jeweils einzelne S sprechen; dabei auf die Steigerung des Trommelwirbels achten

Variante für weitere Strophen: Strophe 2 verändern: *am Mittwoch schon um vier* bzw. *am Samstag auch um acht* (siehe Zirkusplakat)

AB	Übung 1

2 *Lesen: Das ist der Zirkus Tamburelli*

☞	Leseverstehen; Wortschatz *Familie* erweitern; Wortschatz *Tiere* anwenden
Material	wenn möglich eine Kopie des Textes für jeden S
	HINWEIS: L sollte die S wie bei früheren längeren Lesetexten daran erinnern, dass sie nicht jedes einzelne Wort genau verstehen müssen. Sie sollen vielmehr nach und nach lernen, dass man die Bedeutung wichtiger Wörter auch aus dem Textzusammenhang verstehen kann. Dabei helfen auch die Bilder von Übung 1 und die der unten abgebildeten Familienmitglieder.
	• Hinführen: S schauen die abgebildeten Personen bei Aufgabe b an und sagen, wen sie schon kennen (siehe die Bilder in Übung 1): *Rosalie ist Clown; Papa ist der Direktor; Marco ist Dompteur.*
➲ 2a	• den Text still lesen Variante 1: Jeder S hat eine Kopie des Textes und bekommt die Aufgabe, den Text still zu lesen und alles zu unterstreichen, was er versteht. Variante 2 (ohne Textkopie): den Text im Kursbuch still lesen; jedem S ausreichend Zeit lassen; bei beiden Varianten erklärt L, wenn er gefragt wird, die Bedeutung einiger Wörter, möglichst auf Deutsch; Beispiel: *am liebsten* – L: *Ich esse gern Eis. Aber* <u>am liebsten</u> *esse ich Schokolade.*
CD1/37	• die Fragen hören und beantworten: Um die meisten der Fragen beantworten zu können, müssen die S nach jeder Frage genügend Zeit bekommen, die Antwort im Text zu suchen. ◆ Frage 1 hören – CD stoppen – S suchen die Antwort im Text und lesen sie vor – CD weiterlaufen lassen und die Antwort hören – die Antwort nachsprechen ◆ ebenso mit den übrigen Fragen ◆ die Übung wiederholen – die Zeit zum Suchen verkürzen; S rufen die Antwort in die Klasse – die Antwort hören – nicht mehr nachsprechen
➲ 2b	• L stellt Fragen zu den Personen (Verwandtschaftsgrad und Tätigkeit); S suchen die Antwort im Text, Beispiel: L: *Was macht Ramons Papa?* – S: *Er ist der Direktor.* – L: *Und was macht er noch?* – S: *Er …* – L: *Was macht Ramons Mutter/Mama?* – S: *Sie arbeitet mit zwei Elefanten.* – L: *Wer ist Benjamin?* – S: *Er ist Ramons Bruder. Er ist Clown.* • zu allen Personen Fragen stellen, die aus dem Text beantwortet werden können und dann nach und nach an der Tafel den Stammbaum der Familie Tamburelli entstehen lassen (siehe KB; die Lücken an der Tafel ergänzen) Tafelanschrift:

	• über die Familie Tamburelli sprechen: L: *Was wissen wir jetzt?* – S1: *Ramons Bruder Benjamin ist Jongleur.* usw.
AB	Übung 4 (zunächst mündlich in der Klasse, dann schriftlich)
	• neuen Wortschatz einüben: Variante 1 (mit Kopie des Textes): S suchen in der Wortliste im AB die neuen aktiven Wörter und markieren sie in der Kopie des Textes

Variante 2 (ohne Kopie des Textes): die neuen Wörter in der Wortliste suchen und an die Tafel schreiben

* „Tamburinspiel" (siehe LHB S. 15, Punkt 5.1); Beispiele: *Ramons Vater ist der* _____ . – Ein S / alle S: *Ramons Vater ist der Direktor.* – L: *Ramons Mama* ____ *mit 2 Elefanten.* – S: *Ramons Mama arbeitet mit 2 Elefanten.* – L: *Onkel Marco ist Dompteur. Das ist* _____ *sehr gefährlich.* – S: *Das ist manchmal sehr gefährlich.* usw

* einzelne Wörter von der Tafel / aus der Textkopie nennen; jeweils aus dem Text einen Satz mit diesem Wort nennen und einen Satz mit diesem Wort frei formulieren

Beispiel: Freizeit 1. *Da bleibt nicht viel Freizeit.*

2. *Ich habe am Samstag viel Freizeit. Wir haben keine Hausaufgaben.*

Differenzierung	1. in Klassenarbeit 2. in Partnerarbeit; jeder S nennt dem anderen ein Wort 3. ebenso in Partnerarbeit, aber schriftlich; dann in der Klasse vorlesen und eventuell korrigieren
AB	Übung 2 (zunächst mündlich in Klassenarbeit; dann als Hausaufgabe)
➲ 2c AB	• Spiel „Wer bin ich?" ◆ Übung 3 zur Vorbereitung auf das Spiel in Klassenarbeit bearbeiten ◆ die Namen der Familienmitglieder einschließlich Verwandtschaftsgrad und Aktivität im Zirkus auf Karten schreiben ◆ wie vorgeschlagen spielen; zunächst mit der ganzen Klasse, dann in Kleingruppen
	fakultativ: das „Spiel für alle Fälle" im KB, S. 97 einsetzen (Spielerklärung siehe LHB S. 20, Punkt 5.9): Man braucht Karten in zwei verschiedenen Farben, zum einen für die Familienmitglieder und zum anderen für die Aktivität im Zirkus. S schreiben Karten für das Spiel in Kleingruppen. Kartentyp 1: *Cousin Elvis – Kusine Nadja – Ramon …* Kartentyp 2: *ist der Direktor – sitzt an der Kasse – ist Jongleur – arbeitet mit Elefanten- …* Spielablauf: Es wird mit 2 Kartenstapeln gespielt. Wer auf ein farbiges Feld kommt, zieht eine Namen-Karte (z. B. *Kusine Nadja*), dann eine Aktivitäten-Karte (z. B. *arbeitet mit Elefanten*); S1 liest vor: *Kusine Nadja arbeitet mit Elefanten. Das ist falsch.* S muss die Karten zurücklegen. Wenn die Karten zusammenpassen, darf er sie behalten.
	fakultativ: mit den für das „Spiel für alle Fälle" hergestellten Karten in **Freiarbeitsphasen** Memory® spielen
AB	Übung 5

Lektion 27   Herzlich willkommen im Zirkus!

☞	*jemanden auffordern;* Können ausdrücken; Wortschatz *Tiere* erweitern; Zahlen 21–100; Imperativ Singular; Modalverb *können* (1./2. Pers. Pl.)

1 Hier sind die Tiere!

Lektion 27 | S. 22

☞	Leseverstehen; jemanden auffordern; Wortschatz *Tiere* erweitern; Imperativ Singular einführen und einüben
➲ 1a	• die Bilder anschauen und die Texte in den Sprechblasen still lesen; dabei versuchen, die neuen Wörter über die Bilder und aus dem Kontext zu verstehen • die vier Sätze lesen; L erklärt *müde sein* durch Mimik und Gestik • die Sätze der passenden Szene zuordnen
➲ 1b CD1/38	• die Bücher schließen und die Szenen hören • noch einmal hören und mitlesen
➲ 1d CD1/39 ➲ 1d CD1/40	• neue Wörter einüben: die Sätze hören und genau nachsprechen • die Sätze hören und nachsprechen

| CD1/38 | • die vier Szenen noch einmal hören, nach jedem Satz unterbrechen und in Gruppen nachsprechen |
| | • die Szenen in Partnerarbeit einüben und vorspielen |

• Imperativ Singular einüben:
  ◆ L fordert auf; S reagieren: *Zeig mir bitte das Mäppchen / … – Gib mir bitte den Bleistift / … Nimm bitte …*

Tafelanschrift:

> *Zeig mir bitte …*
>
> *Gib mir bitte …*
>
> *Nimm bitte …*

  ◆ Ein S übernimmt die Rolle des L und fordert mit den Imperativen an der Tafel andere S auf, etwas zu tun
  ◆ ebenso, aber mehrere S gehen gleichzeitig durch die Klasse

• jemanden auffordern und sprachlich reagieren:
  ◆ L: *Rechne 4+7!* – HP: *Nein, ich rechne heute nicht.*
     L: *Sag bitte Guten Morgen!* – HP: *Nein, ich sage heute nichts.*
     L: *Tanz bitte!* – HP: *Ich tanze heute nicht. Ich habe keine Lust.*
  ◆ auch diese drei Imperativformen an die Tafel schreiben
  ◆ S übernehmen die Rolle des L und der HP; zunächst ein S, dann mehrere S gleichzeitig

| ➲ 1c | • die Szenen in Partnerarbeit vorbereiten und spielen |
| AB | Übungen 1 und 2 |

HINWEIS: weitere Übungen zum Gebrauch des Imperativs: siehe Vorschläge im LHB zu Lektion 27 Übung 6 (Wir spielen Stabpuppentheater, S. 46)

2 Jetzt kommt Benjamin, der Jongleur
3 Hören und Nachsprechen   } *als Einheit behandeln*
4 Laute und Buchstaben

2 Jetzt kommt Benjamin, der Jongleur   Lektion 27 | S. 23

| ☞ | Zahlen 21–100 einführen und einüben |

CD1/41	• Hinführen/Worterklärung: L balanciert mit Ball, Bleistift, Pinsel, Kreide …: *Ich bin Jongleur. Ich kann … balancieren.* Später übernehmen S die Rolle des L
	• die Bücher bleiben geschlossen; die Szene hören
	• die Bilder anschauen; die Szene hören und mitlesen

3 Hören und Nachsprechen   Lektion 27 | S. 23

| ☞ | Zahlen 21–100 einführen und einüben |

➲ 3a CD1/42	• von der CD die Erklärung der Aufgabe hören; L hilft, wenn nötig, in der Muttersprache und demonstriert in die Hände Klatschen und mit den Fingern Schnippen
	• L demonstriert den Ablauf der Übung: eine Zahl anschreiben, z.B. 24, und vorlesen; dann auf die Zehnerstelle zeigen und zweimal klatschen; auf die Einerstelle zeigen und viermal schnippen; S machen jeweils mit
	• die Übung durchführen

• Schreib- und Sprechweise der zweistelligen Zahlen:
Tafelanschrift:

> sechsundfünfzig – 5<u>6</u>   vierundzwanzig – 2<u>4</u>
>
> achtunddreißig – 3<u>8</u>

  ⁜ S sollen selbst entdecken, dass die Einerzahl im Wort an erster Stelle genannt wird und bei
   der geschriebenen Ziffer an zweiter Stelle steht: <u>sechs</u>undfünfzig – 5<u>6</u>

  ⁜ weitere Beispiele an der Tafel hinzufügen; unterstreichen und auch Pfeile machen
• Übungen zum Schreiben der Zahlen:
  ⁜ vier S stehen an der Tafel; L diktiert Zahlen; S schreiben an, die Klasse kontrolliert
  ⁜ Zahlendiktat für alle: L diktiert eine Zahl, alle S schreiben sie ins Heft; L schreibt jeweils
   die genannte Zahl an die Tafel; S kontrollieren und korrigieren
  ⁜ Das „6-Richtige-Spiel" (siehe LHB S. 15, Punkt 5.1): Ein S steht an der Tafel; L diktiert
   ihm nacheinander sechs Zahlen zum Anschreiben
fakultativ: weitere Zahlendiktate in der Klasse, in Gruppen- oder Partnerarbeit machen und
dabei die Regel zum Sprechen und Schreiben von zweistelligen Zahlen anwenden

➲ 3b CD1/43	• L demonstriert den Ablauf der Übung am Beispiel der Zahl 35: L: *Welche Zahl ist das?* – dreimal klatschen – fünfmal schnippen; S rufen: *35* – L bestätigt: *Richtig. 35.* • die Übung mit der CD durchführen; Vorschlag: Wenn der Sprecher die Richtigkeit der Zahl bestätigt hat (*Richtig. 100.*), die CD kurz anhalten, damit S sich neu konzentrieren können. Es muss bei dieser Übung in der Klasse ganz besonders ruhig sein. VORSCHLAG: die Übung noch einmal hören; wenn der Sprecher die Richtigkeit der Zahl bestätigt, die CD kurz unterbrechen; S schreiben die Zahl auf.
➲ 3c CD1/44	• die Zahlen hören, nachsprechen und ins Heft schreiben; zum Aufschreiben eventuell die Pause verlängern • die Zahlen noch einmal hören; L oder ein S schreibt die Zahlen zur Kontrolle an die Tafel, die anderen kontrollieren in ihrem Heft

	• bei Bedarf Ausspracheschulung ohne CD:
	  ⁜ Übung „Fehler erkennen" (siehe LHB S. 16, Punkt 5.2); Beispiele: *<u>z</u>wanzig – <u>z</u>wanzig – <u>z</u>wanzig – <u>z</u>wanzig – <u>z</u>wanzig; <u>z</u>weiundfünfzig – <u>z</u>weiundfünfzig – <u>z</u>weiundfünfzig – <u>z</u>wei-undfünfzig – <u>z</u>weiundfünfzig*
	  ⁜ Übung für den z-Laut: Lautmalerei, wie eine Schlange zischen: *zzz – zzz – zwanzig*
	fakultativ: weitere **Spielerische Übungsformen** mit Zahlen, die an vielen Stellen des Unterrichts immer mal wieder eingesetzt werden können:
	• L / später S schreibt viele Zahlen kreuz und quer an die Tafel. Ein S an der Tafel; L/S rufen ihm Zahlen zu. Wenn die genannte Zahl an der Tafel steht, muss er sie auswischen. Dann ist der nächste S dran usw., bis keine Zahl mehr an der Tafel steht.

	• Spiel „Zahlenbingo" (siehe LHB S. 16, Punkt 5.4)
	• „Klatschübung" als Ratespiel (siehe KB Lektion 27, Ü 3b)
	• „Welche Zahl kommt dann?": S1 ruft eine Zahl; S2 ruft die nächsthöhere Zahl • „Welche Zahl kommt vorher?": S1 ruft eine Zahl; S2 ruft die nächstniedrigere Zahl VORSCHLAG: Bei den beiden letzten Übungen kann S1 durch die Klasse gehen und dem S, der drankommen soll, auf die Schulter tippen. L sollte darauf achten, dass alle S drankommen. Die Übungen werden noch effektiver, wenn mehrere S gleichzeitig herumgehen und so den Ablauf der Übung steuern.
	• Zählen, aber bestimmte Zahlen dürfen nicht genannt werden, z.B. alle Zahlen, die auf 5 und 0 enden; stattdessen in die Hände klatschen, mit den Fingern schnippen oder ein vorher vereinbartes Quatschwort nennen
	• Ratespiel „Mehr oder weniger?" (siehe LHB S. 17, Punkt 5.6)
fächerübergreifend	• im Mathematikunterricht einfache Rechenoperationen auf Deutsch durchführen
AB	Übungen 3, 4 und 5

4 Laute und Buchstaben
Lektion 27 | S. 23

☞	Ausspracheschulung; Wort- und Schriftbild kontrastiv bewusstmachen
➲ 4a CD1/45	• die Zahlen hören und genau nachsprechen • L schreibt einige zweistellige Zahlen an die Tafel und spricht sie mehrmals; dabei die Endsilbe etwas übertrieben lang klingen lassen
➲ 4b CD1/46	L spricht vor, alle S sprechen nach: *ich – ich – dreißig* usw. • S erkennen: Du liest/schreibst *–ig*. Du sprichst *–ich*. • die Wörter laut lesen und auf die Aussprache der Endung achten • die CD zur Kontrolle hören • noch einmal hören; nach jedem Wort mit der Pause-Taste unterbrechen und nachsprechen fakultativ: wenn nötig, die Übung „Fehler erkennen" einsetzen; Beispiel: *dreißig – dreißig– dreißik – dreißig – dreißig*
AB	Übung 6 (in Klassenarbeit mit dem Lehrer)

2 Jetzt kommt Benjamin, der Jongleur (Fortsetzung)
Lektion 27 | S. 23

CD1/41	• die Szene noch einmal hören und mitlesen • noch einmal hören und satzweise nachsprechen; bei Bild 3 alle Zahlen mitsprechen; besonders auf die Aussprache der Zahlen achten • noch einmal ohne Unterbrechung hören und versuchen, halblaut mitzusprechen • die Szene einüben und spielen (Pantomime oder mit Tellern aus Plastik oder Pappe)
	• die Transferszene mit 40 Tellern spielen; alle S sind Publikum und zählen mit dem Zirkusdirektor laut mit.

5 Und hier sind die Clowns!
Lektion 27 | S. 24

☞	Können ausdrücken; Wortschatz *Tiere* erweitern; Modalverb *können* (1./2. Pers. Pl.) einführen und einüben
	• L/HP malt Strichmännchen an die Tafel und spricht dabei: *Ich kann malen. Ich kann gut malen. Ich kann ganz toll malen. Ich kann malen wie Picasso.* • die Bilder anschauen und die Clowns benennen; Bild 1: links Pepe, in der Mitte Chip, rechts Rosalie (siehe auch KB Lektion 26 Übung 1, Bild A)
CD1/47	• die Texte zudecken; zunächst die Szene zu den drei Bildern oben hören; mit der Pause-Taste kurz unterbrechen; dann die folgende Szene zu den drei unteren Bildern hören • die Szenen hören und mitlesen • den Text satzweise einüben (hören – unterbrechen – nachsprechen) • die Szenen einüben und vorspielen; die Handlung pantomimisch darstellen Hilfe an der Tafel: *gut / ganz gut / sehr gut / ganz toll / wie ein/eine*

➲ 5a	• die Tabelle still lesen
	• mit den Redemitteln in der Tabelle Sätze machen:
	   ♦ sagen, was man selbst kann: *Ich kann …*
	   ♦ 2 S überlegen sich, was sie beide gut können: *Wir können …*
	• die beiden Aussagen nach dem Muster im Buch erweitern, indem sie durch *gut / ganz gut / sehr gut / ganz toll* ergänzt werden

	• Ratespiel: 2 S schreiben einen Satz, zum Beispiel *Wir können springen wie ein Tiger.* S1 + S2 führen das Ratespiel durch: *Wir können springen wie ein hüpe küre. Ratet mal.* S3: *Könnt ihr springen wie ein Hund?* S1 + S2: *Nein.* …
	• „Partnersuchspiel" (siehe LHB S. 18, Punkt 5.8): Sätze mit *Wir können …* aus der Liste jeweils zweimal auf Zettel schreiben. Jeder S bekommt einen Zettel. Alle S gehen durch die Klasse, sprechen leise den Satz auf ihrem Zettel und suchen den S mit demselben Satz. Wenn zwei S sich gefunden haben, lesen sie am Ende des Spieles vor: *Wir können …*

	fakultativ: Schreibspiel
Material	ein Blatt für jeden S
	Jeder S schreibt auf sein Blatt einen Satz aus der linken Hälfte der Liste, zum Beispiel *Ich kann turnen* oder *Ich kann fliegen* oder ... Das Blatt anschließend nach hinten umfalten, damit der nächste S den Satzanfang nicht sehen kann. Dann das Blatt einem Mitschüler geben; der schreibt einen Teil aus der rechten Hälfte der Liste, zum Beispiel *wie eine Katze.* usw. Am Schluss des Schreibspiels alles vorlesen
	fakultativ: persönlicher Bezug – das eigene Können mit bekannten Personen vergleichen, eventuell aus dem eigenen Land S1: *Ich kann singen wie Pavarotti.* S2: *Ich kann turnen wie* (bekannter Turner aus dem eigenen Land) S3 + S4: *Wir können Fußball spielen wie ...*
➲ 5b	fakultativ: mit den Redemitteln in der Liste weitere Szenen erfinden und vorspielen
AB	Übungen 7 und 8

6 Wir spielen Stabpuppentheater

Lektion 27 | S. 24

☞	Redemittel der Lektion anwenden; mit Stabpuppen Szenen spielen
Material	Karton, Scheren, Farbstifte, Klebzeug, Stöcke
➲ 6a fächerübergreifend	• in Klassenarbeit die Bastelanleitung besprechen • in Zusammenarbeit mit dem Kunstunterricht in Gruppenarbeit Stabpuppen herstellen; und zwar möglichst von allen in den Lektionen 26 und 27 genannten Personen und Tieren

➲ 6b	• Stabpuppentheater spielen:
	VORSCHLAG: anstelle der Tafel ein großes Tuch nehmen, das von zwei S gehalten wird
	Dahinter agieren S mit ihren Stabpuppen
	1. das Lied „Der Zirkus Tamburelli" (L 26, Ü 1) singen; die in Strophe 4 genannten Personen und Tiere erscheinen nacheinander auf der „Bühne"
	2. kurze Szenen zu Lektion 27 Übung 1 spielen
	Beispiel: Direktor: *Hier ist der Bär Caligula. Tanz bitte!*
	           Bär: *Ich tanze heute nicht.*
	           Direktor: *Warum denn nicht? / Was ist denn los?*
	           Bär: *Ich bin müde. / Ich habe heute keine Lust.*
	weitere Dialoge mit *Sag bitte ... / Rechne / Zeig / Spring / Flieg / Sing bitte*
	3. die Szene von Lektion 27 Übung 2 spielen
	VORSCHLAG: die Stabpuppen für spätere Übungen aufbewahren

Lektion 28 In der Pause

☞	Tiere beschreiben; *einkaufen;* Wortschatz *Tiere;* Wortschatz Adjektive; Personalpronomen im Akkusativ; Modalverben *können* und *müssen* (3. Pers. Pl.) und *möchte-* (2./3. Pers. Pl.)

1 Hören: Die Tierschau

Lektion 28 | S. 25

☞	Hörverstehen; Wortschatz *Tiere* anwenden
Material	VORSCHLAG: S sollen zu Hause in Zeitschriften Bilder/Fotos von Tieren, die sie schon kennen, suchen, ausschneiden und mitbringen.
	• Hinführen: die Bilder von Übung 1 anschauen; die Tiere benennen, wenn möglich mit Namen (siehe L 26, Ü1); auch den Dompteur benennen (siehe L 26, Ü2 – Onkel Marco)

⊃ 1a CD1/48 ⊃ 1b CD1/48	• Globalverstehen: die Geschichte hören und ihren Ablauf auf den Bildern verfolgen • noch einmal hören und die Reihenfolge der Bilder feststellen (Lösungswort: ZIRKUS) • noch einmal hören, abschnittweise unterbrechen und auf die Tiere zeigen, über die gerade gesprochen wird Vorschlag für die Unterbrechungen: 1. Mädchen: *Toll, da gehen wir hin.* (Einleitung) 2. Marco: *Die haben ja gearbeitet und sind müde.* (Löwen und der Tiger) 3. Marco: *Na klar! Du wirst schon sehen!* (Bären) 4. Junge: *Na, ich weiß nicht.* (Elefanten) 5. Marco: *Stimmt!* (Affen) 6. Marco: *Da hast du recht.* (Robben) 7. Marco: *Das geht leider nicht.* (Pferde) 8. bis zum Schluss
⊃ 1c	• Detailverstehen: die Sätze lesen und über *richtig* oder *falsch* entscheiden (Lösung: 1) richtig, 2) falsch, 3) falsch, 4) richtig, 5) falsch, 6) richtig, 7) falsch)
Differenzierung	1. den Text abschnittweise noch einmal hören; nach jeder Unterbrechung den passenden Satz suchen 2. die Sätze lesen und aus der Erinnerung über *richtig* oder *falsch* entscheiden
	• in Gruppenarbeit mit den mitgebrachten Tierbildern Poster mit dem Titel „Tierschau" herstellen • Gruppe 1 hängt ihr Poster an der Tafel auf und präsentiert ihre Tierschau; die „Besucher" (die Klasse) dürfen natürlich Fragen stellen L macht einige Vorschläge für Redemittel und schreibt sie an die Tafel. Tafelanschrift: *Und hier ist/sind …* *Aber wir haben auch …* *… kann/können ganz toll …* *Wie heißt/heißen …?* *Wie alt ist …?* *Kann/Können … auch …?* *usw.*
	fakultativ: wenn möglich, über eigene Erlebnisse in einer Tierschau berichten; eventuell in der Muttersprache
AB	Übung 1

2 Nach der Tierschau

Lektion 28 | S. 25

☞	Wortschatz Adjektive erweitern; Personalpronomen im Akkusativ einführen und einüben
Material	die Schüler-Poster mit den Tierbildern von Übung 1
	• Einführen: mehrere der Poster an die Tafel hängen; L und HP sprechen über die Tierbilder: L: *Sieh mal, der Affe da. Ich finde ihn richtig nett.* HP: *Ich finde ihn gar nicht nett.* L: *Sieh mal, das Pferd da. Ich finde es richtig toll.* HP: *Aber ich finde es gar nicht toll.* L: *Sieh mal, die Elefanten/Löwen/ … Ich finde sie super.* HP: *Ich finde sie langweilig.*
CD1/49	• die Dialoge hören, dabei die Bilder von Übung 1 im Kursbuch ansehen und die genannten Tiere suchen • die Dialoge hören und mitlesen • die Dialoge zeilenweise hören und nachsprechen
	• L lässt nach und nach eine Tafelanschrift entstehen und spricht dabei die Sätze; später die Nomen und das Personalpronomen im Akkusativ mit den Artikelfarben markieren

Tafelanschrift:

> *Sieh mal, der Affe da. Ich finde ihn sehr nett.*
> *Sieh mal, das Pferd da. Ich finde es richtig toll.*
> *Sieh mal, die Robbe da. Ich finde sie so süß.*
> *Sieh mal, die Löwen da. Ich finde sie super.*

VORSCHLAG: L schreibt einen Satz und spricht dabei; dann den Satz vorlesen und zum Beispiel *der Affe* und *ihn* blau markieren

AB	• L liest satzweise vor, S sprechen nach. Übungen 2 und 3 (beide Übungen in Einzel- oder Partnerarbeit; dann die richtigen Sätze vorlesen)
	• „Tamburin-Spiel" (siehe LHB S. 15, Punkt 5.1); Beispiel: L: *Sieh mal, der Tiger da. Ich finde _____ schön.* – S / alle S: *Ich finde ihn schön.* oder *Wir finden ihn auch schön.*
	• die Dialoge wie vorgeschlagen mit anderen Tieren und Adjektiven einüben und vortragen; die Dialogpartner suchen sich jeweils einen der vier Dialoge als Vorgabe aus
Differenzierung	1. die Dialoge vorlesen 2. „Sprechlesen" 3. auswendig Variante: wie vorher, aber zu Szenen auf den Tierpostern der S
AB	Übung 4 (Teil 4b in Klassenarbeit)

3 Spiel: Was können Tiere?

Lektion 28 | S. 26

☞ Wortschatz *Tiere* (Plural) einüben; Modalverb *können* (3. Pers. Pl.) einüben

Vorschlag zur Herstellung der Spielkarten: Bei den Tieren *Robben* hinzufügen, außerdem 12 Tätigkeiten: *springen, laufen, klettern, tanzen, fliegen, schwimmen, turnen, singen, Rad fahren, sprechen, reiten, schlafen*; eventuell auch für Tiere ungewöhnliche Tätigkeiten hinzufügen: *Fangen spielen, lesen, seilspringen, Fußball spielen, Basketball spielen* …
Die Karten unbedingt für das Spiel mit dem Spielplan „Ein Spiel für alle Fälle" (siehe LHB S. 20, Punkt 5.9) aufbewahren!

• zum Spiel hinführen und Modalverb *können* (3. Pers. Pl.) anwenden:
 L fragt: *Was können Vögel?* – S1: *Sie können fliegen.* – S2: *Sie können auch* …
 L: *Was können Hunde?* – S3: *Sie können schnell laufen.* – …
• L schreibt vor der Fortsetzung der Übung den Wortschatz *Tiere* im Singular an die Tafel; in Klassenarbeit den Plural ergänzen
• Fortsetzung der Übung: S fragen S; auch die dabei genannten Tätigkeiten an die Tafel schreiben
• die Liste der Tätigkeiten an der Tafel ergänzen (siehe Vorschlag weiter oben)

• wie vorgeschlagen für die Arbeit in Kleingruppen Karten für das Spiel herstellen
• die Spielerklärung lesen; wenn nötig, einmal für die ganze Klasse demonstrieren, wie man spielt und dabei spricht
• in Kleingruppen Memory® spielen

AB	Übung 5 (Kontrolle bei **Das kann ich schon** im KB S. 28, 4)

4 Am Kiosk

Lektion 28 | S. 26

Redemittel zu *Einkaufen* einführen und einüben

• das Bild mit dem Zirkus-Kiosk anschauen und darüber sprechen
• Einführen: *Was kostet …?* L fragt HP: *Was kostet ein Eis?* – HP: *Zwei Euro vierzig.* – usw.
 HP macht auch Fehler und nennt falsche Euro-Beträge; S passen genau auf.

	• Einüben durch „Imitatives Nachsprechen": *Was kostet ... (Wasser, ein Brötchen, Schoko-lade ...?)*; L spricht vor, S sprechen genau nach
➲ 4a	• die beiden Dialoge still lesen und die fehlenden Wörter ergänzen • in Partnerarbeit die Lösungen vergleichen
➲ 4b CD1/50	• die Dialoge hören, mitlesen und mit den eigenen Lösungen vergleichen • satzweise hören und nachsprechen • noch einmal hören, mitlesen und halblaut mitsprechen • die Dialoge in Partnerarbeit einüben • die Szenen spielen
Differenzierung	1. mit dem Buch in der Hand („Sprechlesen") 2. ohne Buch; die Lückenwörter stehen an der Tafel
➲ 4c	• weitere Dialoge in Partnerarbeit erarbeiten, einüben und spielen
Differenzierung	wie vorher
AB	Übung 6

5 Laute und Buchstaben
Lektion 28 | S. 26

☞	Ausspracheschulung; Wort- und Schriftbild kontrastiv bewusst machen
➲ 5a CD1/51	• die Wörter hören und mitlesen • alle Wörter an die Tafel schreiben; das *eu* unterstreichen oder mit einem Kreis markieren • die Wörter noch einmal hören und an der Tafel mitlesen
➲ 5b CD1/52	• die Aufgabe wie angegeben durchführen Variante: die Sätze und Wörter an die Tafel schreiben; dann zuerst hören und mitlesen; anschließend wie in Aufgabe b angegeben durchführen
AB	Übung 7

6 Lesen: Das Zirkuskind
Lektion 28 | S. 27

☞	Leseverstehen; Wortschatzerweiterung; Modalverb *müssen* (3. Pers. Pl.) einführen und einüben
Material	eventuell für jeden S eine Kopie des Textes
	• Vorentlastung: das Vorwissen der S aktivieren: in der Muttersprache darüber sprechen, wie Zirkuskinder leben; S sagen, was sie darüber wissen
	• den Text still lesen Variante 1 (mit Kopie des Textes für jeden S): S lesen den Text mit der Aufgabe, alles zu unterstreichen, was sie verstehen Variante 2 (ohne Textkopie): den Text im Kursbuch still lesen • L erklärt, wenn S fragen, die Bedeutung einiger Wörter
➲ 6a	• Globalverstehen: noch einmal still lesen und die Bilder den Abschnitten zuordnen (Lösung: 4 + 1)
➲ 6b	• Detailverstehen: HINWEIS: Die Nummerierung in Aufgabe b entspricht der Nummerierung der Abschnitte im Text ⬧ die Sätze lesen, die Parallelstelle im Text suchen und den richtigen Satz nennen
Differenzierung	1. in Klassenarbeit die Sätze von Nummer 1 lesen, die Parallelstelle im Text suchen und den richtigen Satz vorlesen; dann weiter mit Nummer 2 2. ebenso, aber in Partnerarbeit • alle Sätze zu einer Nummer vorlesen (sie enthalten zum Teil Wortschatz aus dem Text, den die S einüben sollen), dann die richtigen Sätze nennen, z.B.: *1 T ist richtig.* (Lösungswort: TIGER)

• neuen Wortschatz einüben:

VORSCHLAG: L sollte, um gezielter üben zu können, den neuen aktiven Wortschatz in seinem eigenen Kursbuch markieren.

- L liest einen Satz mit neuen Wörtern vor; S suchen im Text und zeigen auf den Satz
- Übung „Satzanfang" mit Sätzen, in denen neuer aktiver Wortschatz im zweiten Teil steht: L liest den Anfang eines Satzes (manchmal etwas verändert), S ergänzen den zweiten Teil. Beispiel: L: *Dabei übernehmen sie* – S: *am Anfang nur kleine Rollen.*
- Übung „Was kommt vorher?" mit Sätzen, in denen der neue Wortschatz im ersten Teil steht: Beispiel: L: *... bleibt wenig Zeit.* – S: *Für Hobbys bleibt wenig Zeit.*

Differenzierung	1. L nennt den jeweiligen Abschnitt; S suchen und lesen vor 2. ebenso, aber „Sprechlesen" 3. den jeweiligen Abschnitt nicht nennen; nur suchen, dann „Sprechlesen"

• Modalverben *müssen*, *können* und *dürfen* (3. Pers. Pl.) einüben:

- L schreibt an die Tafel und spricht dabei; zuerst Wörter links (*am Anfang* usw.) anschreiben und dabei sprechen, dann die Wörter rechts

Tafelanschrift:

> **Zirkuskinder**
> **müssen – dürfen – können**
>
> am Anfang   die Tiere füttern
> in jeder Stadt   nur kleine Rollen übernehmen
> am nächsten Morgen   Freunde finden
> nur schwer   die Zirkuswagen aufräumen
> am Nachmittag   dort in die Schule
> nach dem Unterricht   wieder in die Schule

- in Klassenarbeit passende Sätze finden; dabei ggf. im Text und bei den Sätzen von Aufgabe b nachschauen; jeder Satz hat drei Teile und beginnt mit *Zirkuskinder müssen, dürfen* oder *können;* Beispiel: *Zirkuskinder müssen – am nächsten Morgen – wieder in die Schule.*
- Übung „Der lange Satz" (siehe LHB S. 15, Punkt 5.1); S1: *Zirkuskinder müssen ...* – S2: *Zirkuskinder müssen am Nachmittag ...* – S3: *Zirkuskinder müssen am Nachmittag die Zirkuswagen aufräumen.*

VORSCHLAG: S müssen den Teil des Satzes, der wiederholt wird, auswendig sprechen.

- die Sätze ins Heft schreiben

AB	Übung 8
AB	*Weißt du das noch?* (S. 39) in Partnerarbeit bearbeiten; Übung 1 (Mehrzahl) ist von der Durchführungsweise her identisch mit AB S. 21, Übung 1
AB/Portfolio	*Das habe ich gelernt* (S. 41/42) wie im AB S. 6 vorgeschlagen für das Portfolio bearbeiten; wenn nötig, bei *Das kann ich schon* (KB S. 28, Nummer 3) nachschauen
AB/Portfolio	den *Grammatik-Comic* (S. 43) für das Portfolio bearbeiten; wenn nötig, bei *Das kann ich schon* (KB S. 28) nachschauen
AB/Portfolio	in den Extraseiten *Mehrzahl* (S. 107/108) den Teil *nach Lektion 28* in Partnerarbeit bearbeiten; nun werden die Endungen nicht mehr in Planetinos Kärtchen eingetragen, sondern die Wörter in der Mehrzahl in die richtige Spalte der Tabelle geschrieben.
AB/Wortliste	Arbeit mit der *Wortliste* zu den Lektionen 25–28 (AB S. 40) Vorbemerkungen: siehe LHB S. 14, Punkt 3

HINWEIS: Viele der vorgeschlagenen Übungen können auch schon während der Arbeit mit den Lektionen an geeigneter Stelle eingesetzt werden. Sie lassen sich fast immer gemeinsam, in Einzel- oder Partnerarbeit oder in Kleingruppen durchführen, und zwar insbesondere auch in **Freiarbeitsphasen**.

- Übung 1: soweit nicht schon geschehen, in der Wortliste die Nomen mit den Artikelfarben markieren und fehlende Artikel und Pluralformen eintragen; wenn nötig, im Kursbuch in den entsprechenden Lektionen nachsehen

- Übung 2: L / später S (mit dem Arbeitsbuch in der Hand) nennt ein Wort / eine Wortfolge aus der Wortliste und die Nummer der Lektion oder die Seite; Beispiel: *Tante – Seite 21*

Differenzierung

1. S1 nennt die Seite und die Nummer der Übung und liest den Satz / die Zeile vor.
2. wie bei 1., aber „Sprechlesen"
3. nicht im Buch suchen, sondern aus der Erinnerung: *Ramons Tante heißt Elvira.*
4. frei als Transfer: Beispiel: *Meine Tante kann ganz toll tanzen.* Oder: *Meine Tante ist immer lustig.*

- Übung 3: Spiel „Dalli-Dalli" (siehe LHB S. 15, Punkt 5.1) zu bestimmten Themen:
  - Leute: *Tante, Onkel, Mann, Frau …*
  - Tiere: *Löwen, Tiger …* (nur im Plural)
  - Im Zirkus: *Direktor, Clowns … balancieren …*
  - Das können Tiere: *klettern, fliegen …*
  - Das können Tiere nicht: *lesen, Schwarzer Peter spielen …*
  - Tiere und Menschen sind manchmal …: *lustig, nett, müde …*
  - Das mache ich gern/immer/manchmal/am liebsten: *Eis essen, schwimmen …*

- Übung 4: zu den Themen von Übung 3 Wortsterne machen:

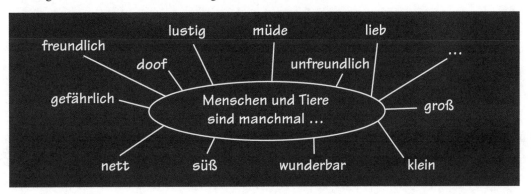

- Übung 5: mit Wörtern aus den Wortsternen Aussagen machen; dabei die Angaben in der Wortliste verwenden; Beispiel: *schwimmen – Am Montag gehe ich immer schwimmen.*

fakultativ: Für das **Portfolio** auf ein Blatt Wortsterne schreiben und zu einigen Wörtern Aussagen aufschreiben oder einen kleinen Dialog aufschreiben

- Übung 6: „Assoziationsspiel" (siehe LHB S. 15, Punkt 5.1); L / später S: *Was passt zu klettern?* – S2: *Affen; Affen können gut klettern.* – S2: *Was passt zu Montag?* – S3: *Am Montag kommt immer meine Oma.*

- Übung 7: Verknüpfungen mit anderen wichtigen Wörtern: In jeder Wortliste gibt es Wörter, die wichtig sind, aber selten spontan benutzt werden, so z. B.: in dieser Wortliste die Wörter *wirklich – manchmal – leider – eigentlich – nächste Woche –* usw. Übungsvorschlag: L verknüpft eines dieser Wörter mit einem anderen Wort, möglichst aus dieser Wortliste; S formulieren eine Aussage; Beispiel: L: *manchmal – unfreundlich;* S: *Mein Bruder ist manchmal sehr unfreundlich;* L muss die Wortkombinationen sorgfältig auswählen.

- Übung 7 mit dem Spielplan „Ein Spiel für alle Fälle" (KB S. 97)
Erklärung des Spielplans: siehe LHB S. 20, Punkt 5.9

Material

die Karten von Lektion 28 Übung 3 (*Tiere* und *Was Tiere können / nicht können*); eventuell noch weitere Karten zum Thema *Was Tiere können / nicht können* schreiben

In diesem Fall gibt es zwei Kartenstapel, *Tiere* und *Tätigkeiten*; jeweils eine Karte von jedem Stapel nehmen und einen Satz bilden; Beispiel: Karte *Elefant* und Karte *gut klettern*; S1 spricht: *Elefanten können gut klettern. Das passt nicht.* Der nächste S ist dran.

Themenkreis   Wir feiern

Sprechhandlungen	Wünsche äußern; einladen; annehmen/ablehnen; einkaufen
Wortschatz	Datum; Gegenstände für die Freizeit; Essen und Trinken
Grammatik	unbestimmter Artikel im Akkusativ; Personalpronomen im Akkusativ und Dativ; Zeitangaben; Modalverb *möchte-*
AB	die Einstiegsseite in den Themenkreis (Seite 45) in Partnerarbeit erarbeiten

1 Comic
Modul 8 | S. 29

☞   Hinführen zum Thema, dabei Reaktivieren von bekanntem Sprachmaterial und erster Kontakt mit neuen Redemitteln des Themenkreises

➲ 1a
* die Bilder anschauen und darüber reden; wenn nötig in der Muttersprache
* den Comic still lesen und in Partnerarbeit überlegen, was die Personen sagen

➲ 1b
* die Sätze im Kasten unten lesen; den Comic noch einmal lesen und die passenden Sätze in den Sprechblasen ergänzen

➲ 1c CD2/2
* den Comic hören, mitlesen und die Lösung kontrollieren

CD2/2
* den Comic satzweise hören, mitlesen und nachsprechen
* noch einmal hören; mitlesen und halblaut mitsprechen
* in Partnerarbeit den Comic einüben und vorlesen

fakultativ: den Comic szenisch darstellen

Lektion 29   Bald ist mein Geburtstag

☞   Wünsche äußern; *einladen;* Wortschatz *Gegenstände für die Freizeit*; unbestimmter Artikel im Akkusativ

1 Hören: Ich habe bald Geburtstag
Lektion 29 | S. 30

☞   Hörverstehen; Redemittel zu *Wünsche äußern* einführen

➲ 1a CD2/3
* die Geschichte hören, dabei die Bilder anschauen
* Globalverstehen: die Frage lesen; die Geschichte noch einmal hören und die Frage beantworten (Antwort: Bild 2 – Fußball)

➲ 1b CD2/3
* Detailverstehen: die E-Mail genau lesen; die Geschichte noch einmal hören und die Informationen in der E-Mail auf Richtigkeit überprüfen; wenn nötig, die CD unterbrechen, sobald Informationen aus der E-Mail thematisiert werden
* die E-Mail mit den korrigierten Informationen vorlesen (*am Samstag in zwei Wochen – … 15 Freunde einladen – … Papa auch*)

AB   Übung 1

2 Viele Wünsche
Lektion 29 | S. 30

☞   Wünsche äußern; Wortschatz *Gegenstände für die Freizeit*, den unbestimmten Artikel im Akkusativ und das Personalpronomen im Dativ (*mir*) einführen und einüben

2 Viele Wünsche
3 Hören und Nachsprechen } *als Einheit behandeln*

• Hinführen: L: *Ich habe bald Geburtstag. Ich wünsche mir einen Hund.*
HP: *Ich habe auch bald Geburtstag. Ich wünsche mir eine Katze.*
L: *Ich wünsche mir einen Hund und ein Fahrrad.*
HP: … (L und HP nennen jedes Mal mehr Wünsche aus der Liste unten; S suchen jeweils die Wörter und Bilder)

CD2/4	• den Dialog hören • noch einmal hören und in der Liste mitzeigen • noch einmal hören und den Dialog mitlesen

• den Dialog einüben
  ♦ den Dialog satzweise hören und nachsprechen
  ♦ „Flüsterübung" durch L (siehe LHB S. xx, Punkt 2.2.1 „Unterstützende Übungen")
  ♦ den Dialog hören, mitlesen und halblaut mitsprechen
  ♦ den Dialog in Partnerarbeit einüben („Flüsterlesen")

• den Dialog vortragen („Rollenlesen" oder szenische Darstellung)

3 Hören und Nachsprechen

Lektion 29 | S. 30

☞ Wortschatz *Gegenstände für die Freizeit* erweitern und einüben; Ausspracheschulung

➲ 3a CD2/5	• die Wörter hören und in den Kästen von Übung 2 mitzeigen
➲ 3b CD2/6	• die Wörter hören und genau nachsprechen • noch einmal hören, in Übung 2 mitzeigen und nachsprechen
➲ 3b CD2/7	• Laute und Wörter hören und genau nachsprechen fakultativ: bei individuellen Ausspracheproblemen die Übung „Fehler erkennen" einsetzen (siehe LHB S. 16, Punkt 2.2.3)

2 Viele Wünsche (Fortsetzung)

Lektion 29 | S. 30

☞ unbestimmten Artikel im Akkusativ und Personalpronomen im Dativ *(mir)* einüben

• den Dialog noch einmal vorlesen
• Daniels Wünsche als Wortliste wie im Kursbuch nach Genera geordnet an die Tafel schreiben
• in Partnerarbeit andere Dialoge vorbereiten und vortragen; die Wünsche jeweils an die Tafel schreiben, bis alle Wörter wie im Kursbuch an der Tafel stehen
• die Tafelanschrift ergänzen und die Wörter sowie *einen – ein – eine – ---* mit den Artikelfarben markieren
Tafelanschrift:

Ich möchte … / Ich wünsche mir …			
einen	*ein*	*eine*	*---*
Gameboy®	*Handy*	*Kamera*	*Inlineskates*
Computer	*Pony*	*Katze*	*Schlittschuhe*
Fernseher	*Hund*	*Uhr*	*Ohrringe*
…	*…*	*…*	*…*

• unbestimmten Artikel im Akkusativ und Personalpronomen im Dativ einüben; die Tafelanschrift bei allen Übungen als visuelle Hilfe:
  ♦ Jeder S nennt einen Wunsch; S1: *Ich wünsche mir einen Computer.* – S2: *Ich wünsche mir …*
  ♦ Jeder S nennt zwei Wünsche: S1: *Ich wünsche mir einen Hund und eine Katze.*
  ♦ Sprechspiel: Wer wünscht sich am meisten?
  S1: *Ich wünsche mir eine Kamera.*
  S2: *Ich wünsche mir eine Kamera und Schlittschuhe.*
  S3: wiederholt und fügt einen weiteren Wunsch hinzu usw., bis alle genannt sind

* Spiel „Dalli-Dalli" (siehe LHB S. 15, Punkt 5.1): Ein S soll in 20/30/… Sekunden möglichst viele Wünsche nennen: Beispiel: *Ich wünsche mir eine Katze, einen Computer, ein Handy …*
* Variante mit zwei S: S1: *Ich wünsche mir eine Kamera.* – S2: *Ich wünsche mir eine Kamera und einen Hund.* – S1: *Ich wünsche mir eine Kamera, einen Hund und ein ….* usw. (jeweils alles wiederholen und einen Wunsch hinzufügen)

AB/Wortliste	• in der Wortliste zu Lektion 29 (AB S. 58) die Nomen mit Artikelfarben markieren und die fehlenden Artikel und Pluralformen eintragen
AB	Übungen 2 und 3

4 Ratespiel
Lektion 29 | S. 31

☞	Wortschatz *Gegenstände für die Freizeit*, unbestimmten Artikel im Akkusativ und Personalpronomen im Dativ einüben
fächerübergreifend ➲ 4a	• Bildkarten zu den Wünschen (siehe Übung 2) herstellen, falls möglich im Kunstunterricht; die Farbpunkte für die Artikel nicht vergessen; die Bildkarten für Lektion 32 Übung 6 aufbewahren!
➲ 4b CD2/8	• den Ratespiel-Text hören und mitlesen • alle 20 Bildkarten wie im Buch angeordnet an die Tafel hängen; den unbestimmten Artikel jeweils <u>über</u> die Bilder schreiben, damit man noch weitere Bilder darunter hängen kann • das Ratespiel spielen, zunächst L mit der Klasse, dann S … Variante: die erratenen Bilder umdrehen; wenn alle Bildkarten umgedreht sind, ist das Spiel beendet
	VORSCHLAG: in späteren Unterrichtsstunden das Ratespiel ohne Bildkarten oder andere visuelle Hilfe spielen

5 Tamburinspiel
Lektion 29 | S. 31

☞	unbestimmten Artikel im Akkusativ einüben
	• die Bilder anschauen, die Sprechblasen-Sätze lesen und versuchen, die Spielregel zu verstehen (Spielerklärung siehe auch LHB S. 15, Punkt 5.1) • das „Tamburinspiel" wie dargestellt spielen
Differenzierung	1. mit den Bildkarten an der Tafel bzw. S dürfen die Liste von Übung 2 anschauen 2. ohne visuelle Hilfe
	VORSCHLAG: das „Tamburinspiel" in den darauf folgenden Stunden wiederholen: es kann während der weiteren Arbeit mit *Planetino 2* als Artikeltraining mit allen Nomen gespielt werden.
AB	Übung 4

6 Spiel: Eins, zwei, drei oder vier
Lektion 29 | S. 31

☞	Artikel der Nomen einüben
	HINWEIS: Dieses Spiel ist besonders lernintensiv, da die Kinder hier – nachdem sie in den vorherigen Spielen den Artikel *gesprochen* haben – nun durch die körperliche Bewegung auf den richtigen Artikel hinweisen.
	• die Bilder im Buch ansehen, den Text lesen und versuchen, die Spielregel zu erkennen (siehe auch LHB S. 20, Punkt 5.8) • die Klasse in Gruppen zu 6 S einteilen; die Gruppen spielen nacheinander entsprechend der Spielanweisung

fakultativ: Nachdem die Gruppe an die richtige Stelle gesprungen ist, sagt ein S den vollständigen Satz, und die Bildkarte mit dem genannten Nomen wird umgedreht
Variante: mit nur einem S an der Tafel

fakultativ: als „6-Richtige-Spiel" durchführen (siehe Vorschlag zu LHB Ü4)

fakultativ: Schreiben: L nennt einen „Tamburin-Satz"; jeder S schreibt den vollständigen Satz auf; dann zur Kontrolle die Bildkarte an die richtige Stelle an der Tafel heften bzw. umdrehen

7 Lied: Ich habe bald Geburtstag

Lektion 29 | S. 32

☞ Wortschatz *Gegenstände für die Freizeit*, unbestimmten Artikel im Akkusativ und Personalpronomen im Dativ *(mir)* anwenden

CD2/9
- das Lied hören
- das Lied hören und den Text mitlesen
- das Lied hören, mitlesen und leise mitsprechen
- das Lied hören und die Melodie durch Mitsingen auf Silben einüben *(sim-sim-sim, la-la-la)*; dabei auch schwierige Laute verwenden, wie *lö-lö-lö, lü-lü-lü …*
- weitere Vorschläge zum Erlernen des Liedes: siehe LHB S. 14, Punkt 4

CD2/10
- die drei Strophen zur Playback-Fassung singen
- die 3. Zeile der Strophen verändern und neue Wünsche einsetzen; es können auch andere Wörter als die in Übung 2 genannten eingesetzt werden (aus den Wortfeldern *Schulsachen, Kleidung, Spielsachen, Tiere*); die Wörter an die Tafel schreiben und die neuen Strophen zur Playback-Fassung singen
- eine oder zwei Strophen mit eigenen Geburtstagswünschen auf ein Blatt schreiben, ein Bild dazu malen und in das **Portfolio** heften

fakultativ: In der Unterrichtsstunde, die dem Geburtstag eines Schülers vorangeht, darf das Geburtstagskind eine oder mehrere Strophen mit eigenen Geburtstagswünschen nennen, die dann natürlich zur Playback-Fassung gesungen werden.

AB Übung 5

8 Interview-Spiel

Lektion 29 | S. 32

☞ die neuen Redemittel und die neue Grammatik anwenden

HINWEIS: Das Spiel ist aus *Planetino 1,* Lektion 20 Übung 4 bekannt.

➲ 8a
- wie vorgeschlagen die Wörter/Wünsche von Übung 2 an die Tafel schreiben

➲ 8b
- die Bilder ansehen und den Text mit der Spielanleitung lesen; L erklärt, wenn nötig, und demonstriert den Spielablauf
- das Spiel wie dargestellt spielen

- Auswertung: Der Sieger und weitere S lesen ihre Notizen (siehe Zettel) im ganzen Satz vor; Beispiel: S1 liest: *Jana – 6*; S1 spricht: *Jana möchte ein Fahrrad. –* Jana bestätigt: *Richtig.*

fakultativ: Jeder S schreibt die erhaltenen Informationen in ganzen Sätzen auf

Variante: Wechsel der Frage-/Antwort-Strukturen, um das Personalpronomen im Dativ *(dir/ mir)* zu üben: *Was wünschst du dir? – Ich wünsche mir …*; ansonsten Spielablauf wie oben

Lektion 30 Einladen

☞ *einladen, annehmen/ablehnen*; Datum (Ordnungszahlen, Monate); Personalpronomen im Akkusativ (*dich/euch*); Zeitangaben

1 Drei Einladungen

Lektion 30 | S. 33

☞ Leseverstehen; einladen; Datum einführen; Personalpronomen im Akkusativ (*dich/euch*) einführen und einüben

➲ 1a	• Hinführen: in der Muttersprache darüber reden, wie die S Freunde und Verwandte zur Geburtstagsparty einladen (Telefon/Handy, E-Mail, SMS, Brief/Einladungskarte …) • die drei Einladungen still lesen; die neuen Wörter *(einladen, antworten)* können aus dem Kontext verstanden werden; L zeigt *am 17. Mai* auf dem Kalender. • im Text die Informationen suchen, die in allen drei Einladungen gleich sind *(am 17. Mai Geburtstag; am Samstag; eine Party machen; einladen)*
➲ 1b	• in Partnerarbeit zu den drei Texten Fragen stellen und Antworten geben
AB	Übung 1
	• Personalpronomen im Akkusativ *(dich/euch)* einführen und einüben: ♦ Einführen: L: *Carlo möchte Olaf einladen. Was schreibt er?* – S lesen vor: *Ich möchte dich einladen.* L schreibt an die Tafel: (*Olaf*) → *Ich möchte dich einladen.* L: *Er möchte auch Monika und Jonas einladen. Was schreibt er?* – S lesen vor: *Ich möchte Euch einladen.* – Tafelanschrift: (*Monika und Jonas*) → *Ich möchte Euch einladen.* ♦ L erklärt, dass man in einem Brief *Dich* und *Euch* immer groß schreibt. ♦ Einüben: L: *Carlo möchte Marco einladen. Was schreibt er?* – S: *Ich möchte Dich einladen.* – L: *Er möchte (mehrere Personen nennen) einladen.* – S: *Ich möchte Euch …* usw. ♦ S übernehmen die Rolle des L
AB	Übung 2 (hier handelt es sich nicht um einen Brief, deshalb werden *dich/euch* nicht groß geschrieben)
➲ 1c	• Jeder S schreibt eine E-Mail an eine Person und eine Einladungskarte an zwei Personen

2 Die Freunde antworten

Lektion 30 | S. 33

☞ Schreibanlass; Einladung annehmen oder ablehnen

	• die SMS-Nachrichten lesen
	• mit den angegebenen Redemitteln weitere SMS-Nachrichten schreiben
Differenzierung	1. zuerst gemeinsam mündlich die SMS-Nachrichten formulieren 2. jeder S schreibt die SMS-Nachrichten

3 Hören: Steffi ruft an

Lektion 30 | S. 34

☞ Hörverstehen; Einladung annehmen

➲ 3a CD2/11	• Globalverstehen: das Bild anschauen, das Telefongespräch hören und heraushören, wer mit wem telefoniert (Carlo mit Steffi)
➲ 3b CD2/11	• Detailverstehen: die Sätze jeweils in beiden Varianten vorlesen und überlegen, welcher Satz wohl richtig ist • das Telefongespräch hören und *Stopp!* rufen, wenn die richtige Aussage zu einem Satz gehört wurde; den betreffenden Satz richtig vorlesen
➲ 3c CD2/12	• die richtigen Sätze zur Kontrolle hören und mitlesen
AB	Übung 3

☞   Schreibanlass; Wortschatz erweitern

- die E-Mail still lesen und versuchen, die fehlenden Wörter zu ergänzen
- L erklärt, wenn nötig, unbekannte Wörter
- wenn nötig, noch einmal die Einladungen von Übung 1 lesen; dann die Sätze mit den ergänzten Lücken vorlesen
- die Sätze mit neuen Wörtern einüben („Imitatives Nachsprechen"): *Ich hoffe, du bekommst … – Es ist nämlich wichtig. – Und wir natürlich auch. – … hoffentlich bis bald.*
- die vollständige E-Mail vorlesen

- die E-Mail ins Heft schreiben

> **5 Wann hast du Geburtstag?**
> **6 Hören und Nachsprechen**   }   *als Einheit behandeln*

☞   *Datum* einführen und einüben

Hinweis: Einführen und Einüben des Datums (Monatsnamen und Ordnungszahlen) geschieht in Kombination der beiden Übungen 5 und 6. In Übung 6 hören S das Datum und sprechen nach; in Übung 5 können sie mitzeigen, mitlesen und die Schreibweise sehen.

⊃ 5/6a CD2/13
- die Monatsnamen hören und genau nachsprechen; L zeigt eventuell auf dem Kalender mit
- noch einmal hören und die Monatsnamen in Übung 5 mitzeigen
- die Monatsnamen noch einmal hören, in Übung 5 mitlesen und nachsprechen

⊃ 5/6a CD2/14
- die Datumsangaben hören und genau nachsprechen
- noch einmal hören und in Übung 5 mitzeigen
- die Datumsangaben hören, in Übung 5 mitlesen und nachsprechen

- L schreibt die Daten von Aufgabe 6a, Übung 2 (siehe Transkription der Hörtexte, LHB S. 145) durcheinander an die Tafel; Beispiel: *am 1. Januar*
  - S hören die Übung von der CD; 2 S stehen an der Tafel und zeigen jeweils auf das genannte Datum; alle S sprechen genau nach
  - L führt dieselbe Übung ohne CD durch; S zeigen im Buch (Übung 5) mit; die Pausen zwischen den Daten immer mehr verkürzen
  - L macht auf den Übergang von der Endung *-ten* (bis *neunzehnten*) zu *-sten* (ab *zwanzigsten*) aufmerksam.

⊃ 6b CD2/15
- die erste Datumsangabe hören und in Übung 5 auf die passende Zahl- und Monatsangabe zeigen; ebenso mit den folgenden Datumsangaben
fakultativ: in Partnerarbeit mit weiteren Datumsangaben

⊃ 6c CD2/16
- L erklärt mit einem Beispiel an der Tafel den Unterschied zwischen der Hör- und Schreibform; Beispiel: Man hört *am dritten Mai* → Man schreibt *am 3. Mai*; an weiteren Beispielen zeigen
- die Aufgabe wie vorgeschlagen durchführen; den S Zeit zum Schreiben lassen; **Vorschlag**: 2 S schreiben an der Tafel

- persönlicher Bezug: das eigene Geburtsdatum nennen
  - HP fragt L: *Wann hast du Geburtstag?* – L: *am 7. Januar*
  - L fragt einzelne S
  - die Frage *Wann hast du Geburtstag?* einüben („Imitatives Nachsprechen")
  - S fragen S
Variante 1: als Kettenübung: S1 fragt S2; S2 antwortet und fragt dann S3; S3 antwortet und fragt dann S4 usw.
Variante 2: wie vorher, aber der fragende S wirft demjenigen, der antworten soll, einen weichen Ball zu
Variante 3: mehrere S gehen gleichzeitig durch die Klasse und fragen

fakultativ: Variante des „Interviewspiel" ohne Tafelanschrift (siehe auch LHB S. 19, Punkt 5.8); Beispiel für den Spielverlauf: Marco fragt Steffi: *Wann hast du Geburtstag?* – Steffi

antwortet: *am 22. Mai*. Marco schreibt auf sein Blatt: *Steffi – am 22. Mai*; wer zuerst 8 Angaben aufgeschrieben hat, ruft *Fertig!*
Auswertung 1: Marco liest die Notiz zu Steffis Geburtstag im ganzen Satz vor: *Steffi hat am zweiundzwanzigsten Mai Geburtstag.*
Auswertung 2: Alle S schreiben ihre Notizen im ganzen Satz auf.

AB	Übungen 4 und 5

7 Laute und Buchstaben

Lektion 30 | S. 35

☞	Ausspracheschulung; Wort- und Schriftbild kontrastiv bewusst machen
➲ 7a CD2/17	• die Aufgabe wie angegeben durchführen • L weist auf die unterschiedliche Sprech- und Schreibweise hin
➲ 7b CD2/18	• die Aufgabe wie angegeben durchführen
AB	Übung 6

8 Ratespiel: Geburtstag

Lektion 30 | S. 35

☞	Datum einüben
➲ 8a	• jeder S schreibt auf einen Zettel, wann er Geburtstag hat, und schreibt auch seinen Namen dahinter (siehe Beispiel); dann lesen acht S ihre Sätze vor.
➲ 8b	• die Blätter der acht S einsammeln und das Ratespiel wie in der Szene gezeigt spielen
AB	Übung 7

9 Mein Geburtstagskalender

Lektion 30 | S. 35

☞	*Datum* anwenden; Arbeit für das Portfolio
Material	für jeden S in Kopie ein leeres Raster des Kalenders
➲ 9a	• jeder S bekommt ein leeres Raster und trägt wie abgebildet die Ordnungszahlen von 1–31 und die Monate ein
➲ 9b	• den eigenen Geburtstag in den Kalender eintragen; eventuell etwas dazu malen
	• die Geburtstage der Mitschüler und des Lehrers in die Kalender eintragen; Übungsformen dazu: ♦ das Ratespiel mit den Zetteln von Übung 8 wiederholen und die erratenen Geburtstage eintragen ♦ Ratespiel „Früher oder später?" (siehe LHB S. 18, Punkt 5.6) Beispiel: S1 hat am 15. Mai Geburtstag. S1: *Ich habe am höpe köre Mai Geburtstag. Ratet mal!* S2: *Am dritten (Mai)?* S1: *Später.* S3: *Am 20. (Mai)?* S1: *Früher.* usw.
➲ 9c	• die Aufgabe wie vorgeschlagen durchführen und Kalender im **Portfolio** ablegen
➲ 9d	• die Aufgabe wie vorgeschlagen durchführen (siehe Lektion 30 Übung 1)
➲ 9e	• einen Klassenkalender auf einen großen Karton zeichnen und die Geburtstage der Mitschüler und des L eintragen; den Kalender in der Klasse aufhängen
	fakultativ: Jeden Geburtstag eines Schülers feiern: ♦ am Tag vorher die Wünsche nennen und aufschreiben (siehe L 29 Ü2)

* mit den Wünschen eine neue Strophe zum Lied L 29 Ü 7 machen und zur Playback-Fassung singen (CD2/10)
* am Geburtstag ab Lektion 32 Ü1 das Lied „Alles Gute, viel Glück" singen

> 10 Lesen
> 11 Fragewürfel } als Einheit behandeln

10 Lesen
Lektion 30 | S. 36

☞	Leseverstehen; Wortschatz erweitern und bekannten Wortschatz anwenden
	• das Bild anschauen und gemeinsam überlegen, was wohl passiert ist • den Text still lesen; S versuchen, unbekannten Wortschatz aus dem Kontext zu verstehen
⮑ 10a	• die drei Vorschläge für den Titel lesen und überlegen, welcher davon wohl passt (Lösung: 2); die Geschichte noch einmal still lesen und die Parallelstelle vorlesen (Abschnitt 4: *Bin ich zu spät? – Nein, zu früh!*)
⮑ 10b	• das Bild einem Abschnitt zuordnen (Lösung: Abschnitt 4); die Schlüsselwörter/Schlüsselsätze suchen und vorlesen: *Carlo macht die Tür auf – … antwortet Carlo und lacht.*
⮑ 10c	• die Sätze lesen und über *richtig* oder *falsch* entscheiden (Lösung: 1 ist richtig, 2–6 sind falsch)
Differenzierung	1. gemeinsam in Klassenarbeit 2. jeder S für sich Variante: L schreibt die Sätze an die Tafel, S dürfen nicht ins Buch schauen; L liest den Text vor, S rufen *Stopp!*, wenn einer der Sätze zur Textstelle passt. Die richtigen Sätze vorlesen, die falschen korrigieren

	• Übungen zur Steigerung der Lesefertigkeit:
	  • Sätze mit neuem Wortschatz durch „Imitatives Nachsprechen" einüben; S suchen den jeweiligen Satz, lesen ihn still und sprechen ihn nach
	  • L liest den Text vor und stoppt manchmal plötzlich; einzelne S / alle S vervollständigen den Satz oder lesen den nächsten Satz vor.
	  • HP liest den Text vor, macht aber manchmal Fehler; S lesen konzentriert mit, rufen beim Fehler *Stopp!* oder *Nein, falsch!* und lesen/sprechen den fehlerhaften Satz noch einmal richtig.
	  • „Flüsterübung": L liest flüsternd einen Satz; S suchen im Text und lesen den Satz vor
	  • die folgenden Suchübungen im Text durchführen: (siehe LHB S. 13, Punkt 2.3.3): „Was kommt dann?/vorher?" – „Satzanfang" – „Wie heißt der Satz?"
	Hinweis: Auch bei diesen Suchübungen ist es wichtig, dass insbesondere die neuen Wörter geübt werden.

11 Fragewürfel
Lektion 30 | S. 36

☞	Übung zum Leseverstehen in Partner- oder Gruppenarbeit
Material	zum Basteln von Würfeln oder mehrere normale Spielwürfel
⮑ 11a	• wie vorgeschlagen für die Gruppenarbeit Würfel basteln und beschriften; Alternative: die Würfel nicht selbst herstellen, sondern (größere) Spielwürfel nehmen und die Seiten mit Papier/Karton bekleben und beschriften
⮑ 11b	• die Spielanleitung still lesen; dann gemeinsam an mehreren Beispielen den Spielablauf demonstrieren und zeigen, wie gesprochen werden muss; in Kleingruppen die Übung mit dem Fragewürfel durchführen
	fakultativ als Wettkampf zwischen zwei Gruppen; für die richtige Frage bzw. Antwort gibt es 2 Punkte; wird ein Fehler gemacht, gibt es nur einen Punkt. Kann ein Mitglied der Gruppe aber den Fehler korrigieren, gibt es noch einmal einen halben Punkt dazu.

☞	Lesefertigkeit

	• den Text vorlesen
	  ♦ nach jedem Abschnitt liest ein anderer S weiter
	  ♦ „Nummern rufen", Variante 1: Jeder S bekommt eine Nummer. S1 liest zwei Sätze und ruft dann eine Nummer; der S mit der aufgerufenen Nummer liest die nächsten zwei Sätze
	  ♦ „Nummern rufen", Variante 2: S1 liest, bis der Spielleiter eine neue Nummer ruft; S mit der aufgerufenen Nummer liest sofort weiter …
	  Hinweis: Solche spielerischen Übungsformen halten die Aufmerksamkeit der S aufrecht und verhindern, dass S, die gerade nicht vorlesen, auch nicht mehr still mitlesen.

	fakultativ: Abschnitt 4 als dialogische Szene spielen
AB	Übung 8
AB	Lesen: den Lesetext „Geburtstagskinder" (Seite 104/105) lesen und bearbeiten

Lektion 31 So viel zu tun!

☞	Einkaufen; Wortschatz *Essen* und *Trinken* (Erweiterung); Wortschatz *Gegenstände für die Freizeit*

☞	Wortschatz *Essen* und *Trinken* und *Gegenstände für die Freizeit* einführen und einüben
	• darüber reden, wie Kinder im eigenen Land ihren Geburtstag feiern und was es zu essen und trinken gibt
➲ 1a CD2/19	• die Bilder der Speisen und Getränke auf dem ersten Tisch anschauen und die Wörter still lesen • die Geschichte bis „*Super!*" hören und versuchen, die Abbildungen auf dem ersten Tisch mitzuzeigen • diesen Teil noch einmal hören; jeweils nach mehreren Informationen über Speisen und Getränke mit der Pause-Taste unterbrechen, um den S genügend Zeit zum Suchen der genannten Wörter zu geben • die Gegenstände auf dem zweiten Tisch anschauen und die Wörter still lesen • die Geschichte noch einmal hören; beim Hören des zweiten Teils versuchen, auch die Gegenstände auf dem zweiten Tisch mitzuzeigen • noch einmal hören und beim Hören des zweiten Teils nach dem Nennen von zwei oder drei Gegenständen mit der Pause-Taste unterbrechen, um den S Zeit zum Suchen der genannten Wörter zu lassen
➲ 1b CD2/20	• die Aufgabe wie angegeben durchführen; eventuell mehrfach
➲ 1b CD2/21	• Übung für spezielle Ausspracheprobleme: Laute und Wörter hören und genau nachsprechen fakultativ: bei individuellen Aussprachefehlern die Übung „Fehler erkennen" einsetzen (siehe LHB S. 11, Punkt 2.2.3)
➲ 1c CD2/19	• arbeitsteilig die Wörter auf Karten schreiben; eventuell auch Bilder dazu malen **Vorschlag:** Karten in zwei verschiedenen Farben verwenden und jedes Wort einmal auf die eine und einmal auf die andere Farbkarte schreiben, um damit später das „Platzwechselspiel" und auch Memory® zu spielen • Anbahnen des selektiven Hörens: jedem S mindestens eine Karte geben, die Geschichte hören und wie dargestellt agieren
AB	Übung 1
AB/Wortliste	• in der Wortliste zu Lektion 31 (AB S. 58) die Nomen mit Artikelfarben markieren und die fehlenden Artikel und die Pluralformen ergänzen (wenn nötig im Kursbuch auf Seite 37 nachsehen)

fakultativ: „Platzwechselspiel" mit den für Aufgabe 1c hergestellten Wortkarten spielen (siehe LHB S. 19, Punkt 5.8)

⮌ 1d CD2/19

- die Einkaufsliste lesen; L erklärt das Wort *Einkaufsliste*, wenn nötig in der Muttersprache; dann gemeinsam überlegen, welche Angaben nicht auf die Einkaufslisten gehören
- Jeder S schreibt die Einkaufslisten ins Heft
- die Geschichte hören und in den Listen im Heft die Dinge markieren, die die Familie einkaufen muss (Lösung: Das gehört nicht auf die Einkaufslisten: Käse, Wurst, 5 Spiele)

persönlicher Bezug: Was S am liebsten essen und trinken
- ⬩ L fragt HP: *Was isst/trinkst du am liebsten?* – HP: *Brötchen mit Wurst.* (Das Wort *mit* bewusst verwenden); HP fragt L: *Und du?* – L: *Kartoffelsalat mit Würstchen, und dann Kuchen und Eis.*
- ⬩ S fragen andere S; zunächst in Kurzform antworten
- ⬩ noch einmal fragen und im Satz antworten; zur Intensivierung der Sprechhäufigkeit gehen mehrere S gleichzeitig durch die Klasse und fragen

fakultativ: bekannte Redemittel wiederholen: *… schmeckt mir gut / … schmeckt mir nicht;* Beispiel: *Käse schmeckt mir gut, aber Wurst schmeckt mir gar nicht.*
VORSCHLAG: auch das Wort *schmecken* einführen, damit Pluralformen angewendet werden können; Beispiel: *Äpfel schmecken mir …*

fakultativ: aus Anlass eines Klassen- oder Schulfestes mit den Kindern Kartoffelsalat zubereiten
Rezept: Kartoffelsalat mit Essig und Öl
Zutaten:
* 1 kg gekochte Kartoffeln
* 4 bis 5 Esslöffel Salatöl
* 2 Esslöffel Essig
* Senf, Salz und Pfeffer
* 1 Prise Zucker
* 1 Tasse Gemüsebrühe

Zubereitung:
* die Kartoffeln in Scheiben schneiden und in eine Marinade aus Öl, Essig, Senf, Salz, Pfeffer und Zucker geben
* nach Bedarf heiße Brühe zufügen
* den Salat vorsichtig in der Schüssel mischen
* nach 1 bis 2 Stunden abschmecken und eventuell nachwürzen
* eventuell den Kartoffelsalat durch eine fein gehackte Zwiebel, klein geschnittene Salatgurken, Delikatessgurken, Äpfel oder durch Mayonnaise verfeinern

Guten Appetit!

---

2 Brief an die Oma
Lektion 31 | S. 38

☞ Schreibanlass; Wortschatz der Lektion und neue Grammatik anwenden (unbestimmter Artikel im Akkusativ; Personalpronomen im Dativ – *dir/mir*)

- den Brief der Oma an Carlo lesen
- Carlos Antwortbrief lesen und die Lücken ergänzen; in Partnerarbeit die Ergebnisse vergleichen
- den Antwortbrief ins Heft schreiben; VORSCHLAG: als Hausaufgabe

AB   Übungen 2 und 3

---

3 Kochrezept: Kinderpunsch
Lektion 31 | S. 38

☞ Leseverstehen; Wortschatz erweitern

Vorbemerkung: für Kinder ist es weder besonders motivierend noch interessant, dieses Rezept zu lesen nur mit dem Ziel, den Text einigermaßen zu verstehen und die Aufgabe (Zuordnung Text – Bilder) zu lösen. Sie wollen sicherlich das Rezept ausprobieren, also selbst Kinderpunsch machen. In einer „normalen" Unterrichtsstunde wird das vielleicht nicht möglich sein.

Dann sollte L die Bearbeitung dieser Übung 3 nach Möglichkeit auf einen besonderen Anlass verschieben, z. B. wenn etwas gefeiert wird (letzter Schultag vor den Ferien, Klassenfest, Schulfest …).

* Kinderpunsch herstellen:
  * für mehrere S-Gruppen die angegebenen Zutaten mitbringen
  * die vier Arbeitsschritte lesen und den Bildern zuordnen; L liest vor, S lesen still mit (Lösung: SAFT)
  * den Kinderpunsch in den vier Arbeitsschritten herstellen
  * den fertigen Punsch probieren; bei welcher Gruppe schmeckt er am besten?

AB	Übung 4 und 5

4 Spiel: Mehr oder weniger? Lektion 31 | S. 39

☞	Geldbeträge nennen
	• Vorentlastung: den Zirkus-Kiosk in Lektion 28 Übung 4 anschauen; Frage und Antwort: *Was kostet Saft? – ein Euro siebzig.* – usw.
➲ 4a	• die Euroscheine und die Vorschläge für die Herstellung von Spielgeld anschauen • Spielgeld herstellen; eventuell auch Münzen zu 10 Cent, 20 Cent und 2 Euro
➲ 4b CD2/22	• den Text des Ratespiels hören und mitlesen • *mehr* und *weniger* einüben („Imitatives Nachsprechen") • wie dargestellt spielen

5 Einkaufen Lektion 31 | S. 39

☞	Redemittel zu *Einkaufen* anwenden und erweitern; Wortschatz *Gegenstände für die Freizeit* anwenden
	• die Wörter *teuer* und *billig* einführen: L zeigt einen Füller; HP: *Was kostet der denn?* – L: *20 €.* – HP: *Was? So teuer?* HP zeigt einen Bleistift, L: *Was kostet der denn?* – HP: *20 Cent.* – L: *Was? So billig?* • „Imitatives Nachsprechen": *Was? So teuer? – Was? So billig?* • Tafelanschrift: *20 € – teuer 20 Cent – billig*
➲ 5a CD 2/23	• die Bilder anschauen und beide Dialoge hören • noch einmal hören und mitlesen • die Dialoge satzweise hören, mitlesen und nachsprechen • in Partnerarbeit Dialog 1 einüben („Flüsterlesen") • Dialog 1 vorlesen oder szenisch darstellen
Differenzierung	1. mit dem Buch in der Hand („Sprechlesen") 2. auswendig
	• ebenso mit Dialog 2
➲ 5b	• mit den angegebenen Varianten weitere Dialoge machen • die neuen Dialoge vorlesen
➲ 5c CD 2/24	• die Dialoge mit den Varianten hören und mit den eigenen Ergebnissen vergleichen
➲ 5d	• in der Klasse eine Einkaufssituation aufbauen und Szenen mit Verkäufer und Kunden spielen; Erweiterung: Begrüßung und Verabschiedung
AB	Übungen 6, 7 und 8 (Übung 8 in Klassenarbeit)

Lektion 32 Wir feiern Geburtstag

☞ Redemittel der Lektionen 29 bis 31 anwenden, unbestimmten Artikel im Akkusativ, Personalpronomen im Dativ und Modalverb *möchte-* anwenden

1 Lied: Alles Gute, viel Glück!

Lektion 32 | S. 40

☞	Redemittel der Lektion anwenden
CD 2/25	• das Lied in den vier Sprachen hören und mitlesen • Strophe 1 auf Deutsch lernen
CD 2/26 interkulturell	• Strophe 1 zur Playbackfassung singen; außerdem eventuell eine Strophe in der Muttersprache • im Laufe der nächsten Unterrichtsstunden die weiteren Strophen auf Italienisch, Spanisch und Englisch lernen und singen; eventuell weitere Strophen in anderen Sprachen hinzufügen
	• die Strophen auf Deutsch und in der eigenen Muttersprache auf ein Blatt für das **Portfolio** schreiben und ein Bild dazu malen
	fakultativ: bei jedem Geburtstag eines S das Lied zur Playback-Fassung singen, auf Deutsch und in der Muttersprache
AB	Übung 1

2 Hören: Wir feiern

Lektion 32 | S. 40

☞	Hörverstehen; Wortschatz *Essen* und *Trinken* und Modalverb *möchte-* anwenden
	• die Bilder ansehen und darüber sprechen, eventuell in der Muttersprache • in Partnerarbeit Vermutungen über die Reihenfolge der Bilder anstellen
➲ 2a CD 2/27	• Globalverstehen: den Text hören; dabei die Bilder anschauen • noch einmal hören und die Reihenfolge der Bilder festlegen (Lösungswort: KUCHEN)
Differenzierung	1. S rufen *Stopp!*, wenn sie Textstellen hören, die zu einem der Bilder passen 2. den Text ganz hören und in Gruppen, Partnerarbeit oder einzeln über die Zuordnung von Text und Bild entscheiden
	Variante zur Differenzierung: die Bildgeschichte kopieren und zerschneiden; Gruppen / einzelne S haben je 6 Bilder; den Text hören und die Bilder in die richtige Reihenfolge bringen
	• über die Bilder sprechen und sagen, wer darauf zu sehen ist; in den Lektionen 29 bis 31 die Abbildungen einiger Personen suchen; Beispiel: Bild U: Olaf, Carlo, Steffi, Pia VORSCHLAG: Ansonsten nicht sagen, was die Personen machen oder die Bilder beschreiben, das bleibt der Aufgabe c vorbehalten.
➲ 2b CD2/27	• die Fragen lesen und versuchen, die Antworten mithilfe der Bilder zu finden • die Geschichte hören und die mithilfe der Bilder gefundenen Antworten überprüfen und wenn nötig korrigieren (Lösung: 1: Carlo, 2: 10 Kerzen, 3: Limo, Saft und Kinderpunsch, 4: Planetino kommt vielleicht! 5: Torte, Kuchen, Eis, Würstchen und Kartoffelsalat, 6: Planetino)
Differenzierung	1. die Geschichte auf Zuruf der S unterbrechen 2. die Geschichte als Ganzes hören
➲ 2c	• mit dem Fragewürfel Fragen zum Text und zu den Bildern stellen und Antworten geben (siehe auch Lektion 30 Übung 11)
interkulturell	• mit S darüber sprechen, wie sie ihren Geburtstag feiern
	fakultativ: „Interviewspiel" (siehe Lektion 29 Übung 8); Struktur: *Was möchtest du?* – Wörter für die Tafelanschrift: *1 – ein Stück Torte; 2 – ein Stück Kuchen; 3 – ein Glas Limonade; 4 – ein Glas Saft; 5 – ein Glas Kinderpunsch; 6 – Würstchen mit Kartoffelsalat; 7 – Eis; 8 – ein Stück Kuchen und Eis*

	fakultativ: Schreibanlass für gute Klassen:
	♦ zu jedem Bild einen Titel schreiben
	♦ Sprechblasentext zu jedem Bild schreiben
AB	Übung 2 (L sollte S darauf hinweisen und an einem Beispiel zeigen, dass die in der Antwort fehlenden Wörter in der Frage „versteckt" sind)

3 Partyspiele
Lektion 32 | S. 41

☞	Leseverstehen; Wortschatz *Essen* und *Trinken* anwenden
➲ 3a	• die Texte still lesen und versuchen, sie den Bildern zuzuordnen (Lösungswort: PIA)
	• die Texte noch einmal lesen und die Schlüsselwörter/Schlüsselsätze nennen, die Bezug zu den Bildern haben
➲ 3b	• die vorgeschlagenen Titel für die Spiele lesen und den Texten bzw. Bildern zuordnen
	• S nennen in ihrer Muttersprache einige Spiele, die sie bei ihren Geburtstagspartys spielen

4 Lesen: Eisbär Knut
Lektion 32 | S. 41

☞	Leseverstehen
	• Detailverstehen: den Text still lesen
	• Satz 1 lesen und über *richtig* oder *falsch* entscheiden; die entsprechende Textstelle suchen und vorlesen
	• ebenso mit den folgenden Sätzen

5 Was hast du bekommen?
Lektion 32 | S. 42

☞	Wortschatz *Gegenstände für die Freizeit* anwenden
	Wichtiger HINWEIS: Wenn man über Geburtstagsgeschenke spricht, verwendet man sprachnatürlich die Perfektformen *Was hast du bekommen? / Ich habe … bekommen.* Diese Strukturen werden als Ganzes eingeführt. Auf keinen Fall jedoch sollte schon an dieser Stelle das Perfekt systematisch geübt werden; das geschieht erst in Modul 10.
CD 2/28	• das Bild ansehen und die Personen nennen
	• den Text zudecken; den Text hören, dabei das Bild ansehen
	• noch einmal hören und mitlesen
	• L stellt Fragen: *Was hat Carlo bekommen?*; S geben die Kurzantwort: *Eine CD von Pia.* usw.
	• den Text satzweise hören und nachsprechen
	• den Text mit verteilten Rollen lesen

6 Spiel: Was hast du bekommen?
Lektion 32 | S. 42

☞	Wortschatz *Gegenstände für die Freizeit*, unbestimmten Artikel im Akkusativ und Personalpronomen im Dativ (*mir*) anwenden
Material	Bildkarten von Lektion 29 Übung 4; eventuell noch weitere Bildkarten herstellen
	HINWEIS: das Spiel ist identisch mit dem Spiel Mono-Memory® (siehe LHB S. 18, Punkt 5.7)
	• die Spielregel lesen und dabei die Bilder anschauen; die Sprechblasentexte mit verteilten Rollen vorlesen; L weist noch einmal darauf hin, dass man zunächst einen Wunsch sagen muss; erst dann darf man eine Karte umdrehen (siehe Bild 2)
	• den Spielverlauf an einigen Beispielen demonstrieren
	• die Klasse in mindestens zwei Spielgruppen einteilen; jede Gruppe spielt mit 10 Bildkarten; an Gruppentischen spielen; L kontrolliert, ob richtig gesprochen wird.
	Variante: im ganzen Satz antworten: *Ich habe eine Katze bekommen.*

7 Spiel: Geburtstagsgeschenke

Lektion 32 | S. 42

☞ Wortschatz *Gegenstände für die Freizeit*, unbestimmten Artikel im Akkusativ mit der Struktur *Ich habe …
bekommen* anwenden; Wortschatz *Kleidung* integrieren

- Wortschatz *Gegenstände für die Freizeit* und *Kleidung* (siehe auch *Planetino 1* Lektion 13
  und Lektion 18) jeweils in einem Wortstern nach und nach an die Tafel schreiben
  Tafelanschrift:

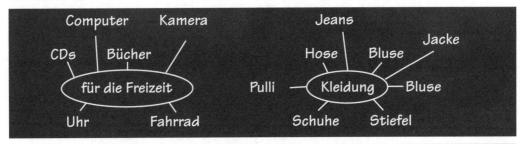

- alle Wörter mit den Artikelfarben markieren
- wie vorgeschlagen sprechen und den Satz immer länger werden lassen
- als Gruppenwettkampf: Wer schafft die meisten Wörter?

Differenzierung	1. mit Tafelanschrift
	2. ohne Tafelanschrift

AB	Übung 3

8 Das hat Carlo von Planetino bekommen

Lektion 32 | S. 42

☞ Redemittel zu *Einladen* erweitern

- Planetinos Einladung lesen; L erklärt, wenn nötig, die neuen Wörter
- gemeinsam eine Antwort auf die Einladung überlegen und aufschreiben

9 Miteinander reden

Lektion 32 | S. 43

☞ die Redemittel der Lektionen 29 bis 32 anwenden

➲ 9a	• für die Gruppenarbeit wie angegeben je drei Karten zum Thema „Geburtstag" schreiben
	• die Beispiele zu den drei Themen lesen
	• gemeinsam mit L einige Dialoge machen
	• in Kleingruppen die Aufgabe durchführen

➲ 9b	• Karten wie angegeben herstellen
	VORSCHLAG: Die Bildkarten von Lektion 29 Übung 4 verwenden; Frage- bzw. Ausrufezeichen nur mit Bleistift ergänzen, sodass man sie später wieder entfernen kann.
	• die beiden Bildszenen anschauen und versuchen, den Übungsablauf zu verstehen
	• den Übungsablauf an einigen Beispielen gemeinsam mit L für alle demonstrieren
	• die Aufgabe wie dargestellt durchführen
	VORSCHLAG: diese Übungen in späteren **Freiarbeitsphasen** wiederholen

AB	*Weißt du das noch?* (Seite 57) in Einzel- oder Partnerarbeit bearbeiten

AB/Portfolio	*Das habe ich gelernt* (Seite 59/60) wie im AB Seite 6 vorgeschlagen für das Portfolio bearbeiten; wenn nötig bei *Das kann ich schon* (Kursbuch Seite 44) nachschauen

AB/Portfolio	den *Grammatik-Comic* (Seite 61) für das Portfolio bearbeiten; wenn nötig bei *Das kann ich schon* (Kursbuch Seite 44) nachschauen

AB/Portfolio	in den Extraseiten *Mehrzahl* (Seite 107/108) den Teil *nach Lektion 32* in Partnerarbeit bearbeiten; hierfür werden weiterhin die Wörter in der Mehrzahl in die richtige Spalte der Tabelle geschrieben.

AB/Wortliste	Arbeit mit der *Wortliste* zu den Lektionen 29 – 32 (AB S. 58)
	Vorbemerkungen: siehe LHB S. 14, Punkt 3

HINWEIS: Viele der vorgeschlagenen Übungen können auch schon während der Arbeit mit den Lektionen an geeigneter Stelle eingesetzt werden. Sie lassen sich fast immer gemeinsam, in Einzel- oder Partnerarbeit oder in Kleingruppen durchführen, und zwar insbesondere auch in **Freiarbeitsphasen**.

• Übung 1: soweit nicht schon geschehen, in der Wortliste die Nomen mit den Artikelfarben markieren und fehlende Artikel und Pluralformen nachtragen; wenn nötig im Kursbuch in den entsprechenden Lektionen nachsehen

• Übung 2: L / später S (mit dem Arbeitsbuch in der Hand) nennt ein Wort aus der Wortliste und die Nummer der Lektion oder die Seite; Beispiel: *teuer – Seite 39*

Differenzierung
1. Alle S suchen die Stelle im Kursbuch; ein S nennt die Seite und Übung und liest den Satz / die Zeile vor.
2. wie bei 1., aber „Sprechlesen"
3. frei als Transfer: *Die Pizza kostet 20 €: Das ist sehr teuer.*

• Übung 3: Das Geburtstagslied (Lektion 29 Übung 7) noch einmal zur Playback-Fassung singen, auch mit anderen Wünschen
fakultativ: Wortschatz *Spielsachen* (*Planetino 1* Lektion 18) und *Kleidung* (*Planetino 1* Lektion 13) aktivieren und in das Lied integrieren; auch mit dem Plural der Wörter singen
VORSCHLAG: An der Tafel gemeinsam schrittweise eine Tabelle entstehen lassen; zuerst alle Wörter im Singular anschreiben, später den Plural ergänzen; die Spalten in den Artikelfarben einrahmen
Tafelanschrift:

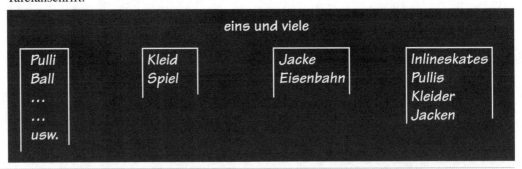

eins und viele

| Pulli
 Ball
 ...
 ...
 usw. | Kleid
 Spiel | Jacke
 Eisenbahn | Inlineskates
 Pullis
 Kleider
 Jacken |

• Übung 4: Spiel „Dalli-Dalli" (siehe LHB S. 15, Punkt 5.1) mit zwei Schülern zum Thema „Essen und Trinken"; nicht zu viel Zeit geben (30 Sekunden);
Beispiel: S1: *Ich esse gern Wurst.* – S2: *Ich esse gern Wurst und Brötchen.* – S1: *Ich esse gern Brötchen und Eis.* – usw.; jeweils das zweite genannte Wort muss wiederholt werden

• Übung 5: einen großen Wortstern zum Themenkreis „Geburtstag feiern" entstehen lassen; der Anfang (siehe Tafelanschrift) wird gemeinsam gemacht, dann weiter in Partnerarbeit, aber jeder S soll den Wortstern auf ein eigenes Blatt für sein **Portfolio** schreiben.
Tafelanschrift:

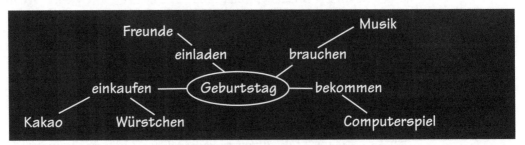

• Übung 6 in Partnerarbeit, wenn der Wortstern fertig ist: „Assoziationsspiel" (siehe LHB S. 15, Punkt 5.1) Beispiel: S1 fragt: *Was passt zu Computerspiel?* – S2: *bekommen – Carlo hat ein Computerspiel bekommen.*

Übung 7 (durch L): Verknüpfungen mit anderen wichtigen Wörtern (siehe LHB zu „Arbeit mit den Wortlisten", Seite 14); Wörter aus der Wortliste: *später – wichtig – natürlich – hoffentlich – teuer – billig – immer;* Übungsvorschlag: L verknüpft eines dieser Wörter mit einem anderen Wort, möglichst aus der Wortliste; S formulieren eine Aussage; Beispiel: L: *wichtig – Orangensaft kaufen;* S: *Wir müssen für die Party Orangensaft kaufen. Das ist sehr wichtig.* L sollte die Wortkombinationen sehr sorgfältig auswählen, damit die S wirklich mit dem gelernten Wortschatz Aussagen machen können.

• Übung 8 mit dem Spielplan „Ein „Spiel für alle Fälle" (Kursbuch Seite 97)
Erklärung des Spielplans: siehe LHB S. 20, Punkt 5.9

| Material | die Bildkarten von Lektion 29 Übung 4 verwenden; eventuell weitere Bildkarten zu den Themen *Kleidung (Planetino 1* Lektion 13) und *Spielsachen (Planetino 1* Lektion 18) herstellen; bei Zeitmangel nur die Wörter auf die Karten schreiben; auf jeden Fall jedoch Farbpunkte für die Artikel machen |

Wie in der Erklärung des Spielplans dargestellt spielen; in diesem Spiel gibt es nur einen Kartenstapel. Wenn ein S auf ein farbiges Feld kommt, darf er sich etwas wünschen: S1: *Ich wünsche mir einen MP3-Player.* S1 nimmt eine Karte und sieht z. B. eine Puppe. S1: *Ich habe leider eine Puppe bekommen.* S 1 legt die Karte unter den Stapel und S2 ist dran. Wenn ein S eine passende Karte genommen hat, darf er sie behalten.

Themenkreis Schule

Sprechhandlungen	Stundenplan lesen; Vorliebe ausdrücken; Uhrzeit angeben; Tageslauf beschreiben; Personen beschreiben; über Schule und Noten sprechen
Wortschatz	Unterrichtsfächer; Schule; Berufe
Grammatik	Satzstellung nach Zeitangaben; Verneinung mit *kein*; Imperativ Singular und Plural; Modalverben *müssen*, *dürfen*
AB	die Einstiegsseite in den Themenkreis (Seite 63) in Partnerarbeit erarbeiten

① und ② Comic
Modul 9 | S. 45

☞ Hinführen zum Thema, Reaktivieren von bekanntem Sprachmaterial und erster Kontakt mit neuen Redemitteln

① Comic
Modul 9 | S. 45

➲ 1a
- die Sätze im Kasten unten abdecken; Comic 1 still lesen; in Partnerarbeit überlegen, was die Tiere wohl sagen und die Ergebnisse vortragen

➲ 1b
- die Sätze (grün) im Kasten unten lesen und mit den eigenen Ergebnissen vergleichen; die Sätze (grün) in die Lücken einsetzen
- den vollständigen Dialog vorlesen

➲ 1c CD2/29
- Comic 1 hören und mitlesen
- den Comic satzweise hören und mit verteilen Rollen nachsprechen
- in Partnerarbeit einüben und vorlesen

② Comic
Modul 9 | S. 45

➲ 2a
- die Sätze im Kasten unten abdecken; die Bilder anschauen und gemeinsam die Abbildungen in den Denkblasen versprachlichen (*Er turnt; Er spielt Fußball ...*); gemeinsam überlegen, was die Mutter in der letzten Szene sagt (*Mario! Aufstehen! _____*)

➲ 2b
- die Sätze (rot) im Kasten lesen und mit den eigenen Ergebnissen vergleichen; in Partnerarbeit versuchen, die jeweils passenden Sätze einzusetzen; dabei auf die Abbildungen achten

➲ 2c CD2/30
- Comic 2 hören und mitlesen
- wie Comic 1 noch einmal satzweise hören und nachsprechen; dann in Partnerarbeit einüben und vorlesen
- Comic 2 szenisch darstellen

Lektion 33 Mein Stundenplan

☞ Stundenplan lesen; Vorliebe ausdrücken; über Schule sprechen; Unterrichtsfächer; Satzstellung nach Zeitangaben

> 1 Hören: Oh, Olaf!
> 2 Nachsprechen } *als Einheit behandeln*

① Hören: Oh, Olaf!
Lektion 33 | S. 46

☞ Hörverstehen; Vorliebe ausdrücken; Stundenplan lesen; Wortschatz *Unterrichtsfächer* einführen und einüben

- Hinführen: L schreibt in die Mitte der Tafel das Wort *Schule* und fragt die S: *Was wisst ihr noch?* L nennt selbst ein Wort, z. B. *Lineal*. Gemeinsam nach und nach das Wortfeld *Schule* reaktivieren und einen Wortstern entstehen lassen

Tafelanschrift:

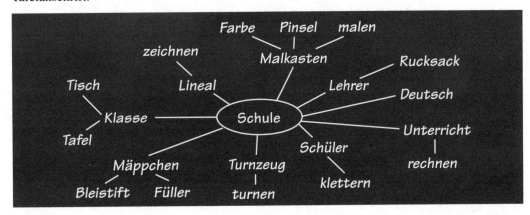

- S zeigt auf den Klassenstundenplan und nennt die aus den beiden Comics bereits bekannten Fächer; L: *Jetzt haben wir Deutsch. – Am* (Wochentag) *haben wir Sport.* – usw. mit den Fächern *Kunst, Musik* und *Mathematik*.
- das Wort *Stundenplan* zum Wortstern hinzufügen

- den Stundenplan im Kursbuch anschauen und still lesen; in der Klasse über die kleinen Abbildungen sprechen, die helfen sollen zu verstehen, um was es bei den Fächern geht
- Kontrolle des Leseverstehens (mit den Fächern aus den Comics): *Wann haben die Kinder Deutsch/Musik/Sport/Mathematik/Kunst?* – S: *Am … und am …*

⮌ 1a
- L liest den Stundenplan Tag für Tag vor: Am Montag haben die Kinder *Deutsch, Deutsch, Mathematik, Sachunterricht …* Eine Übersetzung in die Muttersprache ist wohl meistens nicht nötig; die kleinen Abbildungen erklären, um was es bei den Fächern geht. S zeigen auf dem Plan mit; noch nicht nachsprechen! Eventuell über die Fächer *Sachunterricht* (siehe die Informationen in Lektion 33 Übung 7), *Religion/Ethik* und *Textilarbeit/Werken* in der Muttersprache sprechen

⮌ 1b CD2/31
- den Dialog still lesen und in Partnerarbeit versuchen, anhand des Stundenplans die Wochentage zu ergänzen
- darüber sprechen, wer von den beiden Jungen wohl Olaf ist
- den vollständigen Dialog hören und mitlesen

---

2 *Nachsprechen*
Lektion 33 | S. 47

☞ Wortschatz *Unterrichtsfächer* einüben; Ausspracheschulung

⮌ 2a CD2/32
- die Wörter (Unterrichtsfächer) hören (wenn nötig die Pausen zwischen den Wörtern verlängern) und auf dem Stundenplan mitzeigen
- die Wörter hören, mitzeigen und nachsprechen; die Übung mehrfach durchführen

⮌ 2b CD2/33
- „Klatschübung zur Betonung" (siehe auch LHB S. 11, Punkt 2.2.2): Unterrichtsfächer hören, nachsprechen und die Silbenbetonung mitklatschen;
  Vorschlag: Bei der betonten Silbe (b) in die Hände klatschen; bei jeder unbetonten Silbe (u) mit der Faust in die Handfläche klopfen; an einigen Beispielen demonstrieren; L macht vor, S imitieren Sprechen und rhythmisches Klatschen.

  Beispiele: Ma-the-ma-tik   Mu-sik   Eng-lisch   Sach-un-ter-richt
  　　　　　　 u – u – u – b 　　u – b 　　 b – u 　　　 b – u – u – u

⮌ 2c CD 2/34
- „Klatschübung zur Betonung" als Ratespiel; L demonstriert den Übungsablauf an einem Beispiel: *Welches Fach ist das, u-u-u-b?* – S: *Mathematik.* – alle S klatschen den Silbenrhythmus nach
- die Übung mit der CD durchführen; S müssen bei dieser Übung besonders leise sein und konzentriert zuhören

• S führen das Ratespiel mit ihren Mitschülern durch; zunächst mit der ganzen Klasse, dann als Partnerübung

1 Hören: Oh, Olaf! (Fortsetzung)

Lektion 33 | S. 46

⊃ 1c CD2/31	• den Dialog satz- bzw. zeilenweise hören und nachsprechen • noch einmal hören und versuchen, halblaut mitzulesen
	• neue Wörter einüben: ♦ „Flüsterübung" (siehe LHB S. 10, Punkt 2.2.1, Abschnitt „Unterstützende Übungen"): L liest flüsternd einen Satz, der ein oder mehrere neue Wörter enthält, vor; S sind ganz leise und hören konzentriert zu, suchen dann den Satz und lesen ihn vor oder sprechen ihn auswendig („Sprechlesen"); Beispiel: *Ich bin so <u>froh</u> heute.* ♦ „Tamburin-Spiel" (siehe LHB S. 15, Punkt 5.1); Beispiel: L: *Ich bin so _____ heute.* – S lesen den Satz, einer liest vor oder spricht auswendig, dann alle im Chor
AB	Übung 1 (in Klassenarbeit)
	• Unterrichtsstunden und Ordnungszahlen einüben: ♦ L + HP: *Wann hat Olaf am Montag Deutsch? – In der ersten und in der zweiten Stunde. – Wann hat Olaf am Dienstag Sachunterricht? – In der dritten Stunde.* – usw. mit den sechs Ordnungszahlen ♦ hören und genau nachsprechen; L: *am Montag in der ersten Stunde* – S sprechen im Chor nach usw. ♦ L + S / später S + S: Beispiel: *Wann hat Olaf Englisch? – Am Montag in der fünften Stunde.*
interkulturell	• den deutschen mit dem eigenen Stundenplan vergleichen: ♦ die Bezeichnung für die Fächer vergleichen; gibt es andere Fächer? Wie viele Stunden Sport/Musik/… haben wir? ♦ über den eigenen Stundenplan sprechen (Frage und Antwort); Beispiel: *Wann haben wir Musik? – Am … in der … Stunde.* VORSCHLAG: Bei Fächern, für die es keine deutsche Bezeichnung gibt, die muttersprachliche Bezeichnung benutzen.
	• persönlicher Bezug: über Lieblingsfächer sprechen, dabei die Wörter *Lieblingsfach, am liebsten, besonders, immer* und *deshalb* benutzen; eventuell einen Vorschlag für Satzstrukturen an die Tafel schreiben; die „Pflichtwörter" markieren: *Was ist dein <u>Lieblingsfach</u>?* *Hast du ein <u>Lieblingsfach</u>?* *Ich habe <u>besonders</u> gern …* *Ich mag … <u>besonders</u> gern.* *Ich habe … <u>am liebsten</u>.* *Ich finde … ganz toll/super/…* *In Musik singen wir <u>immer</u>. <u>Deshalb</u> ist Musik mein <u>Lieblingsfach</u>.*

1 Was brauche ich denn da?

Lektion 33 | S. 47

☞	Wortschatz *Unterrichtsfächer* einüben; Satzstellung nach Zeitangaben einführen und einüben
	• Hinführen: Wortschatz *Schulsachen* (im Singular und Plural) reaktivieren ♦ Frage und Antwort, L / später S: *Was brauchen wir für Sport? – S: Turnzeug, Turnschuhe. – Was brauchen wir für … ?* – an der Tafel nach und nach einen Wortstern zu *Schulsachen* entstehen lassen; zuerst die *Unterrichtsfächer*, dann die *Schulsachen* im Singular oder Plural ergänzen; wenn der Singular eingetragen wird, anschließend die Wörter mit Artikelfarben markieren

Tafelanschrift: weitere Fächer und Schulsachen ergänzen

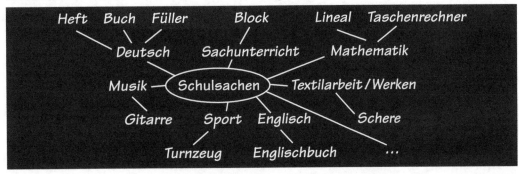

AB Übung 2 (in Klassenarbeit; HINWEIS: L muss den S erklären: Es heißt *im Sachunterricht*, aber bei allen anderen Fächern heißt es *in* (also: *in Deutsch, in Musik, in Mathe, in Englisch, in Kunst …*)

➲ 3a • die linke Seite des Textes Satz für Satz lesen und anhand des Stundenplans von Übung 1 die Wochentage und Stunden ergänzen; dann vorlesen

➲ 3b • die Sätze in der rechten Spalte lesen; den vollständigen ersten Satz aus der linken Spalte lesen und den passenden Satz aus der rechten Spalte zuordnen; ebenso mit den anderen Sätzen (Lösung: Am SAMSTAG habe ich FREI); die zusammengehörenden Satzpaare vorlesen

• die Satzstellung nach Zeitangaben mit dem Spiel „Steht ihr richtig?" einüben (siehe auch Lektion 34 Übung 7); S schreiben Wortkarten: 5x Wochentage *(Am Montag …);* 6x Zeitangaben *(in der ersten Stunde* bis *in der sechsten …);* 1x *haben;* 1x *wir;* alle 9 Unterrichtsfächer

Ablauf des Spiels: die Karten liegen auf einem Tisch; 5 S kommen nach vorne; L/S nennt ein Unterrichtsfach, z.B. *Musik;* die 5 S suchen die passenden Karten und stellen sich in der richtigen Reihenfolge vor der Klasse auf:

| Am Montag | in der sechsten Stunde | haben | wir | Musik |

fakultativ: Spiel „Der lange Satz" (siehe LHB S. 15, Punkt 5.1)
Beispiel: S1: *Am Montag –* S2: *Am Montag in der –* S3: *Am Montag in der ersten Stunde –* S4: *Am Montag in ersten Sunde haben wir –* S5: …

AB Übung 3

4 Klopfspiel: Klassenstundenplan
Lektion 33 | S. 47

☞ der eigene Stundenplan auf Deutsch; Stundenplan lesen; Wortschatz *Stundenplan* einüben

➲ 4a • wie vorgeschlagen durchführen; Fächer, für die es keine deutsche Entsprechung gibt, in der Muttersprache auf die Karten schreiben; für das Fach „eigene Muttersprache" sollte L die deutsche Bezeichnung nennen (Italienisch, Polnisch, Tschechisch, Türkisch …)

➲ 4b • die beiden Bilder anschauen; die Sprechblasentexte lesen und versuchen, den Spielablauf zu verstehen; über Olafs Gesichtsausdruck und Verhalten auf den Bildern sprechen
• das Spiel durchführen; S schauen dabei auf den Stundenplan an der Tafel
• noch einmal spielen, aber mit geschlossenen Augen; ein S steht neben L und kontrolliert auf dem Stundenplan; bei falscher Reaktion der Klasse ruft er *Falsch!*

5 Kimspiel: Was ist falsch?
Lektion 33 | S. 47

☞ Stundenplan lesen; Satzstellung nach Zeitangaben einüben

HINWEIS zur Spielerklärung; siehe auch LHB S. 17, Punkt 5.5

- die Spielanleitung still lesen; eventuell an einigen Beispielen demonstrieren
- das Spiel wie angegeben durchführen; auf die Satzstellung achten

6 Laute und Buchstaben

Lektion 33 | S. 48

☞	Ausspracheschulung; *sch, sp, st* am Wortanfang
➲ 6a CD2/35	• die Wörter hören und genau nachsprechen
➲ 6b	• die Aussprache der Laute bewusst machen und die alte Dampflokomotive imitieren (siehe Foto)
CD2/35	• die Wörter noch einmal hören und genau nachsprechen
➲ 6c	• alle Sätze still lesen • S lesen die Sätze im Wechsel vor • bei Bedarf die Übung „Fehler erkennen" einsetzen (siehe LHB S. 11, Punkt 2.2.3) • bei Bedarf „Imitatives Nachsprechen" einiger Sätze
➲ 6c CD2/36	• die Sätze hören und mitlesen • satzweise hören, unterbrechen und in der Pause nachsprechen
AB	Übung 4

7 Lesen: An den Brieffreund

Lektion 33 | S. 48

☞	Leseverstehen; über Schule sprechen; Vorliebe ausdrücken; Wortschatz *Unterrichtsfächer* erweitern
	• Hinführen: L erzählt den S, dass ein Mädchen aus Olafs Klasse einem Freund einen Brief geschrieben hat.
AB	• den Brief still lesen und versuchen, die neuen Wörter aus dem Kontext zu verstehen • Übung 5: die Fotos in dieser Übung erklären die im zweiten Teil des Briefes genannten Fächer (Geschichte, Erdkunde/Geografie, Biologie, Sozialkunde, Physik, Chemie); deshalb die Übung schon an dieser Stelle gemeinsam bearbeiten
➲ 7a CD2/37	• Frage 1 hören und mitlesen; dann die CD so lange unterbrechen, bis alle S die Textstelle mit der Antwort gefunden haben; die Frage beantworten und zur Kontrolle die Antwort von der CD hören Variante: alle Fragen einzeln lesen, die Textstellen suchen und die Fragen beantworten; dann Fragen und Antworten zur Kontrolle von der CD hören
➲ 7b	• die Aufgabe wie angegeben durchführen
➲ 7c	• Antons Brief beantworten; über die eigene Schule, den Stundenplan und die Fächer schreiben
Differenzierung	1. sich an den Fragen von Aufgabe a orientieren 2. frei
AB	Übung 6

8 Mein Stundenplan

Lektion 33 | S. 48

☞	einen eigenen Stundenplan für das Portfolio schreiben und mit Bildern verzieren
Material	ein vom Lehrer vorbereitetes Stundenplanraster auf einem DIN-A4-Blatt in Kopie für jeden Schüler
	• die Aufgabe lesen und wie angegeben durchführen; für jedes Fach eine Abbildung erfinden • den fertigen Stundenplan in das **Portfolio** legen

Lektion 34   Wie spät ist es?

☞   Uhrzeit angeben; Tagesablauf beschreiben; Satzstellung nach Zeitangaben

1 *Keine Hausaufgaben heute?*

Lektion 34 | S. 49

☞	Uhrzeit angeben (Erweiterung)
Material	Demonstrationsuhr
	• L schreibt das Wort *Hausaufgaben* an die Tafel. (Das Wort dürfte aus dem bisherigen Deutschunterricht passiv bekannt sein.) L spricht mit S über das Thema Hausaufgaben und stellt Fragen, zum Beispiel: *Wann macht ihr eure Hausaufgaben? – Wer macht nicht gern Hausaufgaben? – Bekommt ihr viele Hausaufgaben auf? – In welchem Fach? – Und in Deutsch? – Und in Sport? …*
	• den Text zudecken, nur das Bild anschauen; L und HP sprechen flüsternd den Dialog; L stellt jeweils die Uhrzeit auf der Demonstrationsuhr.
➲ CD2/38	• den Dialog still lesen und versuchen, die fehlenden Uhrzeiten zu ergänzen • die Kinder auf dem Bild benennen (Olaf und Jens) • den vollständigen Dialog hören und mitlesen
CD2/38	• L erklärt die Bedeutung von *Die Schule ist gleich <u>aus</u>*: L fragt: *Wann können Jens und Olaf nach Hause gehen?* – S: *Um ein Uhr.* – L: *Aha. Die Schule ist aus. Um ein Uhr.* „Imitatives Nachsprechen": *Es ist ein Uhr. Die Schule ist aus.* • den Dialog satz- bzw. zeilenweise hören und nachsprechen • Rollenlesen

2 *Hören*

Lektion 34 | S. 49

☞	Angaben zur Uhrzeit einüben
Material	Demonstrationsuhr
CD2/39	• die Abbildungen mit den Uhrzeiten ansehen; die Uhrzeiten von „5 nach 12" bis „5 nach halb 12" hören und mitzeigen (HINWEIS: Diese Uhrzeiten sind nach Angaben mit *vor, nach, halb* geordnet, sodass die S sich relativ leicht in der Abbildung orientieren können); beim ersten Hören die Pause eventuell verlängern, damit S genügend Zeit zum Suchen haben • noch einmal hören, mitzeigen und bewusst mitlesen • noch einmal hören, mitzeigen und nachsprechen

	• den Kreis mit der Einteilung *vor/nach/vor halb/nach halb* an die Tafel zeichnen und die Einteilung bewusst machen; mit der Demonstrationsuhr an einigen Beispielen zeigen
	• Übungen zu *vor/nach/halb/Viertel*:
	  ♦ „Flüsterübung" (siehe LHB S. 10, Punkt 2.2.1, Abschnitt „Unterstützende Übungen"): L stellt eine Uhrzeit ein und spricht sie flüsternd; S hören sehr konzentriert zu und sprechen im Chor nach
	  ♦ L stellt eine Uhrzeit ein; S nennen die Uhrzeit, zunächst im Chor, später einzelne S

	• die Uhrzeitangaben von „Viertel nach 12" bis „halb zwölf" hören und mitzeigen HINWEIS: Jetzt sind die Uhrzeitangaben nicht mehr nach *vor, nach, halb* geordnet, sodass die S wahrscheinlich mehr Zeit brauchen, um die richtige Abbildung zu finden. • noch einmal hören, mitzeigen und bewusst mitlesen • noch einmal hören, mitzeigen und nachsprechen • „Flüsterübung": L stellt eine Uhrzeit ein und spricht sie flüsternd; S hören konzentriert zu und sprechen im Chor nach. • L / später S stellt eine Uhrzeit ein; S nennen diese, zunächst im Chor, später einzeln • „Klopfspiel" (siehe Lektion 33 Übung 4): L nennt eine Uhrzeit und stellt die Uhr ein; stimmt beides überein, heben S die Hände; stimmt es nicht überein, klopfen S weiter
AB	Übung 1 und 2

3 Meine Uhr

☞	eine eigene Uhr basteln
Material	für jeden S: Karton, Korken, Stecknadel, außerdem genügend Farbstifte und Scheren
fächerübergreifend ➲ 3a	falls möglich, in Zusammenarbeit mit den Lehrern für Kunsterziehung bzw. Werken nach der Arbeitsanweisung im Kursbuch Uhren basteln; L muss insbesondere bei der Bestimmung des Kreismittelpunktes Hilfen geben
➲ 3b CD2/40	• Jeder S hat seine eigene Uhr. Die Uhrzeitangaben hören und nachsprechen, dann die Uhrzeit einstellen; dafür die Pause beim ersten Hören erheblich verlängern; L stellt zur Kontrolle, für die S sichtbar, die genannten Uhrzeiten an der Demonstrationsuhr ein. • wie vorher, aber die Pause nach und nach verkürzen
	• L / später S führt mit der Klasse weitere Übungen dieser Art durch; die Pause immer weiter verkürzen
	• Das „6-Richtige-Spiel" (siehe LHB S. 15, Punkt 5.1); L/S stellt sechsmal eine Uhrzeit ein; S1 muss die richtige Uhrzeit nennen
	fakultativ: Zungenbrecher mit Uhrzeitangaben: ♦ L stellt die Demonstrationsuhr ein; HP spricht den ersten Zungenbrecher, zum Beispiel *Es ist fünf vor halb fünf;* zuerst langsam, dann immer schneller ♦ S versuchen das auch, zuerst alle gemeinsam, dann einzelne S ♦ weitere Zungenbrecher erfinden und einüben; beide Zahlen sollten mit demselben Laut beginnen *(zehn vor zehn; fünf nach halb fünf; zwanzig vor zwölf; Viertel vor vier …)*
Differenzierung	1. Uhrzeit 5x im selben Tempo sprechen, das Tempo bestimmt S selbst 2. Uhrzeit 5 x im selben Tempo sprechen, das Tempo legt L/S mit Klatschen oder einem Tamburin fest 3. Uhrzeit 5x mit Temposteigerung sprechen
AB	Übung 3 (Teil 3b in Klassenarbeit)

4 Ratespiel: Wie spät ist es?

☞	Redemittel zu *Uhrzeit angeben* einüben
Material	die von den Kindern gebastelten Uhren
	• die Bilder anschauen, den Sprechblasensatz und die Sätze unter den Bildern lesen und versuchen, die Spielregel zu verstehen Variante: L und HP präsentieren das Ratespiel
	• das Ratespiel wie dargestellt spielen Varianten: ♦ die Uhrzeit wie im Buch einmal schnell zeigen ♦ die Uhrzeit verdeckt einstellen und nicht zeigen

5 Spiel: Früher oder später?

☞	Redemittel zu *Uhrzeit angeben* einüben
Material	Demonstrationsuhr oder Uhren der Schüler
CD2/41	• das Bild anschauen und das Ratespiel hören
	Variante: L und HP spielen das Ratespiel; danach Hören von der CD
	• das Wort *früher* erklären: L stellt die Uhr auf 3 Uhr; S: *Es ist 3 Uhr.* L stellt die Zeiger auf *Viertel nach 3.* S: *Es ist Viertel nach 3.* – L: *Ja, jetzt ist es später.* – L stellt die Zeiger auf *zehn vor 3.* S: *Es ist zehn vor 3.* – L: *Ja, jetzt ist es früher.* L stellt mehrmals die Zeiger vor und zurück und spricht jedes Mal: *früher* bzw. *später;* alle S sprechen nach • das Ratespiel spielen

6 Lesen: Schülerzeitung Blümchen ⎫
7 Spiel: Steht ihr richtig? ⎬ als Einheit behandeln
  ⎭

6   *Lesen: Schülerzeitung Blümchen*   Lektion 34 | S.51

☞   Leseverstehen; Tagesablauf beschreiben; Wortschatz zum *Tagesablauf* erweitern; Satzstellung nach Zeitangaben einüben

- Hinführen und Vorentlastung: L spricht mit S über einige ihrer täglichen Gewohnheiten, L stellt auch Zusatzfragen:
  L: *NN, wann stehst du morgens auf?* – S1: *Um 7 Uhr.* – L: *Immer pünktlich um 7 Uhr?* – S1: …
  L: *Und du, wann stehst du morgens auf, NN?* – S2: *Um halb 8.* – L: *Immer genau um halb 8?* – S2: *Nein, nicht immer. / Ja, …*
  Eventuell weitere Fragen zu *nach Hause gehen, Hausaufgaben machen …*

➲ 6a
- Globalverstehen: den Text lesen mit der Aufgabe, die Reihenfolge der Bilder festzustellen (Lösungswort: ABEND)

- die Schlüsselsätze zu den Bildern suchen; Beispiel: L: *Welcher Satz gehört zu Bild A?* – alle S suchen die Textstelle; ein S liest vor: *Dann duscht er und zieht sich an.*
- persönliche Stellungnahme zur Schlussfrage *(Möchtest du sein wie Oskar?)* durch S, eventuell in der Muttersprache

➲ 6b CD2/42
- Detailverstehen: die erste Frage hören, dann die CD unterbrechen, bis S die entsprechende Textstelle gefunden und geantwortet haben; dann die CD zum Kontrollhören weiterlaufen lassen; ebenso mit den folgenden Fragen

➲6c CD2/43
- Satzstellung nach Zeitangaben einüben:
  ◆ die Klasse in 2 Gruppen einteilen
  ◆ alle S hören die Aussage 1; ein S von Gruppe 1 formuliert die Frage; alle anderen von Gruppe 1 wiederholen, dann die CD weiterlaufen lassen und die Frage zur Kontrolle hören
  ◆ alle S hören die Aussage 2; ein S von Gruppe 2 formuliert die Frage, alle anderen von Gruppe 2 wiederholen; Frage und Antwort zur Kontrolle hören
  ◆ ebenso mit den anderen Aussagen im Wechsel

- die Informationen über Oskars Tagesablauf aus dem Text entnehmen und in Kurzform nach und nach an die Tafel schreiben; S lesen jeweils eine Information vor; L schreibt sie in Kurzform an die Tafel

Tafelanschrift:

Oskars Tag	
halb 7	aufstehen
halb 7	duschen
7 Uhr	frühstücken
zwanzig nach 7	den Rucksack packen
halb 8	in die Schule gehen
8 Uhr	der Unterricht fängt an
1 Uhr	die Schule ist aus / nach Hause gehen
Viertel nach 2	Hausaufgaben machen
4 Uhr	schwimmen gehen
halb 6	fernsehen
7 Uhr	es gibt Abendessen
halb 8	ein Buch lesen
Viertel vor 9	ins Bett gehen

- anhand der Tafelanschrift den neuen Wortschatz und die Satzstellung nach Zeitangaben einüben:
  - die Informationen an der Tafel der Reihe nach ausformulieren; S1: *Um halb sieben steht Oskar auf.* usw. – L/S kontrollieren die Satzstellung
  - Frage und Antwort, nicht in der Reihenfolge der Tafelanschrift; Beispiel: S1: *Was macht Oskar um vier Uhr?* – S2: *Um vier Uhr geht er schwimmen.*
  - Variante 1: Ein S fragt die Klasse.
  - Variante 2: Um die Sprechhäufigkeit für jeden S zu erhöhen, könnten mehrere S gleichzeitig durch die Klasse gehen und Fragen stellen.

⟳ 6d
- das Interview durchführen mit der Tafelanschrift als Hilfe:
  - zuerst L und Klasse gemeinsam, dann in Partnerarbeit

7 Spiel: Steht ihr richtig?
Lektion 34 | S. 51

☞ Satzstellung nach Zeitangaben einüben

Material | lange Papierstreifen (Karton oder DIN-A4-Blatt) zum Aufschreiben und Zerschneiden der Sätze

⟳ 7a/7b
- den Text lesen und das Bild anschauen; wie angegeben spielen

⟳ 7c
- ebenso mit weiteren Sätzen; die Klasse in Gruppen einteilen, je nach Länge des Satzes variiert die Anzahl der Mitspieler; die Satzaussage soll eine Information aus dem Tagesablauf eines der mitspielenden S sein

Beispiel:

| Um | ein | Uhr | gibt | es | Mittagessen |

VORSCHLAG: Aus Platzgründen sollten sich höchstens 3 Gruppen gleichzeitig vorne aufstellen.

6 Lesen: Schülerzeitung Blümchen (Fortsetzung)
Lektion 34 | S. 51

⟳ 6e
- persönlicher Bezug:
  - S befragen sich gegenseitig zu ihren Gewohnheiten (Tafelanschrift weiterhin sichtbar)
  - wie vorgeschlagen den eigenen Tagesablauf aufschreiben; später vorlesen und ins **Portfolio** legen

Lektion 35   Im Unterricht

☞ Person beschreiben; über Schule sprechen; Wortschatz *Schulsachen* wiederholen und erweitern; Verneinung mit *kein*; Imperativ Singular

1 Hören: Der neue Lehrer
Lektion 35 | S. 52

☞ Person beschreiben; über Schule sprechen; Wortschatz *Schulsachen* erweitern; Verneinung mit *kein* einführen

⟳ 1a CD2/44
- das Bild rechts (Bild 2) zudecken; das Bild links (Bild 1) anschauen und überlegen, wer die beiden Erwachsenen sind (Direktor und der neue Lehrer); Tafelanschrift: *Der neue Lehrer*
- weiterhin Bild 2 zudecken; Bild 1 anschauen und den Text dazu hören (Teil 1 bis *der Lehrer sagt: „Also los!“* Dann mit der Pausetaste unterbrechen)
- Bild 2 anschauen und eventuell über die Situation sprechen
- die CD weiterlaufen lassen, Teil 2 hören und dabei Bild 2 anschauen

- Kontrolle des Hörverstehens: L stellt Fragen, S zeigen jeweils auf die Kinder; *Wer hat die Turnhose vergessen?* S zeigen auf den Jungen. – *Wer hat die Turnschuhe / das Turnhemd vergessen? – Warum lachen die Kinder?*
- die Fragen und Antworten lesen; die Antworten verbessern
- noch einmal den ganzen Text zur Kontrolle hören

⊃ 1b CD2/44	• die Fragen, Antworten und Reaktionen lesen; L erklärt den Ausdruck *Aber das nächste Mal!* • „Imitatives Nachsprechen": *So so! – So? – So, so! Aber das nächste Mal!* • in Partnerarbeit versuchen, die Dialogteile zuzuordnen (Lösung: 1 – ■ – b; 2 – ▲ – a; 3 – ◆ – c); dann vorlesen • zur Kontrolle den Hörtext noch einmal hören • die Minidialoge in Partnerarbeit vorlesen; bei der Reaktion des L die Intonation variieren
AB	Übung 1

2 Im Unterricht

Lektion 35 | S. 52

☞	Wortschatz *Schulsachen* wiederholen; Verneinung mit *kein* einüben; Imperativ Singular wiederholen
	HINWEIS: Die Struktur *Ich habe … vergessen* wird hier als Ganzheit eingeführt. Sie ist ein wichtiges Redemittel innerhalb der täglichen Unterrichtssprache der Schüler. (*Ich habe … zu Hause vergessen.*) Auf keinen Fall sollte jedoch an dieser Stelle das Perfekt bewusst gemacht werden. Das geschieht in Modul 10.
	• Minidialog zwischen L und HP zur Einführung von *kein(en)* und *Ich habe … vergessen:* L: *Nimm bitte den Bleistift.* HP: (sucht etwas) L: *Hast du keinen Bleistift?* HP: *Tut mir leid. Ich habe meinen Bleistift zu Hause vergessen.* • weitere Dialoge zwischen L und HP mit anderen Schulsachen; hier schon die verbale Reaktion des L hinzufügen: *Das macht nichts. Hier! Nimm …* (siehe Dialog)
⊃ 2a CD2/45	• das Foto anschauen; den Dialog lesen und die Lücken ergänzen; unten in den Kästen nachsehen • den vollständigen Dialog hören und mit der eigenen Lösung vergleichen • über die Reaktion des L sprechen (*Der Lehrer ist nett / freundlich.*); eventuell auch in der Muttersprache
	• den Dialog in Partnerarbeit lernen und vor der Klasse spielen
	• die Kästen von Aufgabe b einschließlich der farbigen Umrahmung an die Tafel übertragen • mit einer Buchstabier-Übung den Wortschatz *Schulsachen* aktivieren; beim Buchstabieren schnell sprechen; Beispiel: S1: *S-p-i-t-z-e-r;* einzelne oder alle S: *Spitzer;* das Wort an die richtige Stelle in die Grammatik-Kästen an der Tafel schreiben fakultativ: Spiel „1, 2, 3 oder 4" zur Festigung der Artikel durchführen (siehe LHB S. 20, Punkt 5.8 und auch Lektion 29 Übung 6)
	• Verneinung mit *kein* einüben: ♦ „Tamburin-Spiel" (siehe LHB S. 15, Punkt 5.1); Beispiel: L: *Hast du _____ Bleistift?* – alle S: *Hast du keinen Bleistift?*

Differenzierung	1. S dürfen in den Kästen an der Tafel oder im Buch nachschauen.
	 2. ohne visuelle Hilfe
	 ♦ „Worträtsel" (siehe LHB S. 17, Punkt 5.6);
	 Beispiel: S schaut im Mäppchen / in der Schultasche nach:
	       S: *Oh, ich habe keinen hüpe küre.*
	       S1: *Hast du keinen Spitzer?*
	       S: *Doch.*
	       S2: *Hast du keine Schere?*
	       S: *Ich habe keinen hüpe küre.*
	       S3: *Aha. Hast du keinen Füller?*
	       S: *…*

⮕ 2b CD2/46	• weitere Dialoge sprechen und spielen, zunächst mit den angegebenen Wörtern, dann auch mit anderen Gegenständen
Differenzierung	1. Rollenlesen oder „Sprechlesen" 2. Dialoggerüst an der Tafel: Beispiel: ▪ *Nimm bitte* _____ _____. _____, *hast du* _____ _____? ◆ *Tut* ____ ____. *Ich habe* _____ _____ *zu Hause* _____. ▪ *Das macht nichts.* *Hier, nimm* _____ _____. 3. ohne visuelle Hilfe Variante: eine unfreundliche Reaktion des L als Alternative an die Tafel schreiben; S können wählen. Beispiel: *Was, schon wieder? Das gibt's doch nicht!*
AB	Übung 2

3 Ratespiel: Hast du einen ...?
Lektion 35 | S. 53

☞	Verneinung mit *kein* einüben
	• die Spielanleitung lesen und versuchen, den Ablauf des Ratespiels zu verstehen; wenn nötig, erklärt L in der Muttersprache. S lesen die Texte in den Sprechblasen, um zu verstehen, was bei dem Spiel gesprochen wird. • wie vorgeschlagen spielen
AB	Übung 3

4 Was brauchen wir denn?
Lektion 35 | S. 53

☞	Verneinung mit *kein* einüben; Wortschatz *Unterrichtsfächer* und *Schulsachen* und bestimmten Artikel im Akkusativ wiederholen
⮕ 4a CD2/47	• das Foto anschauen, den Text zudecken und den Dialog hören • den Dialog still lesen und nach jeder Zeile auf die Sprecherin zeigen (das Mädchen rechts auf dem Foto beginnt den Dialog) • den Dialog noch einmal hören und auf die jeweilige Sprecherin zeigen • noch einmal hören und halblaut mitlesen • in Partnerarbeit „Rollenlesen"; auch die Rollen tauschen
⮕ 4b CD2/48	• die in den Genusfarben gerahmten Kästen still lesen • wie vorgeschlagen mit den angegebenen Fächern und Schulsachen in Partnerarbeit weitere Dialoge machen; die Richtigkeit anhand der Kästen überprüfen • die beiden Dialoge zur Kontrolle hören; dann vorlesen
	fakultativ: Übung zur Verneinung mit *kein* mit dem Spielplan „Ein Spiel für alle Fälle" eventuell an dieser Stelle schon durchführen (siehe den Vorschlag zur Arbeit mit den Wortlisten im LHB S. 14, Punkt 3)
AB	Übungen 4 (Teil a in Klassenarbeit) und 5

5 Miteinander reden
Lektion 35 | S. 53

☞	Verneinung mit *kein* und Imperativ Singular anwenden
	• wie vorgeschlagen zum Thema *Schulsachen* in ausreichender Zahl Bildkarten für Gruppentische herstellen, und zwar von jedem Gegenstand zwei gleiche; diese beiden Bildkarten jeweils mit einem Frage- bzw. Ausrufezeichen versehen • die Beispiele lesen und den Übungsablauf mit der ganzen Klasse durchführen • in Kleingruppen üben

6 Besuch in Planetanien

☞	Wortschatz *Unterrichtsfächer* und *Schulsachen*, Verneinung mit *kein* und Imperativ Singular anwenden; Wortschatz *Tätigkeiten in der Schule* wiederholen
CD2/49	• das Bild anschauen und den Dialog hören • hören, das Bild anschauen und auf den jeweiligen Sprecher und die Gegenstände zeigen • den Dialog still lesen • hören und halblaut mitlesen
	• den Dialog in Partnerarbeit einüben („Flüsterlesen") und der Klasse vortragen (wenn möglich „Sprechlesen")
AB	Übung 6 (in Klassenarbeit; das Wortmaterial aus dieser Übung kann dann für die folgende Aufgabe *Macht weitere Dialoge …* verwendet werden.)
	• in Partner- oder Gruppenarbeit weitere Dialoge mit den angegebenen und weiteren Fächern erarbeiten und der Klasse vortragen

7 Lied: Na so was!

☞	Wortschatz *Unterrichtsfächer* und *Tätigkeiten in der Schule* anwenden
CD2/50	• die beiden Liedstrophen hören • noch einmal hören und mitlesen • Vorschläge zur Arbeit mit Liedern: siehe LHB S. 14, Punkt 4.1

Tafelanschrift erarbeiten und später für weitere Strophen erweitern:

	Deutschland	Planetanien
in Mathe	rechnen	turnen
in Sport	turnen	schreiben
in Deutsch	…	…
im Sachunterricht	…	…
in …		

CD2/51	• die beiden Strophen zur Playback-Fassung singen; dabei pantomimisch die Tätigkeiten mitmachen • für Strophe 3 mit dem Fach Deutsch die Tafelanschrift ergänzen und die Strophe zur Playback-Fassung singen • die Liste an der Tafel erweitern und jeden Tag zwei bekannte und eine neue Strophe singen (die Playback-Fassung hat 3 Strophen) VORSCHLAG: das Lied immer dialogisch singen
	fakultativ: Jeder S schreibt zwei lustige Strophen für sein **Portfolio**.
AB	Übung 7

8 Schule bei uns und in Planetanien

☞	Redemittel der Lektion anwenden
fächerübergreifend	• wenn möglich mit dem Kunstlehrer wie vorgeschlagen durchführen; auf mehrere Unterrichtsstunden verteilen • die fertigen Arbeiten ins **Portfolio** legen

☞　über Schule und Noten sprechen; Wortschatz *Berufe* einführen und einüben; Wortschatz erweitern

---

1　Lesen: An den Brieffreund

Lektion 36 | S. 55

☞　Leseverstehen; über Schule und Noten sprechen; Wortschatz *Berufe* erweitern und einüben; Wortschatz erweitern

---

Einige INFORMATIONEN für die Lehrer zum Schulsystem in den deutschsprachigen Ländern:

Das *deutsche* Schulsystem ist nicht zentral, sondern föderalistisch organisiert, das heißt, es liegt in der Hand der Bundesländer und kann somit zwischen den 16 Bundesländern deutlich variieren. So gibt es zum Beispiel in Nordrhein-Westfalen eine vierjährige Grundschule, während die Kinder in Berlin und Brandenburg schon lange sechs Jahre in die Grundschule gehen. Hamburg plant, die Grundschulzeit ebenfalls auf sechs Jahre auszudehnen. Manche Bundesländer sind dabei, Haupt- und Realschule zu einer „Gemeinschaftsschule" zusammenzulegen, und fast überall wurde die Gymnasialzeit um ein Jahr auf acht Jahre verkürzt, wie dies z. B. im Bundesland Sachsen schon früher der Fall war. Die allgemeine Schulpflicht in Deutschland beträgt je nach Bundesland neun oder zehn Jahre.
Details erfahren interessierte Lehrer im Internet auf den Webseiten der Kultusministerien der jeweiligen Bundesländer sowie auf der Webseite der Kultusministerkonferenz (http://www.kmk.org).

In der *Schweiz* ist das Schulsystem ebenfalls föderalistisch organisiert, d.h. es liegt weitgehend in der Verantwortung der 26 Kantone. So variiert die Dauer der Grundschulzeit (= *Primarstufe*) auch in der Schweiz von vier bis sechs Jahren je nach Kanton. Die obligatorische Schulzeit dauert momentan noch neun Jahre. Im Anschluss an die Primarstufe folgt die *Sekundarstufe I* (drei bis fünf Jahre). Danach können die Schüler auf dem Gymnasium (*Maturitätsschule*) die Hochschulreife erwerben oder auch eine *Fachmittelschule* besuchen. Zurzeit findet in der Schweiz eine tiefgreifende Schulreform (*HarmoS*) statt, die auch zum Ziel hat, das System zwischen den Kantonen zu vereinheitlichen und die obligatorische Schulzeit auf elf Jahre zu erweitern (obligatorischer Kindergarten von zwei Jahren). Informationen zum Schweizerischen Schulsystem gibt es im Internet z. B. unter http://www.educa.ch.

In *Österreich* liegt die Verantwortung für die Schulbildung im Gegensatz zur Schweiz und Deutschland zentral beim Bund. Für jeden Schüler sind vier Jahre *Volksschule* (= Grundschule) gesetzlich vorgeschrieben, es folgen weitere fünf Jahre Schulpflicht. Nach der Volksschule gehen die Schüler entweder auf die *Hauptschule* oder auf eine *Allgemeinbildende höhere Schule* (AHS), d.h. ein *Gymnasium*. Die Hauptschule dauert vier Jahre; im Anschluss daran kann z. B. ein einjähriger *Polytechnischer Lehrgang* besucht werden, der auf einen (handwerklichen) Beruf vorbereitet, oder die Schüler können für drei bis fünf Jahre eine *Berufsbildende (höhere / mittlere) Schule* (BHS / BMS) besuchen, die eine Berufsausbildung umfasst (BMS) bzw. auf der auch die Hochschulreife erworben wird (BHS). Das Gymnasium dauert acht Jahre und schließt mit der Hochschulreife ab. Eine Besonderheit des österreichischen Schulsystems ist es, dass viele Schulformen in verschiedensten Ausprägungen existieren, zum Beispiel mit einem technischen, einem betriebswirtschaftlichen oder einem sprachlichen Schwerpunkt. Informationen über das Schulsystem in Österreich gibt es auf der Webseite des Unterrichtsministeriums in Wien: http://www.bmukk.gv.at

Sowohl in Österreich als auch in der Schweiz heißt die Abschlussprüfung auf dem Gymnasium *Matura*; nur in Deutschland sagt man *Abitur*.

Material　VORSCHLAG: Kopie des Textes für jeden S

- in der Muttersprache über Zeugnisse und Noten im eigenen Land sprechen; die Wörter *Zeugnis* und *Noten* an die Tafel schreiben
- mit Textkopie für jeden S: S lesen den Brief mit der Aufgabe, alles zu unterstreichen, was sie verstehen
- ohne Textkopie: den Brief im Buch still lesen und versuchen, unbekannte Wörter aus dem Kontext zu verstehen; L hilft, wenn nötig

➲ 1a	• Detailverstehen: die Auswahlantworten lesen; die passende Textstelle suchen, vorlesen und die richtige Auswahlantwort nennen (Lösung: B-A-C-C)

• den neuen Wortschatz einüben:
  ◆ L liest Sätze aus dem Text richtig oder falsch vor; dabei bewusst die neuen Wörter benutzen (siehe AB/Wortliste); S suchen den Satz, sagen *richtig* oder *falsch* und lesen die falschen Sätze richtig vor
  ◆ L schreibt eines der neuen Wörter an die Tafel; S suchen den Satz im Text und lesen ihn vor oder sprechen ihn auswendig („Sprechlesen"); dann ein weiteres Wort anschreiben und ebenso verfahren
  ◆ Wenn alle neuen Wörter an der Tafel stehen, stellt L Fragen zum Text; sie müssen so gestellt werden, dass S die neuen Wörter benutzen müssen; Beispiel: *Ist Antons Vater Clown? – Nein, er ist <u>Ingenieur</u>.* Wörter, die in einer Antwort gebraucht wurden, werden an der Tafel weggewischt.
Variante: L stellt persönliche Zusatzfragen an S.
Beispiel: L: *Bekommt Anton manchmal eine Fünf in Mathe?*
         S: *Nein, zum Glück bekommt er nie eine Fünf in Mathe.*
         L: *Und du?*
         S: *Ich bekomme leider manchmal eine Fünf in Englisch.*

interkulturell

• die Informationen im Brief über Noten und Schule sammeln und an die Tafel schreiben; die Situation im eigenen Land damit vergleichen; das Tafelbild nach und nach entstehen lassen
HINWEIS: Weiter oben wurde darauf hingewiesen, dass in den verschiedenen Bundesländern das jeweilige Schulsystem schon jetzt sehr von einander abweicht und auch weiterhin im Wandel begriffen ist. Die Informationen im Brief beziehen sich auf Bundesländer wie zum Beispiel Bayern, die noch am traditionellen Schulsystem festhalten, das weiter unten in der Tafelanschrift vorgestellt wird. Zusätzliche Informationen, die nicht im Brief enthalten sind, sind grau hinterlegt. Der Lehrer kann sie den Schülern nach Belieben (in eigenen Worten oder in der Muttersprache) erläutern und an der Tafel ergänzen.
Tafelanschrift:

	in Deutschland	bei uns
Noten/Zeugnis*		
1	sehr gut	...
2	gut	...
3	befriedigend	
4	ausreichend	
5	mangelhaft	
6	ungenügend	

* offizielle Bezeichnung der Noten

Schule
    Grundschule   (Klasse 1–4)
    (für alle Schüler)
    Hauptschule   (Klasse 5–9/10)
oder Realschule   (Klasse 5–10)
oder Gymnasium   (Klasse 5–12/13)

fakultativ: Fragen und Antworten zum Text mit dem „Fragewürfel" (siehe Lektion 30 Übung 11 und auch LHB S. 16, Punkt 5.3); in Kleingruppen üben; S dürfen dabei ins Buch sehen

➲ 1b	• wie vorgeschlagen einen Brief schreiben
AB	Übungen 1 (Teile b und c in Klassenarbeit) und 6

2 Klassenordnung

☞   Imperativ Plural einführen und einüben; Modalverben *müssen* und *dürfen* erweitern

VORBEMERKUNG: Der Imperativ Plural dürfte über die tägliche Unterrichtssprache (*Nehmt bitte die Hefte heraus!*) bereits passiv bekannt sein.

- Vorentlastung (falls einige S besondere Aufgaben in der Klasse haben):
  L fragt: *Wer darf/muss heute / diese Woche die Tafel sauber machen?* – S melden sich.
  Ebenso mit: *die Hefte einsammeln …*

- die Liste mit der Klassenordnung im Kursbuch anschauen und darüber sprechen; entweder Fragen stellen und antworten oder Aussagen machen; Beispiel: *Maria und Tobias müssen/ dürfen immer die Tafel sauber machen.*

⊃ 2a CD2/52
- die Dialoge still lesen und ergänzen; in der Liste mit der Klassenordnung und auf den Fotos nachschauen

Differenzierung
1. die Klassenordnung und die Fotos als Hilfe
2. zuerst die Dialoge von der CD hören

⊃ 2b CD2/52
- die Dialoge zur Kontrolle hören und mitlesen
- die Dialoge zeilenweise hören und nachsprechen

- den Imperativ Plural einüben:
  ◆ 4 S stehen vor der Klasse; L schaut einen S an und sagt: *Geh bitte zum Fenster!* – S geht allein zum Fenster. – L schaut die anderen 3 S an: *Geht bitte auch zum Fenster!* – Die 3 S gehen los. – ebenso mit weiteren Beispielen im Singular und Plural
  ◆ L schreibt einige Beispiele an die Tafel und markiert dann die Endung -t im Plural

Tafelanschrift:

> *Sabine, geh bitte zum Fenster!*   *Marco und Leo, geh⟨t⟩ bitte zur Tür!*
> *Peter, komm bitte zur Tafel!*   *Lara und Basti, komm⟨t⟩ bitte zur Tafel!*
>
> *Maria, zeig mir bitte …*   *…, zeig⟨t⟩ mir bitte …*

  ◆ Übung mit der ganzen Klasse: Alle Schulsachen sind in den Schultaschen; L geht durch die Klasse, bleibt bei einem S stehen und spricht ihn an: *Zeig mir bitte dein Mäppchen!* – S agiert. – L geht weiter: *Zeigt mir bitte eure Filzstifte!* – Alle S agieren. – L geht weiter …; einzelne S übernehmen später die Rolle von L

AB   Übungen 2 und 5

⊃ 2c
- die veränderten Dialoge in Partnerarbeit einüben; einen Dialog auswendig lernen und vor der Klasse spielen; dabei die Tätigkeit (pantomimisch) ausführen

⊃ 2d
- wie vorgeschlagen durchführen; eventuell wie oben mit Abbildungen gestalten

AB   Übung 3 und 4 (Übung 4 in Klassenarbeit)

3 Miteinander reden

☞   Redemittel zum Thema *Schule* anwenden

- die Sprechblasentexte und die beiden Beispiele lesen und die Übung wie gewohnt durchführen

☞	freies Sprechen; interkultureller Vergleich

HINWEIS und VORSCHLAG: Die Fotos geben einen kleinen Eindruck von *Schule in Deutschland*. Natürlich sind auch in Deutschland nicht alle Klassenzimmer so schön wie auf den beiden oberen Fotos. Und es sind nicht alle Schulgebäude neu wie auf dem vierten Foto. L sollte mit S über die Bilder sprechen und mit schönen und weniger schönen Beispielen in der eigenen Stadt vergleichen und dabei auch hervorheben, was im eigenen Land anders und vielleicht besser ist.

AB	Lesen: den Lesetext Nummer 4 (Seite 105) lesen und bearbeiten
AB	*Weißt du das noch?* (Seite 75) in Partnerarbeit bearbeiten; zu Übung 1 eventuell mit L ein weiteres Beispiel machen
AB/Portfolio	*Das habe ich gelernt* (Seite 77/78) wie im AB Seite 6 vorgeschlagen für das Portfolio bearbeiten; wenn nötig bei *Das kann ich schon* (Kursbuch Seite 58) nachschauen
AB/Portfolio	den *Grammatik-Comic* (Seite 79) für das Portfolio bearbeiten; wenn nötig bei *Das kann ich schon* (Kursbuch Seite 58, Nummer 3) nachschauen
AB/Portfolio	in den Extraseiten *Mehrzahl* (Seite 107/108) den Teil *nach Lektion 36* in Partnerarbeit bearbeiten; die angegebenen Wörter in der Mehrzahl in die richtige Spalte der Tabelle eintragen
AB/Wortliste	Arbeit mit der *Wortliste* zu den Lektionen 33–36 (AB Seite 76) Vorbemerkungen: siehe LHB S. 14, Punkt 3

HINWEIS: Viele der vorgeschlagenen Übungen können auch schon während der Arbeit mit den Lektionen an geeigneter Stelle eingesetzt werden. Sie lassen sich fast immer gemeinsam, in Einzel- oder Partnerarbeit oder in Kleingruppen durchführen, und zwar insbesondere in **Freiarbeitsphasen**.

• Übung 1: soweit nicht schon geschehen in der Wortliste die Nomen mit den Artikelfarben markieren und fehlende Artikel und Pluralformen eintragen; wenn nötig, im Kursbuch in den entsprechenden Lektionen nachsehen

• Übung 2: L / später S (mit dem Arbeitsbuch in der Hand) nennt ein Wort / eine Wortfolge aus der Wortliste und die Nummer der Lektion oder die Seite; Beispiel: *pünktlich – Lektion 34*

Differenzierung	1. S1 nennt die Seite und die Nummer der Übung und liest den Satz / die Zeile vor 2. wie bei 1, aber „Sprechlesen" 3. nicht im Buch suchen, sondern aus der Erinnerung: *Oskar ist immer pünktlich.* 4. frei als Transfer: *Mein Freund ist nie pünktlich.* Oder *Pünktlich um 1 Uhr ist die Schule aus.*

• Übung 3: „Assoziationsspiel" (siehe LHB S. 15, Punkt 5.1)
Variante 1: Wort und Wort/Wortfolge
Beispiel: S1: Kunst ⟶ S2: Malkasten
             S2: Pinsel ⟶ S3: ein Bild malen
             S3: Abendessen ⟶ S4: pünktlich um 7 Uhr
             …
Variante 2: Wort und Satz
Beispiel: S1: Klassenlehrer ⟶ S2: Mein Klassenlehrer heißt …
             S2: Geschwister ⟶ S3: Ich habe keine Geschwister.
             …
VORSCHLAG: S arbeiten immer zu zweit, sodass der eine helfen kann, wenn dem anderen nichts einfällt.

• Übungen 4a und 4b mit dem Spielplan „Ein Spiel für alle Fälle" (Kursbuch Seite 97) durchführen

• Übung 4a: Satzstellung nach Zeitangaben (Uhrzeit und Tagesablauf) festigen
(siehe auch bei *Das kann ich schon*, Kursbuch S. 58 Nummer 1 und 2)

Material	Karten für die farbigen Felder auf dem Spielplan herstellen

♦ Vorbereitung: die Klasse in Spielgruppen einteilen; jede Gruppe stellt sich ein imaginäres Kind vor, das sehr ordentlich und immer pünktlich ist; es bekommt auch einen Namen

83

Wortliste | Transkriptionen | Lösungsschlüssel | Tests | Feste im Jahr | Theater | L40 L39 L38 L37 Modul 10 | L36 L35 L34 L33 Modul 9 | L32 L31 L30 L29 Modul 8 | L28 L27 L26 L25 Modul 7 | L24 L23 L22 L21 Modul 6 | Einführung

♦ jede Gruppe schreibt den Tagesablauf dieses Jungen/Mädchens in Kurzform in eine Liste (siehe den Vorschlag im LHB S. 75 zu Lektion 34 Übung 6); die Liste zwei- oder dreimal schreiben, sodass jeweils zwei S während des Spiels zur Kontrolle hineinschauen können.
Beispiel:

Viertel vor 7	aufstehen
zehn vor 7	duschen
...	
...	
halb 2	Mittagessen
...	

♦ die Angaben in der Liste auf verschiedenfarbige Karten schreiben (1. Farbe: Zeitangaben, 2. Farbe: Tätigkeiten)
Beispiel:

halb 2   Mittagessen

♦ Spielablauf: Es gibt 2 Kartenstapel (Uhrzeit und Tätigkeit). Wenn ein Spieler auf ein farbiges Feld kommt, nimmt er von jedem Stapel eine Karte und macht eine Aussage, mit der Uhrzeit beginnend.
Beispiel:

Viertel vor 7   Mittagessen

S: *Um Viertel vor sieben gibt es Mittagessen. Das passt nicht.* S muss die Karten wieder unter die Stapel legen. Wenn die Aussage passt, darf S die Karten behalten.

• Übung 4b: unbestimmter Artikel im Akkusativ und Verneinung mit *kein* (Wortschatz *Unterrichtsfächer, Schulsachen, Sachen für die Freizeit, Kleidung*) festigen

Material | Karten für die farbigen Felder auf dem Spielplan herstellen

♦ Vorbereitung: für mehrere Spielgruppen Wortkarten in zwei Farben und zwei Satzkarten herstellen
Farbe 1:   Unterrichtsfächer (Lektion 33)
Farbe 2:   Schulsachen *(Planetino 1)*
             Sachen für die Freizeit (Lektion 29)
             Kleidung *(Planetino 1)*
Satzkarte 1: *Ich brauche einen/ein/eine/– – – …*
Satzkarte 2: *Ich brauche keinen/kein/keine/– – – …*

♦ zwei Kartenstapel machen (Karten mit Farbe 1 und Karten mit Farbe 2) und die zwei Satzkarten dazwischen auf den Tisch legen

♦ in Kleingruppen spielen; wenn S auf ein farbiges Feld kommt, zuerst eine Karte von Stapel 1 nehmen
Beispiel 1: Karte *Sport* – S: *Ich habe heute Sport.* S nimmt dann eine der beiden Satzkarten, z.B. die Karte *Ich brauche einen/ein/eine – – – …* und dann die Wortkarte *Pinsel* – S: *Ich habe heute Sport. Ich brauche einen Pinsel. Das passt nicht.*
Beispiel 2: S nimmt dann die Satzkarte *Ich brauche keinen/kein/keine/– – – …* und die Wortkarte *Malkasten.* – S: *Ich habe heute Sport. Ich brauche keinen Malkasten. Das passt.* – S darf die beiden Wortkarten behalten. Die Satzkarte muss S auf den Tisch zurücklegen.

Themenkreis   Alle meine Tiere

Sprechhandlungen	beschreiben; etwas besitzen; jemanden auffordern
Wortschatz	Haustiere; Tageszeiten
Grammatik	Satzstellung nach Zeitangaben; Verkleinerungsform -chen; Personalpronomen im Dativ; Satzklammer; Perfekt; Modalverben müssen, dürfen
AB	die Einstiegsseite in den Themenkreis (S. 81) in Partnerarbeit bearbeiten

1 und 2 Comic   Modul 10 | S. 59

☞ Hinführen zum Themenkreis; dabei Reaktivieren von bekanntem Sprachmaterial und erster Kontakt mit neuen Redemitteln

1 Comic   Modul 10 | S. 59

➲ 1a
- Comic 1 lesen und versuchen, die Lücken zu ergänzen
- die Lösungsvorschläge vortragen

➲ 1b
- die Sätze unter Comic 1 lesen; den Comic noch einmal lesen und entscheiden, wohin die Sätze gehören

➲ 1c CD3/2
- den vollständigen Comic hören und mitlesen

➲ 1d
- gemeinsam überlegen, wie die Geschichte weitergeht: L: *Was sagt das Mädchen zum Papagei?*

2 Comic   Modul 10 | S. 59

➲ 2e
- Comic 2 lesen und versuchen, die Lücken zu ergänzen
- die Sätze unter Comic 2 lesen; den Comic noch einmal lesen und entscheiden, wohin die Sätze gehören

➲ 2f CD3/3
- den vollständigen Comic hören und mitlesen

Lektion 37   Haustiere

☞ *beschreiben; etwas besitzen;* Wortschatz *Haustiere* und *Tageszeiten;* Verkleinerungsform *-chen;* Modalverben *müssen* und *dürfen*

> **1 Hören: Ich möchte ein Haustier**
> **2 Hören und Nachsprechen** } *als Einheit behandeln*

HINWEIS: L sollte die S bereits jetzt bitten, Fotos ihrer Haustiere oder eines ihrer Stofftiere mitzubringen. Sie werden in Lektion 38 für die Übungen 4 und 5 benötigt.

1 Hören: Ich möchte ein Haustier   Lektion 37 | S. 60

☞ *etwas besitzen;* Wortschatz *Haustiere* einführen und einüben

- Vorentlastung: mit dem „Buchstabier-Spiel" den bereits bekannten Wortschatz *Tiere* wiederholen; an der Tafel eine Genera-Tabelle zum Eintragen der Wörter vorbereiten; über der Tabelle Platz lassen, um später *einen/keinen …* darüber zu schreiben; Beispiel: S1 buchstabiert *H-u-n-d* (schnell sprechen!) – S nennen das Wort; in die Tabelle in die richtige Spalte eintragen; den Platz für die Pluralform zunächst freilassen

Tafelanschrift:

Ich möchte	einen keinen	ein kein	eine keine	---- keine
	Hund Vogel Papagei ...	Pony Pferd	Katze Maus Robbe	Hunde Katzen Mäuse Robben

Nach dem Eintrag in die Tabelle stellt L Zusatzfragen: *Möchtest du ... / Hast du ... / Findest du einen ... schön? ...*
- die Pluralformen ungeordnet (siehe Tafelanschrift oben) in die Tabelle eintragen und persönliche Aussagen machen: Beispiele: *Ich mag Katzen gern. – Ich finde Löwen langweilig.*
Variante: hier bereits über die Liste *Ich möchte einen/keinen* usw. schreiben;
L / später S stellen Fragen: L/S1: *Magst du Mäuse?* – S2: *Nein, ich mag keine Mäuse. –*
S2: *Findest du ...?*

- Hinführen zur Hörgeschichte: L führt den Begriff *Haustiere* ein; L: *Welche Tiere gibt es manchmal zu Hause?* – S: *Hunde, Katzen ...* – L: *Hunde und Katzen sind Haustiere.*
  L schreibt das Wort *Haustiere* an die Tafel.

⮑ 1a CD3/4

Differenzierung

- die Tierfotos der Reihe nach anschauen; L liest die Namen vor; noch nicht nachsprechen
- die Geschichte hören und dabei die Bilder anschauen
- die Geschichte noch einmal hören und versuchen, auf das jeweils genannte Tier zu zeigen
1. Wenn ein Tier genannt wird, auf Zuruf der S (*Stopp!*) die CD unterbrechen und das Bild suchen
2. die Geschichte ohne Unterbrechung hören und versuchen mitzuzeigen

⮑ 1b CD/3/4

Differenzierung

- selektives Hören: Aufgabe: Heraushören, in welcher Reihenfolge die Tiere in der Geschichte zum ersten Mal genannt werden (Lösungswort: WELLENSITTICH)
1. die Geschichte hören; auf Zuruf der S unterbrechen, wenn ein Tier zum ersten Mal genannt wird; den Lösungsbuchstaben nennen und an die Tafel schreiben
2. wie 1, aber den Buchstaben nicht gemeinsam nennen; jeder S schreibt ihn für sich auf ein Blatt
3. die Geschichte ohne Unterbrechung hören; in Partnerarbeit die Reihenfolge feststellen
4. ohne Unterbrechung hören; jeder S entscheidet allein

2 Hören und Nachsprechen

Lektion 37 | S. 61

☞

Wortschatz *Haustiere* einüben; Ausspracheschulung

⮑ 2a CD3/5

- die Laute und Wörter hören, die passenden Bilder suchen und darauf zeigen
- die Laute und Wörter hören und genau nachsprechen
- noch einmal hören, auf die Wörter unter den Bildern zeigen und nachsprechen

⮑ 2b CD3/6

- „Klatschübung zur Betonung" (siehe LHB S. 11, Punkt 2.2.2); das Wort hören, nachsprechen und gleichzeitig die Silbenbetonung mitklatschen; L sollte mitmachen.
  VORSCHLAG: Bei betonten Silben (b) in die Hände klatschen; bei den unbetonten Silben (u) mit der Faust in die Handfläche klopfen; Beispiel: *u-u-b = Papagei.*
- HINWEIS: Bei dieser und der folgenden Übung müssen die S besonders leise sein und ganz konzentriert zuhören.

⮑ 2c CD3/7

- „Klatschübung zur Betonung" als Ratespiel:
  ⬩ das geklatschte Wort hören, eventuell mehrmals; das Wort / die Wörter nennen und zur Kontrolle die Bestätigung von der CD hören
  ⬩ L / später S führen die Übung ohne CD durch; die Klasse muss das Wort / die Wörter erraten

1 Hören: Ich möchte ein Haustier (Fortsetzung)

Lektion 37 | S. 60

AB	Übung 1 (in Klassenarbeit)
➲ 1c Differenzierung	• Detailverstehen: die Fragen lesen und beantworten 1. Frage 1 lesen, den Text noch einmal hören, an der passenden Stelle *Stopp!* rufen und die Frage beantworten; ebenso mit den folgenden Fragen 2. alle Fragen lesen; den Text noch einmal ohne Unterbrechung hören und dann die Fragen beantworten
	• den neuen Wortschatz *Haustiere* in die Genera-Tabelle an der Tafel schreiben
AB/Wortliste	• in der Wortliste zu Lektion 37 (Seite 94) die Nomen bis einschließlich *Kuh* mit Artikelfarben markieren und die fehlenden Artikel eintragen • die Pluralformen (*Haustiere*) in die Genera-Tabelle an der Tafel eintragen • persönlicher Bezug: die Frage *Was für ein …?* einüben; L schreibt einige Strukturen als Sprechhilfe an die Tafel

Tafelanschrift:

Was für ein Tier	hast du?
	magst du (nicht) gern?
	möchtest du gern haben?
	hat dein Bruder / deine Schwester / dein …?
	findest du toll/nett/lustig/…?
	…

➲ 1d CD3/4	• selektives Hören: „Platzwechselspiel" (siehe LHB S. 19, Punkt 5.8); wie angegeben Bild- und Wortkarten zu den 13 Tieren herstellen; dann wie gewohnt das Spiel durchführen; bei großen Klassen weitere Wörter auf Karten schreiben (*Vogel, Haustier; ich möchte, möchtest du?*) VORSCHLAG: In Gruppenarbeit die Bild- und Wortkarten in größerer Anzahl für spätere Übungen und Spiele herstellen und aufbewahren.
AB	Übung 2 (in Klassenarbeit) • die Dialoge von AB Übung 2 vorlesen • Übung mit den Pluralformen: 2 S unterhalten sich; einer von ihnen ist ein Angeber; Beispiel: S1: *Mein Bruder hat eine Schildkröte.* – S2: *Ich habe zwölf Schildkröten.* – usw.

3 Spiel: Das weiß ich genau

Lektion 37 | S. 61

☞	*beschreiben*; Wortschatz erweitern
	• die Tierbilder von Übung 1 anschauen; L + HP sprechen über die Tiere und verwenden dabei die beiden angegebenen Fragestrukturen; Beispiel: L: *Wie ist die Katze?* – HP: *Sehr nett.* – L: *Welche Farbe hat der Hase?* – HP: *Er ist braun.* – usw. • ebenso L mit der Klasse • *Welche Farbe …?* durch „Imitatives Nachsprechen" einüben • Tafelanschrift: *Wie ist/sind …?* und *Welche Farbe hat/haben …?* • die Übung in Partnerarbeit durchführen

4 Das Schwarze Brett

Lektion 37 | S. 61

☞	*beschreiben*; Wortschatz *Haustiere* erweitern und einüben; Verkleinerungsform mit *-chen* einführen und einüben
	• Verkleinerungsform mit *-chen* einführen; L: *Wenn eine Katze ganz, ganz klein ist, vielleicht erst fünf Wochen alt, sagt man nicht „Die Katze ist aber nett". Man sagt: „Oh, sieh mal, das Kätzchen ist aber nett!" Und bei kleinen Hasen sagt man „Das Häschen ist aber nett"! Und wie sagt man, wenn eine Maus ganz klein ist?* – S: *ein Mäuschen.* – L schreibt die Wörter an die Tafel: *Katze – Kätzchen; Hase – Häschen, Maus – Mäuschen*; die Wörter durch Vor- und Nachsprechen einüben

➲ 4a CD3/8	• Hinführen: L: *Manchmal bekommt eine Katze Junge, also 3, 4 oder 5 Kätzchen. Dann wollen manche Kinder die Kätzchen verschenken.* • die Zettel still lesen • Detailverstehen: 　♦ das Beispiel lesen und den Zettel mit der Information für die Antwort suchen 　♦ die Fragen von der CD hören; nach jeder Frage unterbrechen, den Zettel mit der genannten Nummer suchen und die Frage beantworten; dann Kontrollhören
➲ 4b CD3/9 Differenzierung	• Fragen zu vorgegebenen Antworten formulieren; Nummer 1 als Beispiel gemeinsam erarbeiten: die Antwort lesen, den Zettel mit dieser Information *(10 Monate)* suchen (Zettel 3); den Zettel lesen und die Frage formulieren: *Wie alt sind die Katzen von Nummer 3?*; zur Kontrolle Frage und Antwort von der CD hören 1. in Klassenarbeit: die Antwort zu 1 vorlesen; den Zettel mit dieser Information suchen und die Frage formulieren; dann die CD zur Kontrolle hören usw. 2. in Partnerarbeit versuchen, alle Fragen zu formulieren; dann die CD zur Kontrolle hören
AB	• Übung 3 (in Klassenarbeit als Vorbereitung für Aufgabe 4c im Kursbuch)
AB	• Übung 4 (die Sätze lesen; dann den Lerntipp lesen, den richtigen Artikel aus den Sätzen entnehmen und ankreuzen; VORSCHLAG: das Ausmalen der Bilder später als Hausaufgabe)
AB/Wortliste	• in der Wortliste zu Lektion 37 (S. 94) die Wörter *Kätzchen, Häschen, Mäuschen* mit den Artikelfarben markieren und die Artikel eintragen
➲ 4c Differenzierung	• in Partnerarbeit Fragen zu den Informationen auf den Zetteln stellen 1. als Hilfe Strukturen für die Fragen an die Tafel schreiben Tafelanschrift:

> *Wie alt ist/sind ... in Zettel ...?*
> *Wie ist der/das/die ... in Zettel ...?*
> *Wie sind die ... in Zettel ...?*
> *Wie heißt ... in Zettel ...?*
> *Welche Farbe hat/haben ... in Zettel ...?*
> *Wer hat einen/ein/eine/viele ...?*
> *Was kostet ... in Zettel ...?*

	2. ohne visuelle Hilfe
➲ 4d CD3/10	• Hinführen zum Hörtext: L: *Ihr kennt ja Hanna. Hanna möchte gern ein Tier haben.* L schreibt drei Höraufgaben an die Tafel: *Was für ein Tier möchte Hanna? – Wie viele Tiere gibt es? – Wie heißt das Mädchen auf dem Zettel und wie ist die Adresse?* 　♦ das Gespräch einmal ganz hören; eventuell haben S den passenden Zettel schon entdeckt 　♦ das Gespräch noch einmal hören; die CD unterbrechen, wenn das Tier genannt wird (*Kätzchen*); die Zettel suchen, in denen das Tier vorkommt (Zettel 1, 3 und 6) 　♦ das Gespräch weiterhören und unterbrechen, wenn von der Anzahl der Tiere (drei Kätzchen) gesprochen wird; die drei Zettel daraufhin überprüfen 　♦ das Gespräch weiterhören und unterbrechen, wenn Name und Adresse des Mädchens genannt werden; den passenden Zettel suchen (Zettel 1) und den Namen und die Adresse vorlesen 　♦ das Gespräch noch einmal ganz hören; S lesen auf Zettel 1 mit.
➲ 4e	• persönlicher Bezug: Klassengespräch; bei der Antwort auf die Warum-Frage nicht *weil* benutzen, sondern z. B. so sprechen: S1: *Warum möchtest du keine Schildkröte haben?* – S2: *Schildkröten sind so langweilig.* Oder: *Ich finde Schildkröten langweilig. Sie sind so langsam.*
AB	Übung 4 (die Sätze noch einmal lesen und die Tiere ausmalen)

⑤ Laute und Buchstaben

Lektion 37 | S. 62

☞	Vokalwechsel bei der Verkleinerungsform *-chen* und beim Plural; Ausspracheschulung
➲ 5a CD3/11	• die Wörter hören und mitlesen • die Wörter einzeln hören, die CD unterbrechen und das Wort nachsprechen

⮕ 5b CD3/12
- einen Satz hören, unterbrechen und den Satz nachsprechen usw.
- einen Satz laut vorlesen, dann den Satz von der CD hören; die CD unterbrechen, den nächsten Satz laut vorlesen usw.
- Satz für Satz laut vorlesen

6 | Hören: Viele Aufgaben

Lektion 37 | S. 62

☞   Wortschatz *Tageszeiten* erweitern und einüben; Modalverben *dürfen* und *müssen* anwenden

- Hinführen: Klassengespräch über Haustiere: Sicherlich gibt es in jeder Klasse mindestens ein Kind, das eine Katze oder einen Hund hat. Ansonsten wissen die Kinder einiges über die Gewohnheiten von Tieren; Aussagen der S: *Katzen müssen etwas essen/fressen und trinken* – L: *Was bekommen sie denn?* – usw.; möglichst viel auf Deutsch sagen, wenn nötig, auch in der Muttersprache sprechen

⮕ 6a CD3/13

Differenzierung

- noch einmal Zettel 1 lesen
- Globalverstehen: das Bild unten anschauen und das Gespräch hören; in der Muttersprache über die Situation und die Personen sprechen (Hanna und ihre Eltern holen das Kätzchen bei Kathi und ihrer Mutter ab.)
- das Gespräch noch einmal hören und auf die jeweils sprechende Person zeigen
- Detailverstehen: die Bildreihe mit dem Kätzchen anschauen und die Wörter still lesen
- das Gespräch hören und die Reihenfolge der Tätigkeiten feststellen (Lösung: B-A-C-D-E)
1. in Klassenarbeit: das Gespräch hören und an den passenden Stellen auf Zuruf der S die CD unterbrechen; S zeigen auf das entsprechende Bild und nennen die Tätigkeit
2. in Partnerarbeit: das Gespräch ganz hören und die Tätigkeiten ordnen

⮕ 6b CD3/13

Differenzierung

- Fragen und Auswahlantworten lesen und die richtige Antwort herausfinden (Lösungswort: TIER)
1. in Klassenarbeit: Frage 1 lesen; die CD hören; an der Stelle mit der benötigten Information die CD unterbrechen und die richtige Auswahlantwort vorlesen usw.
2. in Partnerarbeit: Fragen und Antworten lesen; das ganze Gespräch hören und die richtigen Antworten auswählen; die Lösungsbuchstaben aufschreiben
3. in Einzelarbeit: alle Fragen lesen und versuchen, die richtige Auswahlantwort herauszufinden; die Lösungsbuchstaben aufschreiben; dann das Gespräch noch einmal hören; eventuell an den passenden Stellen unterbrechen und die Antwort kontrollieren

- Wortschatz *Tageszeiten* erweitern und einüben:
  ⬧ das Zifferblatt mit der Tageszeiten-Übersicht anschauen und die Angaben lesen
  ⬧ Aussagen über den eigenen Tagesablauf machen; dabei alle Angaben verwenden:
Beispiele: *Am Morgen stehe ich auf, dann dusche und frühstücke ich.*
         Am Vormittag bin ich in der Schule.
         ...
         ...
         In der Nacht schlafe ich.

fakultativ: Frage und Antwort: *Was machst du am Abend? – Am Abend darf ich fernsehen, immer von 6 bis 7 Uhr.* – usw.

- Aussagen über Mimis Tagesablauf machen; die Bildreihe anschauen oder die CD noch einmal hören
Am Morgen muss Hanna Mimi füttern.
Am Mittag bekommt Mimi Wasser.
...

AB   Übung 5 und 6

7 Hannas Tagesplan

☞ Wortschatz *Tageszeiten* und Satzstellung nach Zeitangaben einüben; Modalverb *müssen* festigen

- wie angegeben Hannas Tagesplan in Kurzform aufschreiben
- Frage und Antwort: *Was muss Hanna am Morgen machen? – Am Morgen muss Hanna ... usw.*

8 E-Mail von Toni

☞ *beschreiben*; *etwas besitzen*; Wortschatz *Tageszeiten* einüben

- die E-Mail still lesen
- Tonis Tagesplan aufschreiben; in Klassenarbeit an die Tafel oder jeder S ins Heft
- Fragen und Antworten zu Tonis Hund und zum Tagesplan
- Hannas E-Mail an Toni schreiben; darin die Katze beschreiben und über den Ablauf des Tages mit der Katze berichten

9 Regeln für die Katze

☞ Wortschatz erweitern; Modalverben *dürfen* und *müssen* wiederholen

- Hinführen im Klassengespräch: *L: Wir haben eine Klassenordnung. Was steht da drin? –*
  S1: Lisa und Petra dürfen im (Monat) die Tafel sauber machen. – L: Richtig. Was noch? –
  S2: ... und ... dürfen am Montag, Dienstag und Mittwoch die Hefte einsammeln. –
  L: Richtig. Klassenordnung heißt auch Regeln für die Klasse. Gibt es auch eine Ordnung
  für Katzen, also eine Katzenordnung? – S bestätigen das und nennen Beispiele: *Hanna muss*
  die Katze füttern. – Hanna muss mit Mimi spielen. – L: Das sind <u>Regeln für die Katze.</u>
  (Tafelanschrift)

CD3/14
- das Bild anschauen und darüber sprechen
- das Gespräch still lesen und versuchen, die fehlenden Teile zu ergänzen
- den vollständigen Dialog hören und mitlesen
- noch einmal hören und auf die jeweils sprechende Person zeigen; in der Muttersprache über Gesichtsausdruck und Körperhaltung der Personen sprechen

- die Textstellen mit den Regeln für die Katze suchen und vorlesen
- einen Dialog zwischen der Mutter und Hanna bezüglich der Regeln machen:
  Beispiel: S1: *Die Katze muss im Katzenkorb schlafen.*
  S2 (zur Katze): *Hörst du? Du musst im Katzenkorb schlafen.*
- zunächst die entsprechenden Teile des Dialogs im Text suchen und vorlesen;
  dann vor der Klasse szenisch darstellen; ein S spielt die Katze

- in Klassenarbeit überlegen, ob es Regeln für andere Haustiere gibt und solche Regeln formulieren
  fakultativ: Witzige Regeln für Tiere im Zirkus und Zoo erfinden: Beispiel: *Löwen müssen im Katzenkorb schlafen. – Der Elefant darf heute in mein Bett.* Eventuell solche witzigen Regeln auf ein Plakat schreiben, ein Bild dazu malen und das Plakat in der Klasse aufhängen.
  alternativer VORSCHLAG: Jeder S schreibt witzige Regeln für die Tierhaltung auf ein Blatt für sein **Portfolio**. Natürlich auch ein Bild zu jeder Regel malen.

AB
Übung 7 (in Klassenarbeit)

Lektion 38 So viele Tiere!

☞ *beschreiben; etwas besitzen; jemanden auffordern*; Wortschatz *Haustiere*

1 Ratespiel: Was für ein Tier ist das?

Lektion 38 | S. 64

☞ Wortschatz *Haustiere* anwenden und unbestimmten Artikel im Nominativ wiederholen

Material	die Bildkarten von Lektion 37, Übung 1d
➲ 1a	• die Bildkarten mit Artikelfarben versehen
➲ 1b CD3/15	• S schauen die Bilder an, lesen die Sprechblasentexte und versuchen, den Spielablauf zu verstehen • den Spielablauf hören und mitlesen • das Ratespiel wie dargestellt spielen; auf den richtigen Gebrauch des unbestimmten Artikels (*ein/eine*) achten Variante 1: wie dargestellt das Bild kurz zeigen und dann ganz schnell umdrehen Variante 2: das Bild nicht zeigen Vorschlag zur Differenzierung: Möglicherweise benötigen die S die Artikeltabelle *Haustiere* als visuelle Hilfe; den Wortschatz *Haustiere* mit der „Klatschübung zur Betonung" als Ratespiel reaktivieren (siehe LHB S. 11, Punkte 2.2.2 und 2.2.3); die erratenen Wörter nach Genera geordnet in die Tabelle eintragen, darüber schreiben: *Das ist ein ein eine* Anschließend das Ratespiel spielen
AB	Übung 1

2 Hören: Lilly und die Tiere!

Lektion 38 | S. 64

☞ Hörverstehen; *beschreiben; etwas besitzen; jemanden auffordern*; Wortschatz *Haustiere* anwenden

	HINWEIS: Die Hörgeschichte ist mit vielen Hintergrundgeräuschen und Tierstimmen untermalt. Die S müssen deshalb die Geschichte unbedingt mehrmals hören.
➲ 2a CD 3/16 Differenzierung	• das Bild ansehen und die Tiere benennen • das Bild anschauen und die Geschichte hören • zweites Hören mit der Aufgabe, die Namen der Kinder herauszuhören (Hanna ruft an; auf dem Bild sind Lilly und ihr Bruder Stefan) • drittes Hören mit der Aufgabe, auf die Tiere im Bild zu zeigen 1. auf Zuruf der S das Hören der Geschichte unterbrechen, wenn ein Tier genannt wird 2. L schreibt die Namen der Tiere durcheinander an die Tafel (*Hund, Wellensittich, Meerschweinchen, Pony, Katze, Schildkröte, Hase, Papagei*); S hören die CD ganz, ein S steht an der Tafel und zeigt jeweils auf das Wort 3. die Tiernamen an der Tafel nummerieren; S hören die CD ganz; jeder S schreibt während des Hörens die Nummern der jeweils zu hörenden Tiernamen auf (anschließend richtige Reihenfolge überprüfen!)
	fakultativ: selektives Hören: „Platzwechselspiel" (siehe LHB S. 19, Punkt 5.8); Vorschlag für die Wortauswahl: *die acht Tiere – Kiki – Ich habe gestern … – Geh weg! – Schokolade – Stefan – Hör auf! / Hört auf! – verrückt – fressen/frisst*
➲ 2b CD3/16 Differenzierung	• alle Fragen lesen und gemeinsam überlegen, welche Aussagen *richtig* (r) oder *falsch* (f) sind; die vermuteten Lösungen in Kurzform untereinander an die Tafel schreiben • die Geschichte hören und die Lösungen überprüfen 1. in Klassenarbeit: auf Zuruf der S die CD an den passenden Stellen unterbrechen und die Lösungen an der Tafel vergleichen und eventuell korrigieren 2. in Partnerarbeit: die Lösungsvorschläge an der Tafel auf ein Blatt übertragen; dann wie vorher mit Unterbrechungen hören und die Lösungsvorschläge auf dem Blatt vergleichen 3. wie Differenzierung 2, aber die CD ohne Unterbrechungen hören • in Klassenarbeit alle Sätze richtig vorlesen

➲ 2c	• in Partner- oder Gruppenarbeit mit dem „Fragewürfel" (siehe Lektion 30, Übung 11) Fragen zur Hörgeschichte und zum Bild stellen; die Aussagen von Aufgabe b mitverwenden
AB	Übung 2 und 3

3 Hanna kommt

Lektion 38 | S. 65

☞	*beschreiben; etwas besitzen; jemanden auffordern;* Wortschatz *Haustiere* anwenden; Personalpronomen im Dativ wiederholen
	HINWEIS: Die fünf Dialoge schließen sich inhaltlich eng an die Hörgeschichte (Lektion 38, Übung 2) an. Sie sollten als Einheit präsentiert werden.
CD3/17	• den Text zudecken; die Dialoge hören und dabei die Bilder anschauen (von oben nach unten in der Reihenfolge der Dialoge) Variante: die Seite 65 im Kursbuch kopieren und zerschneiden (5 Dialoge und 5 Bilder) ⬥ S bekommen zunächst die Bilder ungeordnet; die Dialoge hören und die Bilder in die richtige Reihenfolge legen ⬥ S bekommen auch die Texte ungeordnet; die Dialoge still lesen und den Bildern zuordnen; dann die Dialoge hören und mitlesen; die Zuordnung überprüfen
	• Vorschläge zum Leseverstehen: siehe LHB S. 12, Punkt 2.3.2; die Übung „Frage und Antwort zum Text" in Klassen- oder Partnerarbeit durchführen, ebenso die Übung „Wer sagt das?", zum Beispiel: L / später S: *Wer sagt das: Lilly, Telefon!* – S1: *Das sagt der Papagei.*
	• Vorschläge für die Arbeit mit den Dialogen: siehe LHB S. 10, Punkt 2.2.1 • in Partnerarbeit alle Dialoge einüben („Flüsterlesen"); später einen Dialog vorlesen • in Partnerarbeit einen der Dialoge auswendig lernen und die Szene spielen
	• einige der Dialoge mit den angegebenen Wörtern („Ebenso mit: …") verändern; darauf achten, dass im 4. Dialog auch der Artikel und das Personalpronomen geändert werden müssen; einen der Dialoge in Partnerarbeit einüben, vorlesen oder spielen
	fakultativ: Schreiben ⬥ Informationen über die Tiere aus dem Text entnehmen und aufschreiben; Beispiel: *Der Hund heißt Napoleon. Er ist ganz lieb.* ⬥ einen der neuen Dialoge mit einem anderen Haustier aufschreiben
AB	Übung 4

4 Das ist mein Haustier!

Lektion 38 | S. 66

☞	*beschreiben; etwas besitzen;* Wortschatz *Haustiere* anwenden; Adjektive wiederholen
Material	Stofftiere oder Fotos von Haustieren der Kinder
➲ 4a	• die angegebenen Strukturen lesen und nach Frage und Antwort geordnet an die Tafel schreiben • L führt einige Beispiele mit der Klasse durch. • Frage und Antwort durch S ⬥ S fragen einzelne S ⬥ mehrere S gehen gleichzeitig durch die Klasse und fragen andere S
➲ 4b	• die Aufgabe besprechen, die Strukturen lesen und an die Tafel schreiben; S1 stellt sich mit seinem Foto oder Stofftier vor die Klasse und erzählt von seinem Tier Variante: L / andere S stellen Zusatzfragen; Beispiele: *Frisst dein … viel? – Schläft … im Katzenkorb? – Kann … auch klettern/schwimmen/sprechen …?*
AB	Übung 5

5 Ratespiel: Gehört das dir?

Lektion 38 | S. 66

☞   *etwas besitzen*; Wortschatz *Haustiere* anwenden; Personalpronomen im Dativ (*mir/dir*) einüben

Material	wie bei Übung 4
	Personalpronomen im Dativ einführen: • L nimmt eines der Fotos und spricht einzelne S an: *Gehört die Katze dir?* – S1: *Nein.* – L flüstert vor: *Nein, die gehört mir nicht.* – S1 spricht den Satz nach. Ebenso mit anderen S • „Imitatives Nachsprechen": L zeigt ein Foto eines Hundes; L: *Nein, der gehört mir nicht.* – alle S sprechen genau nach; ebenso mit anderen Fotos (Hund, Meerschweinchen)
	• das Bild anschauen und die Sprechblasentexte lesen; S müssten jetzt den Ablauf des Ratespiels verstehen • das Ratespiel wie dargestellt spielen
AB	Übung 6

6 Lied: Die Tierband Schlabidabidu

Lektion 38 | S. 66

☞   Redemittel der Lektion im Lied anwenden

	HINWEIS: Das Lied hat einen lebhaften Rhythmus und erfordert schnelles Sprechen. Es wird deshalb der Weg vom Hören über Auf-Silben-Singen und rhythmisches Sprechen zum Singen vorgeschlagen.
	Hinführen im Klassengespräch: L: *Kennt ihr die Band ...?* (L nennt eine bekannte Band.) Oder: *Wie heißt eure Lieblingsband?* – S erzählen, eventuell in der Muttersprache L: *Ich kenne auch eine Band, eine Tierband. Sie heißt Schlabidabidu. Schaut mal, wer da mitspielt!* Im Buch die Bilder von den Tieren anschauen; S nennen die Tiere mit Namen (siehe Übung 3): *der Hund Napoleon, der Papagei Lora ...*

CD3/18	• das Lied hören und den Text mitlesen
	• das Lied einüben:
	  • jeweils die Zeile 5 einüben (in Strophe 1: *Schlabidi, schlabidu, wau, wau*)
	  • das Lied hören und jeweils die Zeile 5 mitsingen
	  • die Zeilen 1 und 2 durch „Imitatives Nachsprechen" einüben; im Rhythmus des Liedes sprechen
	  • das Lied hören und versuchen, auch die Zeilen 1 und 2 mitzusingen
	  • das Lied hören und versuchen, die Zeilen 3 und 4 mitzusummen oder auf Silben *(la-la-la)* mitzusingen
	  • die Zeilen 3 und 4 der Strophen 1 und 2 einüben; zunächst durch „Imitatives Nachsprechen", dann im Liedrhythmus sprechen und das Sprechtempo langsam steigern
	  • das Lied hören, die schon eingeübten Zeilen mitsingen und die Zeilen 3 und 4 flüsternd mitsprechen
	  • wie vorher, aber versuchen, auch die Zeilen 3 und 4 mitzusingen

CD3/19	• die Strophen 1 und 2 zur Playback-Fassung des Liedes singen
	VORSCHLAG: In der ersten Unterrichtsstunde nach der Einführung des Liedes nur die Strophen 1 und 2 ganz lernen.
CD3/19	• Wenn alle vier Strophen gelernt worden sind, wie vorgeschlagen weitere Strophen aufschreiben und in das **Portfolio** legen • auch die neuen Strophen zur Playback-Fassung des Liedes singen
fächerübergreifend	fakultativ: in Zusammenarbeit mit dem Kunstunterricht Tiermasken basteln; das Lied und die neuen Strophen zur Playback-Fassung singen und mit den Tiermasken pantomimisch spielen; die Szene an einem Elternabend präsentieren VORSCHLAG: eventuell auch Strophen und Masken zu Tieren von Lektion 27 (Zirkus) machen
AB	Übung 7

☞   *beschreiben*; Wortschatz *Haustiere*; Satzklammer; Perfekt

HINWEIS: Nach Lektion 32 (*Ich habe … bekommen*) und Lektion 35 (*Ich habe … vergessen*) werden in Lektion 39 weitere Verben im Perfekt und die Präteritumsformen *er/sie war* eingeführt. Auch diese Formen werden als ganze Struktur eingeführt und gelernt, das heißt, es wird in dieser Lektion noch nicht über die Bildung des Partizips und das Perfekt mit *haben* und *sein* gesprochen. Das geschieht am Anfang von *Planetino 3*.

---

1 Lesen: Comic
Lektion 39 | S. 67

☞   *beschreiben*; Verben in der Vergangenheit (*war* und Perfekt) einführen und einüben

Material	ein Stofftier (Hund, Katze, Bär) oder Fotos von Haustieren
	• Einführen der Struktur *Hast du … gesehen?*
	♦ L hat ein Stofftier in der Hand (z. B. einen Hund) und spricht mit HP darüber, zum Beispiel so: L: *Das ist mein Hund.* HP: *Der ist aber nett. Wie heißt er denn?* L: … (nennt einen Namen) HP: *Und wie alt ist er?* L: … HP: *Darf ich mal?* (L gibt HP den Hund) L (wendet sich einen Moment ab; HP gibt den Hund schnell einem S und fordert ihn mit einer Geste auf, den Hund zu verstecken.) L: *Wo ist mein Hund? Mein Hund ist weg. Hast du meinen Hund gesehen?* HP: *Nein.* L (fragt mehrere S, immer mit der gleichen Struktur): *Hast du meinen Hund gesehen?* (Dann fragt er den S, der den Hund versteckt hat.)
	♦ „ Imitatives Nachsprechen": *Hast du meinen Hund gesehen? – Hast du meine Katze gesehen?* usw. mit weiteren Tieren
⮌ 1a CD3/20	• den Comic anschauen und über die in den Bildern erzählte Handlung sprechen • den Comic hören, dabei die Bilder anschauen • hören und mitlesen • hören und auf die jeweils sprechende Person zeigen
⮌ 1b	• die passende Überschrift für den Comic auswählen
⮌ 1c CD3/21	• die Sätze hören und genau nachsprechen • die Sätze hören, im Text suchen und vorlesen; Beispiel: Satz 1 hören, dann die Pause auf der CD verlängern, damit die S Zeit haben, den Satz im Text zu suchen, dann den Satz vorlesen; ebenso mit den anderen Sätzen

	• Übungen zum Detailverstehen:
	   ♦ „Wer sagt das, Lilly oder Hanna?" Beispiel: L / später S: *He, was ist denn los?* – S suchen die Textstelle und die Person; S1: *Das sagt Hanna.* usw.
	   ♦ Übung „Was kommt dann?" (siehe LHB S. 12, Punkt 2.3.3) Beispiel: L: *Hast du meine …?* – S suchen die Textstelle, lesen vor oder sprechen frei: *Hast du meine <u>Katze gesehen</u>?*
	   ♦ Übung „Was kommt vorher?" (siehe LHB S. 12, Punkt 2.3.3) Beispiel: *… das gehört?* – Textstelle suchen, vorlesen oder frei sprechen: <u>*Hast du*</u> *das gehört?*

CD3/20	• den Comic einüben
	   ♦ den Comic satzweise hören, mitlesen und nachsprechen
	   ♦ ebenso, aber mit verteilten Rollen nachsprechen
	   ♦ in Vierer-Gruppen den Comic einüben („Flüsterlesen"); die Rollen mehrmals tauschen
	   ♦ den Comic mit verteilten Rollen vorlesen (wenn möglich „Sprechlesen")

AB	Übung 1

2 Hörspiel

☞	die Redemittel des Comics (Übung 1) anwenden
➲ 2a	• gemeinsam den Arbeitsplan für das Hörspiel besprechen
➲ 2b	• wie vorgeschlagen in Gruppenarbeit Drehbücher schreiben; S lesen immer im Original-text nach
	• in der Gruppe überlegen, welche Hintergrundgeräusche man für die einzelnen Bildszenen braucht Bild 1: Türklingel, Tür aufmachen, Schritte Bild 2: Junge rennt über die Straße Bild 3: …
➲ 2c	• das Hörspiel in der Gruppe einüben und mit verteilten Rollen vorlesen • das Hörspiel auf Tonträger aufnehmen Variante 1: Jede Gruppe nimmt ihr eigenes Hörspiel auf. Variante 2: Ein Ergebnis der Gruppenarbeiten wird ausgewählt und als Hörspiel aufgenommen.
AB	Übung 2

3 Wir erzählen die Geschichte „Mimi ist weg!"

☞	den Comic in einen Erzähltext umwandeln; Redemittel der Lektion anwenden
➲ 3a	• die Sätze still lesen, dann vorlesen • die Reihenfolge der Sätze feststellen: Variante 1: vier bis sechs Gruppen bilden; S jeder Gruppe schreiben die 14 Sätze auf einzelne Zettel/Satzstreifen; dann rekonstruiert jede Gruppe die Geschichte und legt die Satzstreifen in die richtige Reihenfolge Variante 2: die 14 Sätze von S auf lange Kartonstreifen schreiben lassen, die Satzstreifen verteilen; bei großen Klassen bekommen immer zwei S einen Satz; die Sätze nacheinander in der richtigen Reihenfolge vorlesen und an der Tafel befestigen Variante 3: wie Variante 2, aber zwei Gruppen haben je eine komplette Satzstreifen-Serie; nicht vorlesen, sondern jede Gruppe muss Satz für Satz die Geschichte an der Tafel vervoll-ständigen
➲ 3b CD3/22	• Fragen hören und beantworten; HINWEIS: Die Fragen beziehen sich auf die Geschichte in der richtigen Reihenfolge; VORSCHLAG: Frage 1 hören; ein S antwortet in Kurzform, dann Kontrollhören usw.
Differenzierung	1. die vollständige Geschichte an der Tafel als Hilfe 2. ohne visuelle Hilfe
AB	Übung 3 und 4

4 E-Mail an Toni

☞	Verben in der Vergangenheit; Satzklammer einführen und einüben
➲ 4a	• die Wörter lesen, die ergänzt werden sollen; die E-Mail still lesen und versuchen, die fehlenden Wörter einzusetzen
➲ 4b CD3/23	• die vollständige E-Mail hören, mitlesen und mit der eigenen Lösung vergleichen • noch einmal satzweise hören, mitlesen und nachsprechen
	• die Verbformen in der Vergangenheit einüben: ♦ „Tamburin-Spiel" (siehe LHB S. 15, Punkt 5.1); L und alle S übernehmen die Rolle von Hanna; Beispiel: L: *Meine Katze ____ gestern weg.* – Alle S: *Meine Katze war gestern weg.* usw. L lässt bei Sätzen mit Perfekt immer das Partizip weg.

Differenzierung	1. S können ins Buch schauen
	2. alle Partizipien stehen verwürfelt an der Tafel
	3. ohne visuelle Hilfe

♦ Frage und Antwort zum Text der E-Mail: L: *Was war gestern?* Die Antworten, manchmal leicht abgewandelt, an die Tafel schreiben; Beispiel zu Frage und Antwort: L: *Was haben die Mädchen gemacht?* – S1: *Die Mädchen haben die Katze gesucht.* – usw.; nach und nach entsteht die folgende Tafelanschrift; zwischen den Sätzen Platz für die Satzklammer lassen.

Tafelanschrift:

> **Das war gestern**
>
> Die Mädchen | haben | die Katze | gesucht.
> Die Mädchen | haben | einen Jungen | gefragt.
> Der Junge | hat | die Katze nicht | gesehen.
> Hanna und Lilly haben ein Miau gehört.
> Mimi ist auf einen Baum geklettert.
> Die Mädchen haben die Feuerwehr angerufen.
> Die Feuerwehr ist gleich gekommen.
> Ein Mann hat Mimi geholt.

♦ Spiel „Steht ihr richtig?" (siehe Lektion 34 Ü 7) mit den Sätzen an der Tafel
Vorbereitung: Die Klasse in acht Gruppen einteilen, für jeden Satz eine Gruppe. Jede Gruppe bekommt einen Satz und schreibt ihn auf einen Kartonstreifen; L kennzeichnet an der Tafel die Stellen, wo die Satzstreifen zerschnitten werden müssen. Jede Gruppe zerschneidet ihren Satzstreifen und tauscht dann mit einer anderen Gruppe.
Spielverlauf: die Karten mischen
Gruppe 1 kommt nach vorne und stellt sich mit den Karten in der richtigen Reihenfolge auf.

L fragt: *Welche Wörter gehören zusammen und sind jetzt weit weg?* S: *haben* und *gesucht*. S mit diesen Karten legen sich gegenseitig einen Arm auf die Schulter. L zeichnet an der Tafel zu Satz 1 eine Satzklammer.

Die Mädchen   haben   die Katze   gesucht.

♦ die Satzkarten noch einmal innerhalb der Gruppen anders verteilen und das Spiel „Steht ihr richtig?" noch einmal durchführen

AB	Übungen 5, 6 und 7 (alle in Klassenarbeit)
AB	Lesen: den Lesetext „Prinz, der Kicker" (Seite 106) lesen und bearbeiten

Lektion 40   Tiere und ihre Freunde

☞ *beschreiben; jemanden auffordern;* Wortschatz *Haustiere* und Zeitangaben

1 Tier-Comics

Lektion 40 | S. 69

☞ *beschreiben;* Wortschatz *Haustiere* anwenden

Material	Bilder oder Fotos von Haustieren aus Zeitschriften; Kleber

- die Collage mit den beiden Tieren anschauen; die Sprechblasentexte lesen
- L bespricht mit der Klasse den Arbeitsauftrag
- wie vorgeschlagen Comics für das **Portfolio** herstellen
- der Klasse das fertige Blatt zeigen und in Partnerarbeit den Dialog zwischen den Tieren vorlesen

AB	Übung 1

2 Quartett

Lektion 40 | S. 69

☞	Wortschatz *Haustiere* und bestimmten Artikel im Akkusativ anwenden
Material	die Bildkarten von Lektion 37, Übung 1 (ohne die Bildkarte mit der Kuh); im LHB S. 87 war zu Übung 1 vorgeschlagen worden, die Bildkarten mehrfach für die Arbeit in Gruppen herzustellen; falls das nicht geschehen ist, müssen jetzt zunächst weitere Bildkarten hergestellt werden
	HINWEIS: Zu einem Quartett gehören die Bildkarten von jeweils 4 Haustieren mit demselben Artikel (siehe im Kursbuch die Liste unten).
⮂ 2a	• die Bildkarten für die einzelnen Spielgruppen sortieren und verteilen
⮂ 2b	• die Bilder mit dem Spielverlauf anschauen und die Sprechblasentexte lesen • die Redemittel an die Tafel schreiben: Tafelanschrift:

> Hast du den/das/die ...?
>
> Ich brauche den/das/die ...
>
> Hier bitte.
> Du bist noch mal dran.
>
> Tut mir leid.
> Jetzt bin ich dran.

- L demonstriert das Spiel mit einer Gruppe.
- in Gruppen Quartett spielen; darauf achten, dass wie angegeben gesprochen wird

Differenzierung	1. S orientieren sich an der Tafelanschrift 2. ohne visuelle Hilfe
AB	Übung 2 (in Klassenarbeit)

3 In Planetanien

Lektion 40 | S. 69

☞	über *Haustiere* sprechen
Material	Pappe, Schere, Kleber
fächerübergreifend	• in Zusammenarbeit mit dem Kunstunterricht wie vorgeschlagen Haustiere basteln • einzelne S präsentieren der Klasse ihr gebasteltes Tier, die Klasse stellt Fragen, z. B.: *Was für ein Tier ist das? – Kann ... auch schnell laufen?* usw.
	fakultativ: Die Bastelergebnisse an einem geeigneten Platz im Schulgebäude ausstellen; zu jedem Tier etwas schreiben.

4 Miteinander reden

Lektion 40 | S. 70

☞	*beschreiben; jemanden auffordern;* Wortschatz *Haustiere* anwenden
	HINWEIS: Diese Übung ist in ihrem Aufbau und Ablauf identisch mit Übung 9 von Lektion 32 (Kursbuch S. 43). Vorschläge dazu siehe LHB S. 65 zu Lektion 32, Übung 4
Material	die Bildkarten von Lektion 37, Übung 1
	• zur Erinnerung Seite 43 im Kursbuch anschauen • wie angegeben das Material für die Aufgaben herstellen • die beiden Aufgaben wie vorgeschlagen durchführen

☞	Leseverstehen
➲ 5a	• die Fotos anschauen und darüber sprechen, wenn nötig, in der Muttersprache • Globalverstehen: die Texte still lesen mit der Aufgabe, die einzelnen Abschnitte den Fotos zuzuordnen (Lösungswort: TIER)
➲ 5b	• Detailverstehen: die Überschrift den Fotos und Texten zuordnen
	• persönlicher Bezug: S berichten in der Muttersprache über andere seltsame Tierfreundschaften, von denen sie gehört und gelesen haben
AB	Übung 3
AB	**Weißt du das noch?** (Seite 93) in Einzel- oder Partnerarbeit bearbeiten
AB/Portfolio	**Das habe ich gelernt** (Seite 95/96) wie im AB Seite 6 vorgeschlagen für das Portfolio bearbeiten; wenn nötig, bei **Das kann ich schon** (Kursbuch Seite 72) nachschauen
AB/Portfolio	den **Grammatik-Comic** (Seite 97) für das Portfolio bearbeiten; wenn nötig bei **Das kann ich schon** (Kursbuch Seite 72) nachschauen
AB/Portfolio	in den Extraseiten **Mehrzahl** (Seite 107/108) den Teil *nach Lektion 40* in Partnerarbeit bearbeiten; die angegebenen Wörter in der Mehrzahl in die richtige Spalte der Tabelle eintragen
AB/Portfolio	die Extraseiten **Da ändert sich was!** (Seite 109/110) in Partnerarbeit bearbeiten; L sollte als Hilfe immer zur Verfügung stehen
AB/Wortliste	Arbeit mit der **Wortliste** zu den Lektionen 37–40 (AB Seite 94) Vorbemerkungen: siehe LHB S. 14, Punkt 3
	HINWEIS: Am Ende von *Planetino 2* werden hier in den Übungen 4 und 5 außer dem Wortschatz der Lektionen 37–40 auch bereits früher gelernte Redemittel wiederholt und in den neuen Wortschatz integriert.
	• Übung 1: soweit nicht schon geschehen in der Wortliste die Nomen mit Artikelfarben markieren und fehlende Artikel und Pluralformen nachtragen; wenn nötig, im Kursbuch in den entsprechenden Lektionen nachschauen
Differenzierung	• Übung 2: L / später S (mit dem Arbeitsbuch in der Hand) nennt ein Wort / eine Wortfolge aus der Wortliste und die Nummer der Lektion oder die Seite; Beispiel: *am Vormittag – Lektion 37.* 1. Alle S suchen im Kursbuch; ein S nennt die Seite und die Übung und liest den Satz vor oder formuliert ihn mit dem Sprachmaterial der Übung 2. wie bei 1., aber „Sprechlesen" 3. frei als Transfer: *Am Vormittag schläft meine Katze immer.*
	• Übung 3: für das Lied „Die Tierband Schlabidabidu" weitere Strophen machen (*Gans, Schaf, Schwein(chen), Maus/Mäuschen*), aber auch mit Zirkustieren und zur Playback-Fassung singen
	• Übung 4: Sprachmaterial aus *Planetino 1* und *2* in das Thema *Tiere* integrieren: 1. Vorbereitung: Wortschatz/Redemittel reaktivieren zu den Bereichen *Tiere – Tätigkeiten – Wie sind Tiere?* (Adjektive) – *andere wichtige Wörter* und nach und nach an die Tafel schreiben Vorschläge zur Erarbeitung des Wortschatzes: ♦ „Buchstabier-Spiel": ein Wort buchstabieren, erraten und anschreiben ♦ „Buchstabenspinne" siehe LHB S. 16, Punkt 5.4 ♦ Spiel „Dalli-Dalli" siehe LHB S. 15, Punkt 5.1 ♦ in Gruppenarbeit Wörter zu einem bestimmten Wortfeld aufschreiben, dann die Liste an der Tafel ergänzen ♦ einzelne S nennen ein Wort und schreiben es an die Tafel
	2. die folgende Tafelanschrift nach und nach entwickeln, und zwar die Spalten 2, 3 und 4 durch S, Spalte 1 durch S und L gemeinsam; Spalte 5 durch L alleine

Tafelanschrift:

1	2 Tiere	3 Wie sind sie?	4 Was machen sie?	5 wichtige Wörter
Ich mag ...	Affe	schnell	spielen	manchmal
Ich muss ...	Bär	dick	fressen	am liebsten
Man muss ...	Gans	langsam	klettern	besonders
... müssen	Hund	klein	fressen	ganz
Ich darf ...	Katze	komisch	turnen	ziemlich
Man darf ...	Maus	dünn	schwimmen	eigentlich
... dürfen	Löwe	nett	singen	ein bisschen
Es gibt viele ...	Elefant	bunt	sprechen	immer
Ich wünsche mir ...	Papagei	dick	fliegen	wirklich
... habe/hat ... bekommen	Schildkröte	schwer	springen	deshalb
... ist/sind ...	...	groß	trinken	...
... Lieblingstier ...		intelligent	tanzen	
... brauchen				
... können ...				

weitere Wörter für die Liste an der Tafel:
- Tiere: *Meerschweinchen, Hase, Wellensittich, Pferd, Schaf, Kuh, Tiger, Vogel, Robbe ...*
- Adjektive: *freundlich, toll, lieb, wunderbar, dumm, verrückt, lustig, müde, schwer, sauber, schmutzig ...*
- Verben: *laufen, Rad fahren, schlafen ...*

3. Vorschläge zur Durchführung der Übung:
HINWEIS: Den Plural der Tiere sollen die S möglichst oft anwenden, müssen die Formen aber selbst bilden. Bei allen vorgeschlagenen Varianten muss jeweils eine Struktur von Spalte 1 und mindestens je ein Wort aus zwei der anderen Spalten benutzt werden. Natürlich dürfen weitere Wörter hinzukommen.
Variante 1: Einzelne S machen Aussagen; z. B. *Es gibt manchmal viele Elefanten im Zirkus.*
Variante 2: L nennt zwei Wörter, die in einer Aussage verwendet werden müssen; Beispiel: *Mäuse – dünn;* S1: *Mäuse sind ziemlich dünn.*
Variante 3: Variante 2 als Gruppenwettkampf; wie vorher, aber die Aufgabe muss jeweils eine Gruppe lösen
Variante 4: wie Variante 3; aber die S der Gruppe schreiben reihum zu jeder vom L gestellten Aufgabe einen Satz auf. Alle Sätze vorlesen; für jeden richtigen Satz gibt es einen Punkt

- Übung 5: mit dem Spielplan „Ein Spiel für alle Fälle" (Kursbuch Seite 97)
  Erklärung des Spielplans: siehe LHB S. 20, Punkt 5.9

Material Listen und Wortkarten aus der Tabelle an der Tafel von Übung 4

1. Vorbereitung:
- Jeder S einer Spielgruppe schreibt die Strukturen von Spalte 1 und die Wörter von Spalte 5 untereinander auf ein Blatt; diese Liste legt jeder S später beim Spiel neben sich.
- Jede Spielgruppe schreibt die Tiere von Spalte 2 einzeln auf Karten; außerdem alle Wörter der Spalten 3 und 4 auf andersfarbige Karten.

2. Spielablauf:
zwei Kartenstapel bilden, Stapel 1 die Tiere, Stapel 2 die Adjektive und Verben; außerdem hat jeder S die Liste mit Strukturen und anderen wichtigen Wörtern. Wie gewohnt spielen: Kommt ein S auf ein farbiges Feld, so nimmt er von jedem Stapel die oberste Karte; Beispiel: *Wellensittich* und *klein;* jetzt muss S zusätzlich aus der Liste auf dem Blatt eine Struktur und eines der wichtigen Wörter verwenden; S1: *Ich habe einen Wellensittich bekommen. Er ist ganz klein.* Das ist richtig. Er darf die Karten behalten. Ist die Aussage falsch, muss er die Karten zurücklegen.

Theater

Hans im Glück

VORBEMERKUNG: Für diese Theaterlektion wurde das Märchen „Hans im Glück" aus der Sammlung „Kinder- und Hausmärchen" der Brüder Grimm für eine Aufführung als Schattentheater ausgearbeitet. Der Text wurde vereinfacht und damit den sprachlichen Fähigkeiten der Schüler angepasst.

In Teil A werden neue Wörter eingeführt, die zum verbindlichen Lernwortschatz gehören. Sie werden allerdings in *Planetino 3* noch einmal wiederholt. Aus diesem Grund kann der Lehrer die Theaterlektion je nach zur Verfügung stehender Zeit entweder knapp oder ausführlich behandeln. Das Märchen sollte jedoch, wenn möglich, einstudiert und aufgeführt werden, da eine solche Theateraufführung für die Kinder besonders motivierend ist und das Selbstwertgefühl und die Freude am Erlernen einer Fremdsprache steigert. Einstudierung und Aufführung werden wesentlich dadurch erleichtert, dass beim Schattentheater die Akteure hinter einem Vorhang agieren; die Schüler müssen den Text also nicht auswendig lernen, sondern ihn nur gut vorlesen können. Falls das Theaterstück nicht aufgeführt werden kann, sollten die Schüler aber unbedingt das Märchen (Teil B) lesen und bearbeiten. Solch ein längerer Text bietet eine gute Möglichkeit, das Leseverstehen zu trainieren.

A **Berufe**		Theater | S. 73
Sprechhandlung	Berufe nennen	
Wortschatz	Berufe	

1 Hören: Was sind sie von Beruf? Theater | S. 73

☞	Hörverstehen; Wortschatz *Berufe* einführen und einüben
⟳ 1a CD3/25	• die Fotos anschauen und bereits bekannte Berufe nennen (*Arzt, Lehrer*); eventuell auch Internationalismen nennen (*Pilot, Architekt …*) • den ersten der fünf kurzen Texte hören; nach der Frage „Was ist der Mann / die Frau von Beruf?" unterbrechen und das zur Berufsbeschreibung passende Bild suchen, die Berufsbezeichnung lesen und nennen; ebenso mit den weiteren vier Texten
⟳ 1b	• L liest der Reihe nach die Berufsbezeichnungen vor. S schauen die entsprechenden Bilder an und lesen still mit. • die Sätze still lesen; L erklärt, wenn nötig, unbekannten Wortschatz (*Er verkauft …/Er macht Messer scharf. / Sie baut ein Haus.*) • in Einzel- oder Partnerarbeit die Sätze den Berufen zuordnen (Lösung: KÜNSTLERIN)
AB	Übung 1 (in Klassenarbeit)
⟳ 1c CD3/26 Differenzierung	• die Sätze von Aufgabe b mit den Berufsbezeichnungen verbinden; das Beispiel vorlesen, gemeinsam ein weiteres Beispiel formulieren und eventuell an die Tafel schreiben • die Aufgabe gemeinsam oder in Partnerarbeit (jeweils ein Satz im Wechsel) durchführen • die Sätze zur Kontrolle hören 1. die Sätze einzeln hören; nach jedem Satz unterbrechen und auf das Bild mit der Berufsbezeichnung zeigen 2. alle Sätze ohne Unterbrechung hören und auf das jeweilige Bild zeigen
	• Ratespiel unter Verwendung der Sätze von Aufgabe b; Beispiel: L / später S: *Sie kann ein Flugzeug fliegen*: – S1: *Sie ist Pilotin.* – usw.
AB	Übung 2
AB/Wortliste	• in der Wortliste (AB Seite 102) die fehlenden Artikel eintragen

Theater | Feste im Jahr | Tests | Lösungsschlüssel | Transkriptionen | Wortliste

L40 L39 L38 L37 Modul 10 | L36 L35 L34 L33 Modul 9 | L32 L31 L30 L29 Modul 8 | L28 L27 L26 L25 Modul 7 | L24 L23 L22 L21 Modul 6 | Einführung

2 Pantomime-Spiel: Berufe raten

☞ Wortschatz *Berufe* einüben

• die Spielszene anschauen und die Texte lesen
• das Pantomime-Ratespiel spielen
VORSCHLAG: Die Klasse in Gruppen einteilen; jede Gruppe überlegt, wie sie einen Beruf pantomimisch darstellen kann; ein S der Gruppe spielt die Szenen.
Variante für die sprachliche Formulierung: S1*: Was bin ich?* – S2: *Du bist Pilot.*

• Übung für den Plural der Berufe:
  ◆ im AB/Wortliste (S. 102) den Lerntipp lesen und ausfüllen
  ◆ an der Tafel in Klassenarbeit eine Liste der Berufe (Singular und Plural) entstehen lassen, auch solche, die aus *Planetino 2* und *Planetino 1* bekannt sind:
  aus *Planetino 1*: *Fußballspieler(in), Astronaut(in), König(in)*
  aus *Planetino 2*: *Zirkusdirektor, Direktor(in), Clown, Künstler(in), Sekretär(in)*
  Ableitungen von bekannten Wörtern: *Fußballspieler(in): Tennisspieler(in)* –
  Basketballspieler(in) – *Volleyballspieler(in)* – *Tischtennisspieler(in)*
  Sportlehrer(in): Musiklehrer(in) – *Biologielehrer(in)* – *Deutschlehrer(in)* usw. mit weitern
  Unterrichtsfächern
  Tafelanschrift:

ein ...	viele ...	eine ...	viele ...
Arzt	Ärzte	Ärztin	Ärztinnen
Lehrer	Lehrer	Lehrerin	Lehrerinnen
Schauspieler	...	Schauspielerin	...
...	...	...	...

  ◆ die Übung 1c als Rateübung abgewandelt mit den Pluralformen durchführen;
  Beispiel: S1: *Sie können ein Flugzeug fliegen.* – S2: *Sie sind Pilotinnen oder Piloten (von Beruf).*
  fakultativ Variante von Übung 2: Mehrere Mädchen oder Jungen stellen einen Beruf pantomimisch dar; S fragen: *Was sind wir?* – S1: *Ihr seid Pilotinnen.*

AB   Übung 3 (in Klassenarbeit)
  ◆ dann im Wechsel vorlesen
  ◆ persönlicher Bezug: S sagen, was sie einmal werden möchten. Beispiel: S1: *Ich möchte gern Basketballspielerin werden.* – S2: *Warum?* – S1: *Ich spiele sehr gern Basketball.*

B Das Märchen

1 Lesen: Hans im Glück

HINWEIS: Dieser lange Lesetext kann und soll von den Schülern nicht in allen Einzelheiten verstanden werden. Im Laufe der Arbeit mit dem Lehrwerk *Planetino* haben die Schüler jedoch schon einige Strategien zum Leseverstehen kennengelernt, sodass sie keine Mühe haben werden, aus dem Kontext und mithilfe der Bilder den Ablauf der Handlung zu verstehen.

Material   Lesetext in Kopie für jeden S

⮌ 1a   • die Bilder anschauen und die Tiere benennen
  • L liest den 1. Abschnitt vor und nennt dann noch einmal die Schlüsselwörter *(Hans – Meister – ein Stück Gold);* S suchen das passende Bild und nennen den Buchstaben (S)
  • in der Muttersprache über das Bild und insbesondere über die Werkzeuge sprechen; überlegen, welchen Beruf der Meister wohl hat (Schreiner/Zimmermann)
  • die Klasse in 6 Gruppen einteilen; jede Gruppe bekommt einen der weiteren Abschnitte mit der Aufgabe, ihn zu lesen und das dazu passende Bild zu suchen
  • gemeinsam die Zuordnung der Texte und Bilder besprechen (Lösung: SCHWEIN)
  • Jeder S bekommt eine Kopie des Lesetextes und liest das ganze Märchen still mit der Aufgabe, alles zu unterstreichen, was er versteht.

- in Klassen- oder Partnerarbeit jedem Textabschnitt und Bild eine Überschrift geben und an die Tafel schreiben

Vorschlag für die Tafelanschrift:

> 1 *Hans möchte nach Hause. / Hans bekommt ein Stück Gold.*
> 2 *Hans bekommt ein Pferd.*
> 3 *Hans bekommt eine Kuh.*
> 4 *Hans bekommt ein Schwein.*
> 5 *Hans bekommt eine Gans.*
> 6 *Der Scherenschleifer / Hans bekommt einen Schleifstein.*
> 7 *Der Stein fällt ins Wasser und Hans ist froh.*

⊃ 1b

- wie vorgeschlagen in Partnerarbeit eine Szene aus dem Märchen pantomimisch einüben und vorspielen; die Klasse muss raten, zu welchem Textabschnitt/Bild die Szene gehört

AB

Übung 4: eine Geschichte (nach)erzählen
Dieser Übungstyp wurde bisher nur sehr selten angewandt; deshalb sollte L die Durchführung der Übung 4b mit der Klasse besprechen;
Vorschlag: Frage 1 (von 4a) und die unvollständige Antwort 1 (von 4b) an die Tafel schreiben; Tafelanschrift:

> Wer hat sieben Jahre lang gearbeitet? – Hans hat ____ ____ lang gearbeitet.

Wahrscheinlich merken einige S sofort, dass die fehlenden Wörter in der Frage „versteckt" sind. Die beiden Wörter an der Tafel unterstreichen und den Lückensatz vervollständigen; die Erkenntnis an einem weiteren Beispiel überprüfen; AB Übung 4 bearbeiten

Differenzierung

1. die Fragen lesen und die Lückensätze ergänzen
2. die Fragen lesen und mithilfe der Bilder beantworten

2 Lieder

Theater | S. 75

CD3/27

- Lied 1:
  - die Bilder anschauen und Lied 1 hören
  - das Lied noch einmal hören und dem passenden Bild zuordnen (Bild S)
  - noch einmal hören und mitlesen
  - Lied 1 einüben (Vorschläge siehe LHB S. 14, Punkt 4 und 4.1)

CD3/28

- Lied 1 zur Playback-Fassung singen

CD3/29

- Lied 2:
  - das Lied hören und dem richtigen Bild zuordnen (Bild I)
  - wie für Lied 1 vorgeschlagen

CD3/30

- Lied 2 zur Playback-Fassung singen

C Die Szenen

Theater | S. 76/77

Hinweis: Auf Seite 74 wird das Märchen in sieben Abschnitten erzählt. Hier wird das Märchen – wieder in sieben Abschnitten – in Dialogform wiedergegeben, so wie es später für das Schattentheater gebraucht wird. In die einzelnen Dialogteile sind die beiden Lieder (siehe Übung 2) integriert.
Vorschlag für die Präsentation der Szenen:
Nachdem die S im Teil B den sehr arbeitsintensiven Text (S. 74) zuerst gelesen haben, sollte man sie jetzt zuerst die Szenen von der CD hören lassen.

CD3/31–33

- die Szenen bei geschlossenem Buch hören und die Liedstrophen mitsingen
- die sieben Szenen ordnen:
  - noch einmal die Bildfolge (Seite 75) anschauen, die Schlüsselwörter zu den einzelnen Bildern nennen und in der richtigen Reihenfolge an die Tafel schreiben

Tafelanschrift:

Bild S:	Meister	Gold
Bild C:	Reiter	Pferd
Bild H:	Pferd	Kuh
Bild W:	Kuh	Schwein
Bild E:	Schwein	Gans
Bild I:	Gans	Schleifstein
Bild N:	Der Stein ist weg. Hans ist froh.	

♦ die sieben Szenen flüchtig lesen und nur die an der Tafel aufgeführten Schlüsselwörter suchen; auf diese Weise die Reihenfolge der Szenen herausfinden (Lösung: MEISTER)
♦ die sieben Szenen noch einmal in der richtigen Reihenfolge hören, mitlesen und mitsingen
HINWEIS: Die Szenen und Lieder sind folgendermaßen auf die drei CD-Tracks verteilt:
CD3/31: Szene M + Lied 1 – Szene E + Lied 1
CD3/32: Szene I + Lied 1 – Szene S + Lied 1 – Szene T + Lied 1
CD3/33: Lied 2 + Szene E + Lied 1 – Szene R + Lied 1

• Übungen zum Leseverstehen: siehe LHB S. 12, Punkt 2.3.2

• Einüben der Szenen:
HINWEIS: Bei der geplanten Aufführung als Schattentheater agieren die Spieler hinter einem Vorhang (siehe S. 79). Sie müssen daher den Text nicht auswendig sprechen, sondern nur vorlesen. Es wäre aber für die Schüler ermüdend und auch unnötig, alle Szenen einzuüben. Sie sollten selbst eine Szene auswählen, bei der sie später auch als Sprecher oder Führer einer Schattenfigur mitwirken wollen. Vorschläge zur Verbesserung der Lesefertigkeit werden in den Hinweisen zu Teil D Schattentheater gemacht.

D Schattentheater
Theater | S. 78/79

1 Wir basteln Schattenfiguren
Theater | S. 78

fakultativ: Wenn möglich in Zusammenarbeit mit dem Kunstlehrer die Schattenfiguren wie vorgeschlagen basteln; S können die Arbeitsanweisungen mithilfe der Bilder selbst nachvollziehen. Die geschriebenen Arbeitsanweisungen sind eine Hilfe für den L, der, wenn nötig, Erklärungen in der Muttersprache gibt.

• alle Personen des Märchens und die Tiere und Gegenstände auf Kleingruppen verteilen:
Hans – Meister – Gold; Reiter – Pferd; Bauer – Kuh; Metzger – Schwein; Junge – Gans; Scherenschleifer – Stein; Schleifstein – Brunnen; jede Figur und jeder Gegenstand braucht einen eigenen Spieler

• Jede Gruppe stellt zu einer Szene die Schattenfiguren her und übt gleichzeitig den Text zu dieser Szene ein.

VORSCHLÄGE zur Herstellung der Figuren:
♦ die Personen-Figuren sollten etwa 30–40 cm hoch sein, die Tiere dementsprechend
♦ alle Figuren müssen im Profil dargestellt werden.
♦ den S erklären, dass der Zuschauer nur den Schattenriss sieht (siehe Abbildung unten auf Seite 79)
♦ alles, was sichtbar sein soll, muss nicht im Detail aufgezeichnet, sondern nur als Kontur ausgeschnitten werden
♦ die Stäbe, vor allem an den beweglichen Teilen, gut festmachen
♦ bei Pferd und Schwein ein Vorderbein beweglich ansetzen; bei der Kuh ein Hinterbein, weil sie mit einem Bein ausschlägt
♦ Der Scherenschleifer braucht bewegliche Arme, kein bewegliches Bein

VORSCHLÄGE zum Einüben der Texte:
Alle S einer Arbeitsgruppe sollten den Text der ausgewählten Szene einüben, sodass sie ihn gut vorlesen können. So kann nach Fertigstellung der Bastelarbeiten und den ersten Versuchen mit dem Führen der Stabfiguren entschieden werden, wer gerne vorlesen bzw. eine der Stabfiguren führen möchte. Die Rollen können auch getauscht werden.

CD3/31–33

• In Binnendifferenzierung kann L während der Bastelarbeitsphase reihum mit jeder Gruppe gezielt das Rollenlesen einüben; einige Basisübungen:
  ⬩ die Szene satzweise hören, unterbrechen und nachsprechen
  ⬩ die Szene hören und versuchen, halblaut mitzusprechen
  ⬩ schwierige Sätze durch „Imitatives Nachsprechen" einüben
  ⬩ in der Gruppe die Szene einüben („Flüsterlesen")
  ⬩ weitere Vorschläge für individuelles Üben mit oder in den Gruppen, siehe LHB S. 12/13, Punkt 2.3.3; L muss jedoch den Anstoß für die jeweiligen Übungen geben

2 Schattentheater spielen

Theater | S. 79

➲ 2a

• in den Gruppen das Führen der Stabfiguren üben; ausprobieren, wie die Stäbe geführt werden müssen, um Arme und Beine der Figuren zu bewegen

➲ 2b

• Vorbereitung der Aufführung:
  ⬩ Wie abgebildet und in den Anweisungen unter den Fotos erklärt die Kulissen und die Technik aufbauen; die Figuren müssen so nah wie möglich an das Tuch gehalten werden (siehe kleines Foto rechts), damit sie einen klaren Schatten werfen
  ⬩ Nach jedem Auftritt sollten die nicht mehr benötigten Spieler die Bühne verlassen
  ⬩ Jede Person muss zweifach besetzt werden. Ein S führt die Figur, der zweite liest die Rolle außerhalb der Bühne. Das ist deshalb wichtig, weil man die Stimme hinter dem Tuch schlecht hören würde.
  ⬩ Wenn eine Figur „spricht", muss sie sich bewegen, auch wenn sie steht. Dann kann sie z. B. einen Arm bewegen oder sich leicht nach rechts oder links neigen

CD3/34

• Aufführung des Schattentheaters:
  ⬩ in den einzelnen Gruppen die eingeübte Szene vorlesen und mit den Stabfiguren spielen
  ⬩ alle Szenen nacheinander vorlesen und die Stabfiguren führen
  ⬩ alle S singen gemeinsam die Lieder zur Playback-Fassung
  HINWEIS zur Playback-Fassung: Zum Einfügen der Lieder in die Szenen bietet die CD in der passenden Reihenfolge Playbacks an: 5x Playback Lied 1 – 1x Playback Lied 2 – 2x Playback Lied 1. L oder S sollte den Text der Szenen mitlesen und an den passenden Stellen die CD laufen lassen bzw. unterbrechen.

CD3/27–28

CD3/34

• Vorschläge für eine Aufführung vor anderen Klassen oder den Eltern:
Die Kinder anderer Klassen und die Eltern können meistens kein Deutsch, möchten aber natürlich die Handlung des Märchens möglichst genau verfolgen. Im Hinblick darauf könnte eine Aufführung so ablaufen:
  ⬩ L oder S informiert kurz in der Muttersprache über den Titel und die Verfasser des Märchens; nicht die Handlung erzählen
  ⬩ den Zuhörern die Lieder vorstellen und zum Mitsummen anregen; sie sollten so auch während der Aufführung mitmachen
  ⬩ als Einleitung zu jeder Szene erzählt ein S in der Muttersprache in Kurzform die Handlung
  ⬩ dann die jeweilige Einzelszene sprechen und spielen und die Lieder zur Playback-Fassung singen

fakultativ: nicht alle Szenen sprechen, sondern eine ausgewählte Szene von der CD hören (CD3/31–33) und dazu Schattentheater spielen

E Lesen: Hansi

☞   Leseverstehen

HINWEIS: Dieser Lesetext ist eine Umwandlung des Märchens „Hans im Glück" in ein modernes Märchen. Der Wortschatz ist weitgehend bekannt.

➲ 1a
- die Bilder anschauen und Vermutungen über die Handlung anstellen
- Globalverstehen: den Text still lesen und die Bilder den Textabschnitten zuordnen (Lösungssatz: Hansis BRUDER heißt Tobias.)

➲ 1b
- Detailverstehen: die Lesegeschichte mit dem Märchen „Hans im Glück" vergleichen; die Beispiele lesen und vervollständigen; dann in Partnerarbeit weitermachen und die Ergebnisse vorlesen

➲ 1c
- Detailverstehen: die Sätze mit den Auswahlantworten lesen und die Aufgabe lösen (Lösung: HANSI); die richtigen Sätze vorlesen und die entsprechenden Sätze aus dem Text nennen

➲ 1d
- in Partnerarbeit Fragen und Antworten zum Text mit dem Fragewürfel (siehe LHB S. 16, Punkt 5.3)

➲ 1e
- die Klasse in Gruppen einteilen; jede Gruppe übt eine Szene ein und spielt sie vor

F Würfelspiel

☞   Redemittel des Märchens anwenden

Material   Spielfiguren, Würfel, sechs Bildkarten

a
- jede Spielgruppe stellt wie angegeben die sechs Bildkarten her

b
- die Spielanleitung lesen und gemeinsam mit L zur Demonstration für alle ein Spiel beginnen; bewusst die angegebenen Redemittel verwenden
- an Gruppentischen spielen

fakultativ: Das Würfelspiel mit Tauschgegenständen aus dem Lesetext „Hansi" spielen; oder Karten mit anderen Gegenständen schreiben und im Spiel verwenden

Feste im Jahr

Hier handelt sich nicht um eine Lektion im eigentlichen Sinne. Die einzelnen Themen haben keine sprachliche Progression und können jeweils bei Bedarf eingesetzt werden. Die Schüler erfahren, was Kinder in Deutschland, Österreich und der Schweiz zu allen wichtigen Festen singen und basteln. Auf methodische Hinweise wird verzichtet. Die Vorgehensweise beim Einführen und Einüben von Liedern und der Umgang mit Bastelanleitungen werden mehrfach in anderen Lektionen dargestellt. Die landeskundlichen Informationen kann der Lehrer seinen Schülern in der Muttersprache weitergeben. Es wird auch auf die landeskundlichen Informationen im Lehrerhandbuch zu *Planetino 1,* Jahreszeiten und Feste, hingewiesen.

Jahreszeiten

CD3/35   Lied: Die vier Jahreszeiten
CD3/36   Playback

In den deutschsprachigen Ländern unterscheiden sich die Jahreszeiten stark voneinander und prägen so das Leben und die Bräuche der Menschen, vor allem in ländlichen Regionen.

Frühling – Frühjahr

Der Frühling hat zwei Gesichter. Es kann schon herrlich warm sein, aber auch empfindlich kalt und regnerisch. Besonders im April kann das Wetter in kürzester Zeit umschlagen. Das „Aprilwetter" kommt auch in Sprichwörtern vor:

April, April,	April du, ach April!
Der weiß nicht, was er will.	Du fragst nicht, was *ich* will.
Bald lacht die Sonne hell und rein,	Du änderst dich im Nu,
Bald schaut der Himmel finster drein.	Schirm zu, Schirm auf, Schirm zu.
April, April,	April, April,
Der weiß nicht, was er will.	Du fragst nicht, was *ich* will.
Volksgut	*Volksgut*

Selbst im Mai muss man mit einem Kälteeinbruch rechnen, der in den Bergen sogar noch einmal Schnee bringen kann. Das geschieht meistens in der Zeit vom 12. bis 15. Mai, den sogenannten „Eisheiligen", nach katholischen Heiligen, deren Namenstage gefeiert werden:
12.5.: Pankratius, 13.5.: Servatius, 14.5.: Bonifatius, 15.5.: Sophie, genannt die „Kalte Sophie".
So gern die meisten Kinder den Winter mögen, freuen sie sich doch, wenn sie im Frühling allmählich ohne Schnee draußen spielen können. Die Osterferien werden dazu auch ausgiebig genutzt. An besonders warmen Tagen kann man schon mal einen Familienausflug mit den Fahrrädern machen. Einige Familien verbringen die Ferien im warmen Süden. Und ganz Unentwegte nutzen den letzten Schnee in den Alpen zu einem späten Schiurlaub.

Sommer

Die Sommerferien beginnen in Deutschland in den einzelnen Bundesländern zu unterschiedlichen Zeiten, wöchentlich gestaffelt etwa von Mitte Juni bis Ende Juli. Schulen, die länger Unterricht haben, leiden manchmal unter der Sommerhitze. Dann haben die Schüler „hitzefrei", das heißt, sie können eine oder zwei Stunden früher nach Hause gehen. Der Unterricht am Nachmittag fällt aus.
In den Sommerferien, die in allen Bundesländern sechs Wochen dauern, fahren viele Kinder mit ihren Eltern und Geschwistern in Urlaub. Aber nicht jede Familie kann sich das leisten, und so müssen manche Kinder zu Hause bleiben. Für sie bieten viele Städte Ferienfreizeiten an, mit Aktivitäten an einzelnen Tagen oder für einige Wochen. Auch in der Schweiz beginnen die Sommerferien je nach Kanton zu unterschiedlichen Zeiten, gestaffelt von Ende Juni bis Ende Juli. Die Länge der Sommerferien ist in der Schweiz nicht einheitlich festgelegt, so dauern die Ferien in den meisten deutschsprachigen Kantonen fünf bis sechs Wochen, in den französischsprachigen Kantonen länger, und im Tessin sogar elf Wochen.
In Österreich dauern die Schulferien im Sommer üblicherweise neun Wochen von Anfang Juli bis Anfang September und sind in zwei Gruppen von Bundesländern gestaffelt.

Herbst

Der Herbst kann noch richtig warme Tage bringen. Im September spricht man dann vom „Altweibersommer". Es gibt oft auch einen „goldenen Oktober", bevor dann im November das „Schmuddelwetter" beginnt, mit Nebel, Regen, Sturm und Kälte. In südlichen Regionen fällt dann manchmal schon der erste Schnee.

Bei schönem Wetter ist die Luft klarer als in allen anderen Jahreszeiten, und damit ist auch die Fernsicht besonders gut. Deshalb ist im September und Oktober das Bergwandern sehr beliebt. Von den Alpengipfeln kann man an solchen Tagen bis zu 200 km weit sehen.

Im Herbst herrscht auch ein besonderer Wind. Darum nehmen viele Familien zu ihrem Sonntagsspaziergang einen Drachen mit, den die Kinder gern steigen lassen.

Beliebt ist auch das Sammeln von Kastanien und bunten Blättern. Aus den Kastanien werden zu Hause oder in der Schule Figuren und Tiere gebastelt. Mit den Blättern werden Bilder gestaltet.

Winter

Wenn im Winter genügend Schnee liegt, ist es für Kinder ein großer Spaß, einen möglichst großen Schneemann zu bauen. Und wenn ein Hügel in der Nähe ist, gehen manche Lehrer mit ihren Schülern zum Schlittenfahren, zum Beispiel in der Sportstunde. Sehr beliebt ist auch ein Gang mit der ganzen Klasse zum Eislaufplatz.

Manchmal gehen die Schüler auch mit der Klasse zum Schifahren, für einen Tag oder für ein langes Wochenende. Und damit man den Winter richtig genießen kann, gibt es fast überall Winterferien – in Österreich die sogenannten *Semesterferien*, in der Schweiz die *Sportwoche*, in Deutschland (jedoch nur in einigen Bundesländern!) die *Faschingsferien*.

Advent und Weihnachten
Feste im Jahr | S. 84

1 Advent
Feste im Jahr | S. 84

In vielen Schulen hängt während der Adventszeit ein großer Adventskranz in der Eingangshalle. Und auch in fast jeder Klasse gibt es einen Kranz oder ein Adventsgesteck. Viele Klassen beginnen die Woche mit einer kleinen Adventsfeier. Die Kerzen werden angezündet, die Kinder sitzen im Kreis und singen Weihnachtslieder.

2 Nikolauslied: Lasst uns froh und munter sein
Feste im Jahr | S. 84

| CD3/37 | Lied: Last uns froh und munter sein |
| CD3/38 | Playback |

Der 6. Dezember ist Nikolaustag. Je nach Region wird aber schon am Abend des 5. Dezember gefeiert.
HINWEIS: Ausführliche Informationen zu den Bräuchen am Nikolaustag und dem geschichtlichen Hintergrund siehe im LHB zu *Planetino 1,* Seite 84.

3 Wir basteln Fensterschmuck
Feste im Jahr | S. 85

Viele Kinder basteln in der Adventszeit in der Schule oder zu Hause Weihnachtssterne für den Christbaum oder als Schmuck in der Wohnung oder an den Fenstern des Klassenraums. Mit Weihnachtssternen kann man auch Karten verzieren, die dann vor Weihnachten an Verwandte und Freunde geschickt werden.

Ein beliebtes Spiel in der Adventszeit ist das „Wichteln", in Österreich heißt es auch „Engerl-Bengerl" und in Norddeutschland nach skandinavischem Brauch „Julklapp". Man spielt es mit Freunden, und häufig wird es auch in der Klasse gespielt:

Jedes Kind schreibt seinen Namen auf ein Kärtchen. Die Kärtchen werden verdeckt auf den Tisch gelegt und gut vermischt. Jedes Kind nimmt eines der Kärtchen. (Der Name darauf darf den anderen nicht verraten werden.) Nun überlegt sich der „Wichtel" ein kleines, möglichst selbst gemachtes Geschenk, mit dem er dem auf dem Kärtchen genannten Kind eine Freude machen kann. Das können ein paar selbst gebackene Plätzchen sein oder eine Bastel-arbeit oder ein Bild, ein Rätsel ... Jedes Geschenk wird schön verpackt und mit dem Namen des Beschenkten beschriftet. An einem festgelegten Tag, zum Beispiel am letzten Schultag vor den Weihnachtsferien, werden alle Geschenke auf einen Tisch gelegt, und jeder darf sich sein Geschenk nehmen.

4   Lied: Alle Jahre wieder

CD3/39   Lied: Alle Jahre wieder
CD3/40   Playback

5   Weihnachtszeit bei uns

Weihnachten ist das größte Familienfest in Deutschland, Österreich und der Schweiz. Am Nachmittag des 24. Dezember, an „Heiligabend", wird der Christbaum geschmückt. Am frühen Abend findet die Bescherung statt. Geschenke liegen unter dem Christbaum, und die Kerzen am Baum sind angezündet. Die Familie versammelt sich unter dem Christbaum und singt Weihnachtslieder. Dann dürfen die Geschenke ausgepackt werden. Am späten Nachmittag oder am Abend gehen viele Familien in die Kirche. Am 25. Dezember, dem 1. Weihnachtstag, trifft sich meistens die ganze Familie zum traditionellen Weihnachtsessen. Oft gibt es Gans, Ente oder Truthahn. In manchen Regionen beginnt das eigentliche Weihnachtsfest auch erst am 25. Dezember.

In vielen Städten in Deutschland, Österreich und der Schweiz gibt es in der Vorweihnachtszeit einen Weihnachtsmarkt, in Süddeutschland und Österreich heißt er auch „Christkindlmarkt". Diese Märkte beginnen vier Wochen vor Weihnachten und schließen einen Tag vor dem eigentlichen Weihnachtsfest. Ein typischer Weihnachtsmarkt besteht aus vielen kleinen Verkaufsständen, die auf den Straßen der Stadt, oft an besonders schönen historischen Plätzen, aufgebaut werden. Dort werden weihnachtliche Backwaren wie Lebkuchen und Christstollen angeboten, es gibt heiße Getränke und man kann vielfältige Weihnachtsartikel wie Christbaumschmuck, Krippenfiguren oder Spielzeug kaufen. Fast immer gibt es dort einen großen Weihnachtsbaum und festliche Beleuchtung, die in der Dunkelheit des Winters eine besondere Atmosphäre schaffen.

Karneval – Fasching

CD3/41   Gedicht: Im Karneval, im Karneval

Die närrische Zeit zwischen dem Dreikönigsfest (6. Januar) und dem Beginn der Fastenzeit (sieben Wochen vor Ostern) heißt im Rheinland „Karneval", in Bayern und Österreich „Fasching" und in Südwestdeutschland (in der schwäbischen und badischen Gegend) und in der Schweiz „Fastnacht", „Fasnet" oder „Fasenacht".

Vor ungefähr 80 Jahren wurde in Aachen zum ersten Mal ein *Kinderkarneval* gefeiert. Seitdem gibt es das in vielen Städten. Kleine und große Kinder verkleiden sich und ziehen in einem eigenen Umzug durch die Straßen. Dazu wird getanzt und gesungen und viel Quatsch gemacht. Das ist ja das Schönste am Karneval: Die Kinder sind nicht mehr die Lisa oder der Markus, sondern eine Hexe und ein Indianer und niemand kann sie erkennen. In manchen Städten werden zum Kinderkarneval eine Karnevalsprinzessin und ein Karnevalsprinz gewählt. Die beiden sind beim Umzug und bei vielen Feiern dabei, bis dann am Aschermittwoch die Karnevalszeit vorbei ist.

Ostern

1   Wir machen einen Osterstrauß

In der Zeit vor Ostern basteln viele Kinder in der Schule Osterschmuck, den sie dann mit nach Hause nehmen oder mit dem sie das Klassenzimmer schmücken. Besonders beliebt sind ausgeblasene Eier, die angemalt und aufgehängt werden.

2   Am Ostersonntag

Am Ostersonntagmorgen wird in vielen Familien zum Osterfrühstück der Frühstückstisch festlich gedeckt und besonders geschmückt mit einem großen Osterstrauß mit ausgeblasenen bunten Eiern und oft auch mit Platzdekorationen, z.B. mit „Eierköpfen" aus ausgeblasenen Eiern. Es gibt hart gekochte, bunte Eier, Schinken und in manchen Gegenden auch „Osterbrot", ein etwas süßliches Brot aus Hefeteig.

Planetino 2 Tests

Test zu Lektion 21 und 22

1. Schreib die Wörter richtig zu der passenden Nummer.

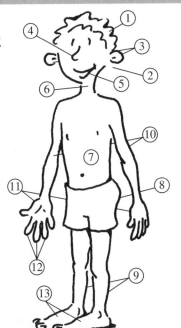

⚠ Die 3 fehlt hier!

1 __Haare__

4 _____

7 _____

8 _____

2 _____

6 _____

5 _____

aHls

aBchu   aeNs

oP   fKop

dMnu

aaeHr

6 Punkte
(bei falscher Schreibung ½ Punkt Abzug)

2. Schreib die Mehrzahl.

Schreib dann die Nummern aus dem Bild oben.

Bein   _9_ _Beine_   Arm   ___ _____

Fuß   ___ _____   Hand   ___ _____

Ohr   ___ _____   Finger   ___ _____

5 Punkte
(bei falscher Mehrzahlbildung oder bei falscher Zuordnung ½ Punkt Abzug)

3. Schau das Bild an und ergänze die Sätze.

a) __Das__   Gesicht ist   __rot.__

b) _____   Haare sind   _____

c) _____   Nase ist   _____

d) _____   Augen sind   _____

e) _____   Mund ist   _____

f) _____   Hals ist   _____

lang

kurz   rot   dünn

groß   klein

5 Punkte
(bei falschem Artikel oder falscher Beschreibung ½ Punkt Abzug)

4. Setz die Wörter ein.

◆ Hallo, Maria. Wir _____ heute schwimmen.

_____ du mitkommen? _____ du Lust?

■ Ich _____ nicht mitkommen.

◆ Warum _____ du denn nicht?

■ Ich _____ krank.

◆ Was _____ du denn?

■ Mein Kopf _____ weh, und mein Hals.

Und meine Ohren _____ auch weh.

Ich _____ heute zu Hause.

kann
tut   gehen
hast
Möchtest
bin
Hast
bleibe
tun
kannst

10 Punkte

5. Ergänze die Sätze.

Marek   Paula   Jakob   Bodo

a) Das sind

_____

c) Das ist

_____

b) Das sind

_____

d) Das ist

_____

4 Punkte

6. Welche Antwort passt? Mach Kreuzchen. X

a) Warum kommst du nicht mit?

☐ Tut mir leid.
☐ Schade.
☐ Ich habe keine Lust.

b) Wir spielen heute Tennis.

☐ Tennis? Wie langweilig.
☐ Tennis? Kommst du mit?
☐ Tennis? Tut mir leid.

c) Ich komme nicht mit.

☐ Hast du Lust?
☐ Schade.
☐ Ich weiß nicht.

d) Möchtest du mitkommen?

☐ So ein Quatsch.
☐ So ein Mist.
☐ Ich weiß nicht.

4 Punkte

Gesamt: 34 Punkte

Planetino 2, Test zu Lektion 23 und 24

1. Setz die Wörter ein.

Lieber Timo,

Ich bin krank. Ich _____ nicht gut sprechen. Und morgen ist das Theater.

Ich _____ doch so gern mitspielen. Aber der Arzt war da. Er hat gesagt,

ich _____ eine Woche im Bett bleiben. Ich _____ nicht aufstehen.

Ich bin so traurig!

Deine Vera

möchte

muss

darf

kann

4 Punkte

2. Schreib die Wörter richtig und mach Pfeile zu den Bildern. →

1 _____ deiiMnz

2 _____ Aeehkopt

3 _____ Artz

4 _____ aaehKknnrsu

5 _____ eepRtz

5 Punkte

(bei falscher Schreibung oder falscher Zuordnung ½ Punkt Abzug)

3. Welche Antwort passt? Mach Kreuzchen. X

a) Wie geht's?

☐ Ich gehe.
☐ Es geht.
☐ Ich bin gesund.

b) Möchtest du Saft?

☐ Nein, ich kann nichts essen.
☐ Nein, ich habe keinen Hunger.
☐ Nein, ich habe keinen Durst.

c) Was tut denn weh?

☐ Meine Ohren tun nicht weh.
☐ Ich habe zwei Ohren.
☐ Ich habe Ohrenschmerzen.

d) Hast du Schmerzen?

☐ Ja, mein Hals tut weh.
☐ Nein, ich bin krank.
☐ Ich weiß nicht.

e) Mir geht es gar nicht gut.

☐ Guten Tag.
☐ Gute Nacht.
☐ Gute Besserung.

5 Punkte

4. Was passt zusammen? Schreib die Nummern.

1 Ich kann nicht lesen.　　　　　　　____ Meine Hand tut weh.

2 Ich kann nicht schreiben.　　　　　____ Meine Beine tun weh.

3 Ich kann nicht singen.　　　　　　 ____ Meine Augen tun so weh.

4 Ich kann nicht laufen.　　　　　　 ____ Ich habe Halsschmerzen.

4 Punkte

5. Schreib die Wörter an die richtige Stelle und schreib die Nummern zu den Bildern.

Essen

1 _ _ _

2 _ _ _ _

3 _ _ _ _ _

4 _ _ _ _ _

5 _ _ _ _ _ _

Trinken

6 _ _ _

7 _ _ _ _

8 _ _ _ _ _

9 _ _ _ _ _

10 _ _ _ _ _ _ _

Milch

Tee

Brötchen

Lolli　Saft

Eis

Kuchen

Obst

Limonade

Wasser

10 Punkte
(bei falscher Nummerierung ½ Punkt Abzug)

6. Was ist falsch? Streich durch.

a) Mein Kopf tut / ~~tun~~ weh.

b) Jana kann / kannst gut malen.

c) Tina darf / darfst noch nicht aufstehen.

d) Was isst / esse du denn da?

e) Paula musst / muss Hausaufgaben machen.

f) Ich isst / esse gern Schokolade.

g) Olaf, du darfst / darf den Kuchen nicht essen.

h) Ich muss / musst zu Hause bleiben.

7 Punkte

Gesamt: 35 Punkte

Planetino 2, Test zu Lektion 25 und 26

1. Schreib die Wochentage

a) Montag, <u>Dienstag</u>_____, Mittwoch

b) Donnerstag, _____, Samstag

c) Mittwoch, _____, Freitag

d) Sonntag, _____, Dienstag

e) Samstag, _____, Montag

f) Freitag, _____, Sonntag

5 Punkte

---

2. Was ist falsch? Streich durch.

a) Wir gehen ~~am~~ / um vier in den Zirkus.

b) Ich spiele am / um Wochenende Tennis.

c) Der Film fängt am / um drei Uhr an.

d) Meine Schwester fährt am / um Samstag zu Tante Verena.

e) Mein Freund kommt am / um eins.

4 Punkte

---

3. Schreib die Wörter in der Mehrzahl ins Kreuzworträtsel.

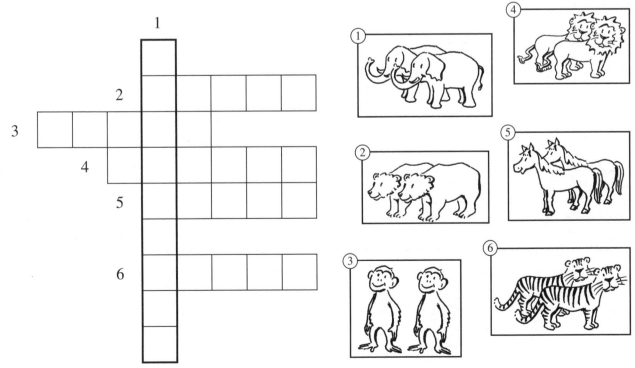

6 Punkte
(bei falscher Schreibung ½ Punkt Abzug)

---

4. Ordne den Dialog.

_1_ ◆ Hallo, Anna.

___ ● Super! Wann denn?

___ ◆ Am Samstag. Kommst du auch?

___ ◆ Warum denn nicht?

___ ● Ich muss zu Oma.

___ ● Hallo, Jakob. Was gibt's?

___ ● Samstag? O je. Da kann ich nicht.

___ ◆ Um wie viel Uhr denn?

___ ◆ Du kannst doch später kommen, so um vier.

___ ● Um zwei.

_3_ ◆ Du, mein Cousin Andi kommt zu Besuch.

___ ● Ja, das geht. Also dann, tschüs.

10 Punkte

5. Ergänze die Person.

a) Vater   und   _Mutter_

b) Opa   und   _____

c) Tante   und   _____

d) Cousin   und   _____

e) Großmutter   und   _____

4 Punkte

6. Schreib die Sätze richtig.

a) doch – Wir – gehen – können – in den Zirkus

_____

b) am Samstag – läuft – um drei Uhr – Der Film

_____

c) möchten – Meine Freunde – Fußball spielen – heute

_____

d) um vier Uhr – Wir – fernsehen – müssen

_____

4 Punkte

Gesamt: 33 Punkte

1. Schreib die Zahlen

vierundsiebzig   _74_   einundzwanzig   ____

vierunddreißig   ____   dreiundvierzig   ____

fünfundsechzig   ____   sechsundneunzig   ____

achtundfünfzig   ____

6 Punkte

2. Was ist richtig? Mach Kreuzchen. X

a) ☐ Kommst
   ☐ Komme   rein!
   ☐ Komm

b) ☐ Lauf!
   ☐ Läuft!
   ☐ Läufst!

c) ☐ Rechnest!
   ☐ Rechnen!
   ☐ Rechne!

d) ☐ Gib
   ☐ Gebe   her!
   ☐ Gibst

4 Punkte

3. Schreib die Wörter in das Kreuzworträtsel.

1   Ein Papagei kann …

2   Eine Robbe kann …

3   Ein Pferd kann …

4   Ein Vogel kann …

5   Ein Affe kann …

6   Ein Vogel kann schön …

klettern   schwimmen   laufen   singen   fliegen   sprechen

5 Punkte

Wortliste | Transkriptionen | Lösungsschlüssel | Tests | Feste im Jahr | Theater | L40 L39 L38 L37 Modul 10 | L36 L35 L34 L33 Modul 9 | L32 L31 L30 L29 Modul 8 | L28 L27 L26 L25 Modul 7 | L24 L23 L22 L21 Modul 6 | Einführung

4. Setz das richtige Wort ein.

a) Ich _muss_ Hausaufgaben machen. (musst – muss)

b) Affen _____ gut klettern. (können – kann)

c) Wir _____ lernen. (muss – müssen)

d) Meine Eltern _____ heute zu Oma fahren. (möchten – möchte)

e) Was _____ ihr denn? (möchtest – möchtet)

f) Ihr _____ aber gut schwimmen. (kannst – könnt)

5 Punkte

5. Welche Sätze passen zusammen? Schreib die Zahlen.

1 Wie findest du meine Kusinen?   ___ Ich finde sie auch sehr nett.

2 Der Sportlehrer ist so nett.   ___ Ich finde es auch sehr lieb.

3 Frau Kolb ist so freundlich.   ___ Ich finde ihn auch doof.

4 Das Baby ist ja süß!   ___ Ich finde ihn auch sehr nett.

5 Der Junge da ist doof.   ___ Ich finde sie auch doof.

6 Ich finde deine Cousins gar nicht nett. ___ Ich finde es auch nicht nett.

7 Das Kind da ist gar nicht freundlich.   _1_ Ich finde sie sehr nett.

6 Punkte

6. Setz die Wörter ein.

◆ Na, was _____ du denn?

■ Ein Eis, _____ .

◆ Das _____ zwei Euro 20.

■ Was _____ ein Brötchen?

◆ 40 _____ .

■ Dann _____ ich noch zwei Brötchen.

◆ Das macht _____ drei _____ .

■ _____ , bitte

◆ _____ Dank.

Cent   Hier
Euro   kostet
macht   Vielen
zusammen   bitte
möchtest
möchte

10 Punkte

Gesamt: 36 Punkte

Planetino 2, Test zu Lektion 29 und 30

1. Schreib die Wörter ins Kreuzworträtsel.

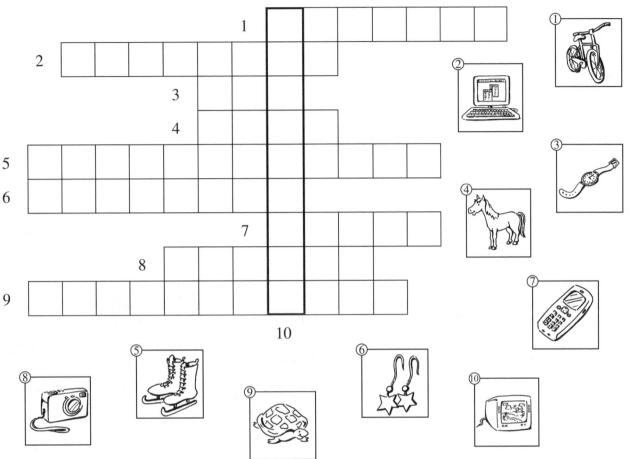

9 Punkte
(bei falscher Schreibung ½ Punkt Abzug)

2. Setz ein: einen – ein – eine oder --- (nichts).

a) Ich möchte _____ Schier.

b) Tobias hat _____ Fernseher.

c) Hast du _____ Uhr?

d) Möchtest du _____ Computerspiel?

e) Mein Freund möchte _____ Hund.

5 Punkte

3. Schreib die Monate.

a) Januar, _Februar_____, März

b) April, _____, Juni

c) Oktober, _____, Dezember

d) Dezember, _____, Februar

e) Juli, _____, September

f) November, _____, Januar

g) Februar, _____, April

6 Punkte

4. Schreib das Datum.

am (8.)   _achten_____ Mai

am (12.) _____ Mai

am (20.) _____ Mai

am (7.)   _____ Mai

am (3.)   _____ Mai

am (30.) _____ Mai

am (1.)   _____ Mai

6 Punkte
(bei falscher Schreibung ½ Punkt Abzug)

5. Setz die Wörter ein.

■ Hallo, Lisa, hallo, Julia!

◆ Hi, Jonas. Du hast doch bald

_____.

■ Ja, am _____ Juni.

✱ Und? Machst du eine _____?

◆ Ja, _____ Samstag.

Ich möchte _____ dazu einladen.

◆✱ Super. Wir kommen _____.

▲ Hallo, Basti. Du, ich mache eine Party und

möchte _____ einladen.

▲ _____ denn?

■ Am Samstag _____ drei.

■ Ich komme gern, aber _____. Okay?

◆ Was _____ du eigentlich zum

Geburtstag?

■ Ich wünsche _____ Comics, viele Comics.

◆✱▲ Na gut.

um   Party

Geburtstag

später   zehnten

am

dich

euch   möchtest   gern

Wann   mir

12 Punkte

Gesamt: 38 Punkte

1. Schreib die Wörter richtig und schreib die Nummern zu den Bildern.

1 aiPzz <u>Pizza</u>

2 äeKs _____

3 cehnrstüW _____

4 aeffKlort _____

5 bOst _____

6 rstuW _____

7 Aeflp _____

8 aegnOr _____

9 Bort _____

8 Punkte
(bei falscher Schreibung oder falscher Zuordnung ½ Punkt Abzug)

2. Setz ein: mir – dir.

◆ Hallo, Jakob. Wie geht es _____ denn?

■ Danke, _____ geht es gut. Ich habe

nämlich bald Geburtstag.

◆ Ja, richtig! Was wünschst du _____ denn?

■ Ich wünsche _____ ein Pony.

4 Punkte

3. Welche Antwort passt? Mach Kreuzchen. X

a) Wann hast du Geburtstag?

☐ Um zwölf Uhr.
☐ Am 14. Juni.
☐ Am Samstag um drei.

b) Was wünschst du dir denn?

☐ Ich möchte eine Schildkröte.
☐ Ich habe Geburtstag.
☐ Ich esse gern Kuchen.

c) Darfst du eine Party machen?

☐ Ja, am Wochenende.
☐ Nein, ich darf eine Party machen.
☐ Ja, ich habe Geburtstag.

d) Was gibt es zu essen?

☐ Saft.
☐ Würstchen.
☐ Limonade.

e) Was hast du zum Geburtstag bekommen?

☐ Eine Party.
☐ Kartoffelsalat.
☐ Comics.

5 Punkte

4. Ordne den Dialog. Zeichne den Weg ein.

| Was möchtet ihr denn? | → | Wir möchten Autos. Was kosten denn die da? |

| Was? So teuer? | | Aber die hier kosten nur 80 Cent. | | Zwei Euro 50 das Stück. |

| Das macht vier Euro. | | Danke. | | Hier bitte. |

| Das ist ja billig. Dann nehmen wir fünf Stück. |

7 Punkte

5. Schreib die Wörter richtig ins Kreuzworträtsel.

1 [ ][ ][ ][ ][ ][ ][ ][ ][ ][ ][ ]

2 [ ][ ][ ][ ][ ]

3 [ ][ ][ ][ ] M

4 [ ][ ]

5 [S][ ][ ][ ]

6 [ ]

acceeehhnnrrsT
eoPrst   ifStt   iKlu
CD

5 Punkte

6. Schreib die sechs Wörter aus dem Kreuzworträtsel an die richtige Stelle.

Ich möchte

einen	ein	eine	——
Stift			

5 Punkte

7. Schreib die sechs Wörter aus dem Kreuzworträtsel in der Mehrzahl an die richtige Stelle.

-s : Comics _____   -e : _____

-s : _____   -- : _____

-s : _____   -- : _____

5 Punkte

Gesamt: 39 Punkte

1. Was ist richtig? Mach Kreuzchen. X

a) Wir brauchen Malkasten und Pinsel.

    Wir haben ☐ Geografie.
               ☐ Kunst.
               ☐ Deutsch.

b) Wir brauchen das Buch und den CD-Player.

    Wir haben ☐ Physik.
               ☐ Geschichte.
               ☐ Englisch.

c) Wir brauchen die Gitarre und den CD-Player.

    Wir haben ☐ Textilarbeit.
               ☐ Musik.
               ☐ Erdkunde.

d) Wir brauchen Heft und Lineal.

    Wir haben ☐ Mathematik.
               ☐ Musik.
               ☐ Ethik.

e) Wir brauchen Computer.

    Wir haben ☐ Chemie.
               ☐ Informatik.
               ☐ Sozialkunde.

f) Wir brauchen Ball und Turnzeug.

    Wir haben ☐ Biologie.
               ☐ Sachunterricht.
               ☐ Sport.

6 Punkte

2. Setz ein: am – um – in

a) Wir haben _____ der vierten Stunde Englisch.

b) Wir haben _____ zwei Uhr Sport.

c) Wir haben _____ Mittwoch Sport.

3 Punkte

3. Setz ein: Wie viele – Was für – Was – Was – In welche und antworte.

a) _Was für_ _____ Fächer habt ihr?   _Deutsch, Mathematik …_

b) _____ Klasse gehst du?   _____

c) _____ Stunden Deutsch habt ihr?   _____

d) _____ magst du lieber, Sport oder Kunst?   _____

e) _____ ist dein Lieblingsfach?   _____

10 Punkte

4. Was gehört zusammen? Mach Pfeile. →

a)

b)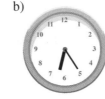

c)

d)

zehn nach fünf   Viertel vor acht   fünf nach halb sechs   fünf vor halb sieben

4 Punkte

5. Wie spät ist es? Zeichne die Zeiger.

Viertel nach eins   zehn vor neun   halb drei   fünf nach elf

4 Punkte

6. Schreib die Unterrichtsstunden in den Stundenplan.

Ulla hat eine Stunde Kunst: am Mittwoch in der zweiten Stunde.

Sie hat drei Stunden Deutsch: am Montag in der ersten Stunde, am Dienstag in der
    dritten Stunde und am Freitag in der zweiten Stunde.

Sie hat zwei Stunden Sport: am Donnerstag in der dritten und vierten Stunde.

Mo	Di	Mi	Do	Fr

3 Punkte
(jeweils ½ Punkt)

7. Schreib die Sätze richtig.

a) frei – wir – haben – Am Sonntag

b) wir – In der fünften Stunde – Sport – haben

c) haben – in der zweiten Stunde – Am Dienstag – wir – Englisch

3 Punkte

8. Ordne. Schreib die Nummern.

____ in die Schule gehen   _1_ aufstehen   ____ frühstücken   ____ Mittagessen

____ Hausaufgaben machen   ____ Abendessen   ____ ins Bett gehen

6 Punkte

Gesamt: 39 Punkte

1. Was ist richtig? Was ist falsch? Mach Kreuzchen. X

	richtig	falsch
Eva hat ein Heft.	☐	☐
Eva hat keinen Bleistift.	☐	☐
Eva hat eine Uhr.	☐	☐
Eva hat keine Stifte.	☐	☐
Eva hat kein Lineal.	☐	☐
Eva hat einen Malkasten.	☐	☐
Eva hat keine Schere.	☐	☐

7 Punkte

2. Was passt zusammen? Schreib die Nummern.

1 Ich habe keinen Bleistift.   _____ Hier, nimm die da.

2 Ich habe keine Stifte dabei.   _____ Hier, nimm das da.

3 Ich habe keine Schere.   _____ Hier, nimm die da.

4 Ich habe kein Lineal dabei.   _____ Hier, nimm den da.

4 Punkte

3. Setz ein: einen/meinen/keinen – ein/mein/kein – eine/meine/keine – ---/meine/keine

■ Au weia. Wir haben jetzt Mathe. Und ich habe _____ Buch vergessen.

◆ Ich habe doch _____ Buch. Das nehmen wir zusammen.

■ Ich habe aber auch _____ Heft dabei.

◆ Hast du denn auch _____ Block? Na gut. Hier hast du _____ Block.

■ Hast du vielleicht auch _____ Farbstifte und _____ Schere?

◆ Warum? Hast du auch _____ Farbstifte und _____ Schere dabei?

■ Nein, ich habe _____ Farbstifte und _____ Schere vergessen.

◆ Was hast du denn überhaupt dabei?

■ _____ Bleistift.

12 Punkte

Wortliste | Transkriptionen | Lösungsschlüssel | Tests | Feste im Jahr | Theater | L40 L39 L38 L37 Modul 10 | L36 L35 L34 L33 Modul 9 | L32 L31 L30 L29 Modul 8 | L28 L27 L26 L25 Modul 7 | L24 L23 L22 L21 Modul 6 | Einführung

4. Was gehört zusammen? Mach Pfeile. →

Lehrerin

Künstler

Sekretärin

Ingenieur

Arzt

5 Punkte

5. Setz ein: rechne oder rechnet – mach oder macht – komm oder kommt – sag oder sagt.

a) Eva und Ulli, _____ bitte die Tafel sauber.

b) Jonas, _____ bitte 377 plus 412.

c) Tom und Timo, _____ rein.

d) Anna und Leo, _____ „Guten Tag" zu Frau Berg.

e) Veronika, _____ das Fenster auf.

5 Punkte
(bei falscher Form ½ Punkt Abzug)

6. Was ist richtig? Mach Kreuzchen. X

a) ☐ Darf
   ☐ Dürft   wir in die Pause gehen?
   ☐ Dürfen

d) Die Kinder ☐ darf
              ☐ dürft   spielen.
              ☐ dürfen

b) Du ☐ musst
      ☐ müsst   Mathe üben.
      ☐ muss

e) Ihr ☐ darf
       ☐ dürft   jetzt gehen.
       ☐ dürfen

c) Ihr ☐ muss
       ☐ müsst   die Klasse in Ordnung bringen.
       ☐ musst

5 Punkte

Gesamt: 38 Punkte

1. Schreib die Wörter ins Kreuzworträtsel.

7 Punkte
(bei falscher Schreibung ½ Punkt Abzug)

2. Was gehört zusammen? Schreib die Zahlen.

Jens steht auf.	____ am Mittag	Er macht Hausaufgaben.	____ in der Nacht
Er ist in der Schule.	____ am Nachmittag	Er geht ins Bett.	____ am Vormittag
Er geht um ein Uhr nach Hause.	____ am Morgen	Er schläft.	____ am Abend

6 Punkte

3. Schreib die Sätze richtig.

a) frühstückt – Maria – Am Morgen

_____

b) Hausaufgaben – Am Nachmittag – wir – machen

_____

c) ich – Am Abend – fernsehen – darf – nicht

_____

3 Punkte

© Hueber Verlag, Ismaning / LHB Planetino 2

125

Wortliste | Transkriptionen | Lösungsschlüssel | Tests | Feste im Jahr | Theater | L40 L39 L38 L37 Modul 10 | L36 L35 L34 L33 Modul 9 | L32 L31 L30 L29 Modul 8 | L28 L27 L26 L25 Modul 7 | L24 L23 L22 L21 Modul 6 | Einführung

4. Setz ein: der – das – die

a) Sieh mal, _____ Hase da ist aber groß. Und _____ Häschen ist so klein.

b) Das ist _____ Gans von Peter. – Und _____ Gänschen da?

c) Ach, _____ Schaf sieht ja dumm aus. – Nein, _____ Schäfchen ist nett.

6 Punkte

5. Welche Antwort passt? Mach Kreuzchen. X

a) Hast du einen Hund?

☐   Ja, ich habe keinen Hund.

☐   Nein, ich habe gar kein Tier.

☐   Nein, ich habe ein Tier.

b) Was für ein Tier ist das?

☐   Ein Meerschweinchen.

☐   Das ist ein Tier.

☐   Das ist für mich.

c) Wie alt ist die Katze?

☐   Im August.

☐   Sie ist alt.

☐   Neun Monate.

d) Welche Farbe hat dein Papagei?

☐   Er ist bunt.

☐   Er ist groß.

☐   Er ist alt.

4 Punkte

6. Setz die Wörter ein.

◆ Ach, _____ Papagei ist aber klein.

■ Das ist doch _____ Papagei.

    Das ist _____ Wellensittich.

◆ Ach so. Gehört der Wellensittich _____?

■ Nein, er gehört _____ nicht. Leider.

    Er _____ Jana.

◆ Wie _____ er denn?

■ Hansi. Er ist so _____.

◆ Du, _____ wir den Käfig aufmachen?

■ Ja, aber wir _____ erst das Fenster zumachen.

◆ Ja klar. Hansi, _____!

■ Oh, der _____ aber gut fliegen.

heißt   ein   der   komm   kein   dir   mir   lieb   dürfen   müssen   kann   gehört

12 Punkte

Gesamt: 38 Punkte

1. Finde die passenden Sätze und schreib A, B oder C.

A Wie sieht eine Elefant aus?

B Wie sieht eine Maus aus?

C Wie sieht ein Zebra aus?

____ Klein

____ Ziemlich groß

____ Sehr groß

____ schwarz und weiß

____ grau, weiß oder bunt

____ immer grau

3 Punkte
(je ½ Punkt)

2. Schreib die Antworten.

a) Was können Robben? – Robben können _____

b) Was kann ein Vogel? – Ein Vogel kann _____

c) Was können Ponys – _____

d) Was können Affen? – _____

e) Was kann ein Papagei? – _____

5 Punkte
(Bei falscher Verwendung von „können" ½ Punkt Abzug;
bei Angabe von mehreren Tätigkeiten je ½ Zusatzpunkt)

3. Was passt zusammen? Schreib die Nummern.

Was für ein Tier ist das? ____ Er ist schwarz.

Hast du eine Katze? ____ Am Morgen und am Abend.

Wie sieht dein Hund aus? ____ Ein Hund.

Welche Farbe hat dein Hund? ____ Er ist klein und dick.

Was kann dein Hund? ____ Nein, einen Hund.

Kann dein Hund schnell laufen? ____ Nein, er ist zu dick.

Wann musst du den Hund füttern? ____ Er kann viel fressen.

7 Punkte

4. Und jetzt du! Beantworte diese Fragen über dich.

a) Wie alt bist du? _____

b) Wie ist deine Adresse? _____

c) Welche Farbe haben deine Augen? _____

d) Was für ein Haustier möchtest du? _____

4 Punkte

5. Was passt zusammen? Schreib die Nummern.

1 Wir haben ein „miau"   ____   bekommen.

2 Ich habe zum Geburtstag eine Katze   ____   angerufen.

3 Pia hat das Buch zu Hause   ____   gekommen.

4 Ich habe meinen Freund   ____   gehört.

5 Mein Cousin Jan ist heute   ____   gesehen.

6 Leon hat heute einen Film   ____   vergessen.

6 Punkte

6. Setz ein.

a) Mein Bruder Leo _____ auf einen Baum geklettert.

b) Wir _____ ihn gesehen.

c) Du _____ es sicher Mama gesagt.

d) Ich _____ Mama geholt.

e) Mama _____ gefragt: „Wo ist Leo denn?".

f) Dann _____ Leo runtergekommen.

hast
hat
ist
haben   habe
ist

6 Punkte

7. Setz die Wörter ein.

◆ Da bist du ja. Ich habe dich _____.

■ Ich _____ bei Elias.

◆ Was _____ du denn da gemacht?

■ Ich habe meinen Papagei _____.

Der _____ zwei Tage bei Elias.

Ich _____ doch weg.

◆ Ach ja richtig. Und? Was _____ er gesagt?

■ Wer? Elias oder der Papagei? Der Papagei hat „Lora, Lora" _____.

Und Elias _____ froh. Ich glaube, er mag Papageien nicht so gern.

war   geholt
gesagt   war
hat   war   hast
gesucht
war

9 Punkte

Gesamt: 40 Punkte

Lösungsschlüssel zum Arbeitsbuch

Das bin ich

Freie Aufgabe

Was tut denn weh?

a) Wie ist er? groß, dünn, lang, klein, dick, kurz, schön / nicht so schön …

b) (Ei), Pizza, Schokolade, Hamburger, Kaffee

Lektion 21: Kopf, Bauch und so weiter

1. Bilder von oben (Mitte) im Uhrzeigersinn: Auge, Nase, Zahn, Zähne, Ohren, Augen, Mund, Gesicht, Ohr

2. 14 + 10 + 7 + 9 + 5 + 12 + 6 + 1 = 64;
3 + 8 + 4 + 11 + 2 + 13 = 41

3.

4. a) A: Nein, das ist dein Mund. – B: Nein, das sind deine Hände. – C: Nein, das ist deine Nase. – D: Nein, das sind deine Ohren.
b) *Freie Aufgabe*

5. 1 Das ist ein Kopf. – 2 Das sind Füße. – 3 Das ist eine Hand. – 4 Das ist ein Bein.

6. 1 Bauch – 2 Buch, doch – 3 Nacht – 4 auch – 5 noch – 6 doch, Tuch, Ach

7. a) (von oben nach unten) U – E – A / A – U – A / U – E – E
b) Arnos Ohren sind groß. Arnos Haare sind lang. Arnos Bauch ist dick. Emils Nase ist lang. Emils Arme sind dünn. Emils Füße sind klein. Udos Beine sind kurz. Udos Hals ist lang. Udos Hände sind groß.

8. 1 Das ist Bastians Mütze. 2 Das sind Hannas Schuhe. 3 Das ist Günters Pullover. 4 Das ist Pepes Hose. 5 Das ist Rosas Brille.

9. Lillys Ball ist schmutzig. Ullis Figuren sind klein. Meikes Drachen ist kaputt. Olafs Schiff ist alt. Julias Auto ist neu. Fabians Eisenbahn ist lang.

Lektion 22: Was ist denn los?

1. Lösungswort: BAUCH

2. Mein Hals tut weh. Meine Füße tun weh. Mein Zahn tut weh.

3. Hallo, Vreni. Wir spielen heute Tennis. Spielst du mit? – Ach nein. – Warum? Hast du keine Lust? – Na ja, ich kann nicht. – Warum kannst du denn nicht mitspielen? – Mein Arm tut so weh. – Und was machst du heute? – Ich bleibe zu Hause und sehe fern.

4. Lösungsworte: FINGER, Gitarre

5. *Mögliche Lösung:* Hallo NN! Hier ist XY. – Hallo XY! – Wir gehen heute reiten. Kommst du mit? – Nein, ich kann nicht. Ich bin krank. – Was hast du denn? Tut dein Kopf weh? –Nein. – Tun deine Ohren weh? – Nein. – Tut dein Arm weh? – Nein. – Hast du Halsschmerzen? / Tut dein Hals weh? – Nein. – Tut dein Fuß weh? – Nein, nein. Mein Finger tut weh. Ich bleibe heute zu Hause. – Schade. Na dann, tschüs! – Tschüs.

6. a) 5 – 4 – 6 – 1 – 2 – 3 – 7
b) Liebe Steffi! Ich bin schon zwei Tage im Bett. Ich bin krank. Meine Nase tut so weh. Und meine Antennen tun auch weh. Mir geht es gar nicht gut. Ich kann nicht spielen und nicht Musik hören. Wie langweilig! Viele Grüße, Dein Planetino
c) *Freie Aufgabe*

Lektion 23: Ich bin krank

1. … Mein Hals tut weh – Udo kann nicht lesen. Die Brille ist weg. – Jens kann nicht Schi fahren. Die Schier sind kaputt – Ich kann nicht Fußball spielen. Mein Ball ist kaputt. – Ina kann nicht gut malen. Der Pinsel ist alt. – Jan kann nicht basteln. Die Schere ist kaputt. – Du kannst nicht mitkommen. Deine Mama ist krank. – Pia kann nicht spielen. Der Würfel ist weg.

2. 1 Kopfweh, 2 Rezept, 3 Arzt, 4 Medizin, 5 Apotheke, 6 Bett, 7 krank, 8 sprechen, 9 laufen, 10 gesund, 11 Besserung, 12 Krankenhaus

3. Ich habe Bauchschmerzen. Ich habe Kopfschmerzen. Ich habe Halsschmerzen. Ich habe Ohrenschmerzen.

4. a) *(Das Lösungsbild ergibt eine Blume.)*
b) Mama, darf ich fernsehen? – Uli ist krank. Er muss im Bett bleiben. – Musst du ins Krankenhaus? – Du darfst nicht mitkommen. Schade! – Warum kannst du nicht kommen? – Ich muss eine Medizin nehmen. – Jens darf heute Skateboard fahren. – Eva kann nicht fernsehen. Sie hat Kopfschmerzen.

5. a) Lösungswort: TINA
b) *Mögliche Lösung:* Hallo, NN. Ich kann heute nichts essen. – Warum kannst du denn nichts essen? – Ich bin krank. Ich habe Bauchschmerzen. – Das tut mir leid. Gute Besserung!

6. a) a2, b4, c3, d1, e1, f3
c) *Mögliche Lösung:* ● Anna, du darfst jetzt nicht lesen. Du musst ins Bett. ▲ Ach, Mama! Warum muss ich ins Bett? Warum darf ich nicht lesen? Lisa darf lesen! Sie muss nicht ins Bett. ● Deine Schwester ist auch schon 13 Jahre alt.

7. a) 1 Nina, 2 Jan, 3 Er hat Kopfschmerzen.
b) *Mögliche Lösung:* Hallo Jan! Hier ist Eva. – Hallo Eva! – Wie geht's? – Nicht so gut. – Was ist denn los? – Ich bin krank. – Was hast du denn? – Ich habe Hals-

schmerzen und Ohrenschmerzen. (Es geht mir gar nicht gut.) – Musst du ins Krankenhaus? – Nein. – Darfst du bald wieder zur Schule gehen? – Ich muss drei Tage zu Hause bleiben (und Medizin nehmen). – Gute Besserung, Jan! – Danke, tschüs!

Lektion 24: Hunger und Durst

1. *Selbstkontrolle*

2.

Q	R	E	I	L	I	M	O	N	A	D	E	S	R	E	T
K	A	F	F	E	E	I	H	C	K	A	K	A	O	I	E
S	C	H	O	K	O	L	A	D	E	U	V	X	B	S	E
V	T	U	B	K	U	C	H	E	N	W	A	S	S	E	R
O	B	R	Ö	T	C	H	E	N	J	S	A	F	T	L	N

3. essen: Kuchen, Brötchen, Eis, Obst, Schokolade; trinken: Kaffee, Tee, Kakao, Saft, Wasser, Milch, Limonade

4. a) Lösungswort: KUCHEN
b) *gelenkte Schreibaufgabe*

5. 1 auf/wa/chen; 2 es/sen; 3 woh/nen; 4 aus/se/hen; 5 an/ru/fen; 6 auf/ste/hen; 7 trin/ken; 8 den/ken; 9 be/su/chen; mit/brin/gen

Lektion 21–24: Weißt du das noch?

1. a) Lehrer, Mädchen b) wie 1: Hefte, Spiele, Schiffe, Bleistifte; wie 2: Farben, Taschen, Tafeln, Scheren; wie 3: Fotos, Babys, Zebras, Radiergummis; wie 4: Schränke, Blöcke, Rucksäcke, Füße; wie 5: Fenster, Schüler, Spitzer, Computer

2. a) 3–1–4–2–5
b)

	fliegen	kommen	tanzen	schlafen	fernsehen
ich	fliege	komme	tanze	schlafe	sehe fern
du	fliegst	kommst	tanzt	schläfst	siehst fern
er/es/sie	fliegt	kommt	tanzt	schläft	sieht fern
wir	fliegen	kommen	tanzen	schlafen	sehen fern
ihr	fliegt	kommt	tanzt	schlaft	seht fern
sie/viele	fliegen	kommen	tanzen	schlafen	sehen fern

c) *Beispiele:* Du schläfst bald. Er tanzt gut. Sie sieht fern. Ich fliege jetzt. Du kommst heute. Wir schlafen viel. Ihr tanzt nicht gern. Viele Kinder sehen gern fern …

Das habe ich gelernt

Lösungsvorschläge siehe Randspalte

Grammatik-Comic

1.

ich	darf	kann	muss	möchte
du	darfst	kannst	musst	möchtest
er/es/sie	darf	kann	muss	möchte

2. kann – kannst – musst – darf – Darf – muss – kann – kannst

---

Zirkus, Zirkus!

Lösungsvorschlag: Wie spät ist es? Es ist acht Uhr. / Es ist acht. – Jan spielt sehr gut Gitarre. – Setz den Hut auf! Zieh die Jacke an! Mach das Fenster zu/auf! Gib die Mütze her! – groß, klein, dick, dünn, lang kurz, nett, schön, lieb, doof, sehr nett, nicht so lieb … – fliegen, schlafen, laufen, schwimmen, sprechen – Montag, Dienstag, Mittwoch, Donnerstag, Freitag, Samstag, Sonntag – Vater, Mutter, Bruder, Schwester, (Hund, Katze) – zwölf, dreizehn, vierzehn usw.

Lektion 25: Was machst du am Wochenende?

1. Lösungswort: MONTAG

2. a) Er sieht fern. Er reitet. Er schwimmt. Er fliegt. Er spielt Fußball. Er tanzt.
b) *gelenkte Schreibaufgabe*

3. a) Lösungswort: SCHADE
b) Ich möchte morgen in den Zirkus. Ich kann leider nicht mitkommen. Warum kannst du denn nicht? Ich muss lernen.

4. Lilly sieht um fünf Uhr fern. Steffi isst um ein Uhr. Timo spielt um drei Uhr Volleyball. Uli hört um sieben Uhr Musik. Mia trinkt um sechs Uhr Tee. Marek lernt um zwei Uhr.

5. a) Lösungswort: SPIELEN
b) *gelenkte Schreibaufgabe*

6. A Um wie viel Uhr fängt der Film an? Der Film? Um zwei. Was? Schon um zwei? Jetzt aber schnell! B Ich habe heute Karate. Wann denn? Um eins. C Wann spielt ihr denn Volleyball? Morgen um drei. Gut, ich mache mit.

7. a) SMS Nr. 5 ist falsch: Am Donnerstag ist Volleyball.
b) *Freie Aufgabe*
c) *Mögliche Lösung:* Am Donnerstag um fünf ist Volleyball. Jan kann aber nicht kommen. – Antwort: Ich komme! Tom kommt auch.

8. *Freie Aufgabe*

Lektion 26: Der Zirkus kommt

1. a) 1 Affe, 2 Bär, 3 Tiger, 4 Pferd, 5 Elefant, 6 Löwe
b) 4, 6, 2, 5, 1, 3

2. a) Tante Ida isst und isst: zwei Stuck, drei, vier, fünf ... Dann ist der Kuchen weg.
b) 1 + 4 + 10 = 15; 6 + 2 + 12 = 20; 3 + 7 + 9 = 19; 5 + 11 + 8 + 13 = 37
c) *gelenkte Schreibaufgabe*

3.

Mann / Junge	Frau / Mädchen
Vater	Mutter
Bruder	Schwester
Opa	Oma
Onkel	Tante
Cousin	Kusine

4. 1 Onkel, 2 Tante, 3 meine Oma, 4 mein Opa, 5 meine Großeltern, 6 meine Großeltern, 7 mein Cousin

5. 1 Die Kinder möchten morgen Fußball spielen. 2 Wir müssen am Samstag helfen. 3 Wir möchten die Clowns sehen. 4 Meine Eltern möchten die Großeltern besuchen. 5 Wir möchten heute nicht lernen. 6 Wir müssen jeden Morgen um sechs Uhr aufstehen.

Lektion 27: Herzlich willkommen im Zirkus!

1. Lauf! – Nein, ich laufe nicht.; Sag „Hallo!" – Nein, ich sage nicht „Hallo!"; Gib den Mantel her! – Nein, ich gebe den Mantel nicht her.; Rechne 3 + 4! – Nein, ich rechne jetzt nicht. Komm rein! – Nein, ich komme nicht rein.; Zieh die Schuhe an! – Nein, ich ziehe die Schuhe nicht an.

2. Komm rein! Ich rechne gern. Bist du nicht müde?

3. linke Seite: 54 – vierundfünfzig; 89 – achtundneunzig; 32 – zweiunddreißig; 76 – sechsundsiebzig; 45 – fünfundvierzig; rechte Seite: 23 – dreiundzwanzig; 67 – siebenundsechzig; 43 – dreiundvierzig; 98 – achtundneunzig; 100 – hundert

4. (*Das Lösungsbild ist ein Lolli.*)

5. 1 zweiundfünfzig, 2 neununddreißig, 3 achtundvierzig, 4 dreizehn, 5 achtzehn.

6. a) siebzig, zwanzig, neunzig, fünfzig, dreißig, achtzig, Ich, nicht, richtig, richtig, langweilig, wirklich, mich

7. … – Könnt ihr schwimmen? Ja, wir können schwimmen. – Könnt ihr singen? Ja, wir können singen. – Könnt ihr springen? Ja, wir können springen. – Könnt ihr Rad fahren? Ja, wir können Rad fahren. – Könnt ihr fliegen? Nein, wir können nicht fliegen.

8. a) kannst, kann, könnt, können, kann
b) *Freie Aufgabe*

Lektion 28: In der Pause

1. a) nein, ja, ja, nein, nein, nein, ja
b) Elefanten können nicht klettern. Bären können nicht singen. Robben können nicht fliegen. Katzen können nicht Rad fahren.
c) *Beispiele:* Affen können klettern und laufen. Robben können schwimmen. Katzen können laufen und klettern. Hunde können schwimmen und laufen …

2. a)

(Kreuzworträtsel)
2 LUSTIG
4 SÜß
6 FREUNDLICH
8 TOLL
9 LIEB
10 HERZLICH
1 UNTER... / LUSTIG
3 SCHÖN
5 NETT
7 MÜDE

b) *gelenkte Schreibaufgabe*

3. a6, b2, c8, d4, e3, f1, g5

4. a) Der, Den, ihn, der, Der, der, der, Den
b) *Freie Aufgabe*

5. a)

ich	möchte	kann	lesen
du	möchtest	kannst	Tennis spielen
er/sie/Jan/ das Kind	möchte	kann	klettern
wir	möchten	können	Rad fahren
ihr	möchtet	könnt	rechnen

b) *Beispiele:* Jan kann gut klettern. Ihr möchtet rechnen. Du möchtest heute Tennis spielen. Das Kind kann gut lesen. Wir können nicht so gut Tennis spielen …

6. A Was möchtest du denn? Bitte ein Eis. Das macht ein Euro sechzig. B Was möchtet ihr denn? Bitte einmal Saft und einmal Limo. Neunzig Cent plus achtzig. Das macht zusammen ein Euro siebzig. C Bitte, was kostet eine Schokolade? Schokolade? Die da? Ein Euro fünfzig. Wir möchten zwei, bitte. Mein Bruder möchte nämlich auch eine.

7. Heute sind neunzehn Freunde da. Die Leute sind freundlich. Das Flugzeug kostet neun Euro neunzig.

8. a) 1. Meine Eltern müssen am Nachmittag in die Stadt. Kommst du? 2. Nächste Woche kommt meine Kusine. Du musst sie kennenlernen. 3. Das Theater beginnt um sechs Uhr. Wir müssen schon um fünf da sein. Nicht vergessen!
b) *Freie Aufgabe*

Lektion 25–28: Weißt du das noch?

1. *Schreib-/Zeichenaufgabe*

2. a)

ich	mache	esse	spreche	laufe	fahre
du	machst	isst	sprichst	läufst	fährst
er/es/sie	macht	isst	spricht	läuft	fährt
wir	machen	essen	sprechen	laufen	fahren
ihr	macht	esst	sprecht	lauft	fahrt
sie/viele	machen	essen	sprechen	laufen	fahren

b) *Beispiele:* Ich fahre Rad. Du sprichst wie ein Papagei. Er isst Obst. Wir machen Karate. Sie fahren Rad. Ihr lauft schnell …

3. Hast du den Bleistift? Tut mir leid, ich habe den Füller. Wo ist der Bleistift?

Das habe ich gelernt

Lösungsvorschläge siehe Randspalte

Grammatik-Comic

1. Wo ist/sind …? *der Papagei, das Pferd, die Robbe, die Affen* / Da ist/sind *er, es, sie, sie* doch!
Wie findest du …? *den Papagei, das Pferd, die Robbe, die Affen* / Ich finde *ihn, es, sie, sie* nett.

2. Sieh mal den Rucksack. Wie findest du den denn? – Du findest den Rucksack doof? – Und wie findest du das T-Shirt? Ich finde es ... – Dann findest du die Hose wohl auch doof. – Die Schuhe sind auch neu. Wie findest du denn die Schuhe? – Du findest sie doof?

Wir feiern

Mögliche Lösung: Was möchtest du machen? – Ich möchte zeichnen. – Möchtest Du den Block oder das Heft? Ich möchte das Heft.
Kommst du morgen? – Ja, ich komme gern. Tut mir leid. Ich kann nicht. Ich weiß nicht. Ich habe keine Zeit.
Was möchtet ihr denn? – Bitte einmal Limo und ein Eis.
Was macht das? Das macht 3 Euro 50.
Gameboy®, Fahrrad, Skateboard, Ball, Springseil, Karten, Tischtennis, Teddybär, Drachen, Eisenbahn, Puppe, Auto, Buch, Figuren …
Elefant, Affe, Bär, Tiger, Löwe, Maus, Papagei, Pony, Pferd …
Tee, Milch, Eis, Schokolade, Kaffee, Brötchen, Lolli, Obst, Saft, Kuchen, Limonade, Kakao …

Lektion 29: Bald ist mein Geburtstag

1. a) 1 Geburtstag, 2 Party, 3 wünschen, 4 Sachen, 5 mag, 6 eigentlich, 7 Anfang, 8 füttern, 9 weit, 10 egal, 11 Hobby, 12 einverstanden

2. a)

B	Z	Y	K	L	F	E	R	N	S	E	H	E	R	K
Ü	S	C	H	L	I	T	T	S	C	H	U	H	E	A
C	P	G	A	M	E	B	O	Y	H	R	H	G	H	M
H	O	F	A	H	R	R	A	D	I	J	R	S	A	E
E	N	O	H	R	R	I	N	G	E	K	W	T	N	R
R	Y	S	C	H	I	L	D	K	R	Ö	T	E	D	A
C	O	M	P	U	T	E	R	A	B	C	I	N	Y	Q

b)

Ich möchte			
einen	ein	eine	– – –
Computer	Fahrrad	Kamera	Ohrringe
Fernseher	Handy	Schildkröte	Bücher
Gameboy®	Pony	Uhr	Schlitt-schuhe

3. a6, b2, c8, d7, e3, f1, g5, h4

4. a) Leon möchte einen Gameboy®. Anna möchte eine Kamera. Alex möchte einen Fernseher. Meike möchte Ohrringe. Sonja möchte Schlittschuhe. Florian möchte ein Pferd.
b) Leon, was wünschst du dir? Ich wünsche mir einen Gameboy® – Anna, was wünschst du dir? Ich wünsche mir eine Kamera. – Alex, was wünschst du dir? Ich wünsche mir einen Fernseher. – Meike, was wünschst du dir? Ich wünsche mir Ohrringe. – Sonja, was wünschst du dir? Ich wünsche mir Schlittschuhe. – Florian, was wünschst du dir? Ich wünsche mir ein Pferd.

5. a) einen, Ein, ein, – – –, eine, Eine, – – –, eine, Eine, – – –
b) *freie Aufgabe*

Lektion 30: Einladen

1. a) Lösungswort: EINLADUNG
b) Ina hat am Sonntag Geburtstag. Ina macht eine Party. Die Party ist um drei Uhr. Ina möchte viele Freunde einladen. Sie schreibt viele Einladungen. Alle antworten. Kusine Evi ruft an. Evi kann nicht kommen, weil sie krank ist. Ina sagt: „Wie schade".
c) *freie Aufgabe*

2. a) euch b) dich, dich c) euch d) dich

3. a) Lösung: KLAR
b) *Mögliche Lösung:* Jonas: Okay. Tschüs, Oma!
Lara: Ja, in Ordnung! Liebe Grüße, Lara
Leo: Klar, ich bringe CDs mit! Leo

4. a)

M	J	U	K	Ö	F	D	T	E	N	W	Z	A	P
Ä	X	M	A	I	G	O	K	T	O	B	E	R	A
J	A	N	U	A	R	S	D	H	V	W	Ö	U	P
U	A	C	G	L	F	D	E	Z	E	M	B	E	R
N	W	J	U	L	I	A	S	D	M	T	Ü	P	I
I	G	F	S	E	P	T	E	M	B	E	R	O	L
E	R	H	T	U	Z	B	S	N	E	Q	Y	W	I
M	Ä	R	Z	X	O	F	E	B	R	U	A	R	K

b) Januar, Februar, März, April, Mai, Juni, Juli, August, September, Oktober, November, Dezember

5. ersten, dritten, siebten, sechzehnten, zwanzigsten, zweiundzwanzigsten, dreißigsten

6. a/b) Schwester, Vater, Oktober, Dezember, Finger

7. a) Bild 1: Nr. 1, Bild 2: Nr. 2, Bild 3: Nr. 3, Bild 4: Nr. 4
b) Sankt Martin ist am elften November. Nikolaus ist am sechsten Dezember. Weihnachten ist am fünfundzwanzigsten Dezember. Neujahr ist am ersten Januar.
c) *freie Lösung*

8. a) 5 + 6 + 2 = 13; 1 + 7 + 3 = 11; 9 + 8 + 4 = 21
b) *Mögliche Lösung:* Liebe Maria, danke für den Brief. Ich habe erst am 25. Juli Geburtstag, Deine Grüße kommen also zu früh! Aber das macht nichts. Ich freue mich über Deinen Brief. Ja, im Juli mache ich vielleicht eine Party. [...] Viele Grüße, auch an Tina! Dein Peter

Lektion 31: So viel zu tun!

1. a)

K	P	O	S	T	E	R	L	I	M	O	N	A	D	E	O
U	I	T	A	S	C	H	E	N	R	E	C	H	N	E	R
L	Z	Y	L	B	D	S	X	A	P	F	E	L	Z	B	A
I	Z	N	A	R	C	A	W	Ü	R	S	T	C	H	E	N
K	A	R	T	O	F	F	E	L	P	U	D	D	I	N	G
W	U	R	S	T	I	T	K	A	K	A	O	K	Ä	S	E

b)

Essen		Trinken	Preise
Apfel	Pizza	Saft	Kuli
Salat	Brot	Limonade	CD
Orange	Würstchen	Kakao	Poster
Kartoffel	Pudding		Taschenrechner
Wurst	Käse		

c) 1 ein Apfel – zwei Äpfel, 2 ein Würstchen – vier Würstchen, 3 eine Kartoffel – drei Kartoffeln, 4 ein Kuli – fünf Kulis, 5 ein Poster – zwei Poster

d) ein Brötchen – zwei Brötchen, ein Taschenrechner – zwei Taschenrechner, eine CD – zwei CDs, ein Pony – zwei Ponys, eine Orange – zwei Orangen, ein Garten – zwei Gärten

2. Lösung: PARTY

3. Kartoffelsalat, Ohrringe, Eisenbahn, Wurstbrot, Schildkröte, Taschenrechner, Geburtstag, Orangensaft, Löwenbaby

4. a) 1–5–3–4–2–6
b) Möchtest du einen Apfel? Nein, drei Äpfel. Isst du drei Äpfel? Nein, ich trinke die Äpfel. Wie bitte? Ich mache Apfelsaft. Das schmeckt gut!

5. Olaf hat Hunger und Durst. da ist ein Kiosk. Er möchte ein Glas Orangensaft und ein Stück Pizza. Die Pizza ist groß und warm. Olaf möchte noch mehr essen. Er isst Würstchen mit Kartoffelsalat. Aber Olaf hat immer noch Hunger. Eigentlich möchte er weniger essen. Er ist schon so dick. Na, egal! Olaf nimmt noch ein Eis. Hm, das Eis ist gut!

6. a) Lösung: ORANGE
b) *gelenkte Schreibaufgabe*

7. A Bitte, was kosten die Kulis? 80 Cent das Stück. Dann nehme ich zwei Stück.
B Na, was möchtet ihr denn? Einen Taschenrechner, bitte. Das macht vier Euro 10.
C Was kostet das Brot da? Vier Euro 50. Was? So teuer?

8. a) 6–2–3–4–1–5
b) *freie Aufgabe*

Lektion 32: Wir feiern Geburtstag

1. Lösung: MORGEN

2. 1 Er muss, 2 muss, 3 ein Stück Torte, 4 Die Kinder möchten Saft oder Limo trinken, 5 trinken, 6 Es gibt noch, 7 gibt, 8 kommt, 9 Er singt

3. a) Daniel hat Bücher bekommen. Elena hat ein Computerspiel bekommen. Marek hat ein Handy bekommen. Sara hat eine Schildkröte bekommen. Roberto hat Schier bekommen. Lea hat Ohrringe bekommen. Pascal hat eine Uhr bekommen. Eva hat einen Fernseher bekommen.
b) 1 Marek, 2 Lea, 3 Elena, 4 Eva, 5 Daniel, 6 Sara, 7 Roberto, 8 Pascal
c) Marek sagt: Ich habe ein Handy bekommen. Endlich kann ich meine Freundin anrufen. Lea sagt: Ich habe Ohrringe bekommen. Die sehen aber schön aus. Elena sagt: Ich habe ein Computerspiel bekommen. Das ist sicher interessant. Eva sagt: Ich habe einen Fernseher bekommen. Ich darf aber nur Kinderfilme sehen. Daniel sagt: Ich habe Bücher bekommen. Super! Ich lese doch so gern. Sara

sagt: Ich habe eine Schildkröte bekommen. Ich mag Tiere doch so gern. Roberto: Ich habe Schier bekommen. Da kann ich sicher ganz schnell fahren. Pascal sagt: Ich habe eine Uhr bekommen. Jetzt komme ich nicht mehr zu spät.

Lektion 29–32: Weißt du das noch?

1. 1 kurz, 2 falsch, 3 sauber, 4 intelligent, 5 neu, 6 klein, 7 langweilig, 9 schwarz, 10 kaputt, 11 dick, 12 gesund

2. 1 den, ihn 2 der, ihn, er 3 den, der, ihn 4 den, er, ihn, der
b) *freie Aufgabe*

3. *freie Aufgabe (bei Schwierigkeiten in der Wortliste nachsehen)*

Das habe ich gelernt

Lösungsvorschläge siehe Randspalte

Grammatik-Comic

1. einen, ein, eine, – – –

2. Also, Schlittschuhe, eine Uhr, ein Auto, Ferrari oder so, und einen Fernseher. Ich bekomme sicher einen Fernseher. Na ja, ich bekomme wohl Schlittschuhe. Bekomme ich vielleicht ein Auto. Ich bekomme sicher eine Uhr.

Modul 4: Schule

Mögliche Lösung: Montag, Dienstag, Mittwoch, Donnerstag, Freitag, Samstag, Sonntag
Ich male gern. Malen macht mir Spaß. Spielst du gern Fußball? – Nein, ich spiele lieber Basketball.
Wie spät ist es? – Es ist zehn Uhr. / Es ist zehn.
aufstehen, frühstücken, Mittagessen, Hausaufgaben machen, Abendessen, ins Bett gehen, schlafen
Gib den Hut her! Spring! Rechne 3 + 4! …
groß, klein, dick, dünn, kurz, lang; Die Beine sind dünn.
Er ist 40 Jahre alt.
Tafel, Kreide, Papierkorb, Schrank, Waschbecken, Tisch, Tür, Fenster, Stuhl, Lehrer

Lektion 33: Mein Stundenplan

1. Sport, Mathematik, Kunsterziehung, Deutsch, Textilarbeit/ Werken, Englisch, Musik, Sachunterricht

2. a) Lösung: DEUTSCH
b) *freie Aufgabe*

3. a) Am Mittwoch haben wir in der ersten Stunde Deutsch. b) Am Montag haben wir in der dritten Stunde Mathe. c) Am Freitag haben wir in der fünften Stunde Sport. d) Am Dienstag haben wir in der sechsten Stunde Kunst. e) Am Samstag haben wir frei.

4. Sch/sch: Tisch, Schule, schön, schnell, Deutsch; Sp/sp: spielen, Sport, Spaß, sprechen, später; St/st: Stunde, Stiefel, Stundenplan, Stuhl, Stadt

5. links von oben nach unten: Erdkunde/Geografie, Biologie, Physik;
rechts von oben nach unten: Sozialkunde, Chemie, Geschichte

6. a/b) 1 Lieblingsfach, 2 mitnehmen, 3 bisschen, 4 froh,
5 anfangen, 6 Grundschule, 7 aufstehen, 8 Brief,
9 Beispiel, 10 besonders

Lektion 34: Wie spät ist es?

1.

| halb acht | Viertel
vor eins | fünf
nach drei | zehn vor
sechs | Viertel
nach fünf |

2. a) Die Uhren zeigen an (von links nach rechts, obere
Reihe): halb drei, halb sieben, halb eins, halb zwölf;
(untere Reihe): Viertel nach vier, Viertel nach acht,
Viertel vor acht, Viertel vor elf
b)

| halb neun | Viertel
vor zwei | Viertel
nach sechs | halb drei | Viertel
vor vier |

| fünf nach
halb eins | fünf vor
halb zehn | fünf vor
halb fünf | fünf nach
halb fünf |

3. a) 1 Es ist halb elf. 2 Es ist fünf nach neun. 3 Es ist Viertel
vor sechs. 4 Es ist zehn vor drei. 5 Es ist Viertel nach eins.
6 Es ist fünf nach halb zehn.

4. a) A duschen B frühstücken C Mittagessen D Abendessen
b) 1 auf, 2 duscht, 3 frühstückt, 4 geht, 5 spielt, 6 geht,
7 Mittagessen, 8 macht, 9 spielt, 10 Abendessen, 11 geht
c) *Freie Aufgabe*

Lektion 35: Im Unterricht

1. a) 1: Ich habe Schuhe. 2: Ich habe eine Brille. 3: Ich habe
einen Hut. 4: Ich habe ein Buch. 5: Ich habe keine Brille.
6: Ich habe kein Buch. 7: Ich habe keinen Hut. 8: Ich habe
keine Schuhe.
b) *gelenkte Schreibaufgabe*

2. a/b) O je. Wir haben jetzt Kunst. Und ich hab meinen
Pinsel vergessen. Hast du vielleicht einen Pinsel? – Tut
mir leid. Ich habe auch keinen Pinsel. – Oder einen Farbstift? – Ich habe auch keinen Farbstift. Ich habe meinen
Rucksack vergessen. – O je! Dann hast du auch keinen
Block dabei. – Keinen Block, kein Blatt, keinen Malkasten, keine Farbstifte. Nichts! – Warte mal! Nimm meinen
Malkasten. Und hier hast du ein Blatt. – Danke. Aber ich
habe noch keinen Pinsel. – O je! Was machen wir denn da?

3. Bild 1: Bastian hat einen Füller, ein Heft, ein Buch, eine
Katze und Farbstifte. Lisa hat einen Block, ein Glas, eine
Schere, ein Lineal, einen Malkasten und einen Pinsel.
Bild 2: Bastian hat kein Heft, keine Katze und keine
Farbstifte. Lisa hat kein Lineal und keinen Malkasten.

4. a) (a) 12, (b) 11, (c) 12, (d) 10, (e) 9, (f) 11, (g) 5, (h) 6, (i)
8, (j) 7, (k) 10, (l) 2, (m) 4, (n) 1, (o) 3 → 12 + 11 + 12 =

35; 10 + 9 + 11 = 30; 5 + 6 + 8 = 19; 7 + 10 + 2 = 19;
4 + 1 + 3 = 8
b) *gelenkte Schreibaufgabe*

5. a) mein, keinen, keinen, kein, keine, meinen, meinen,
mein, meine
b) *freie Aufgabe*

6. a) *Mögliche Lösung* (kann natürlich je nach Lehrplan und
Lehrkraft unterschiedlich sein)

	Deutsch	Englisch	Mathe	Sach- unterricht	Musik	Sport	Kunst	Textilarbeit/ Werken
lesen	X	X		X				
schreiben	X	X	X					
rechnen			X					
lernen	X	X	X	X				
zeichnen	X	X	X	X			X	X
malen				X			X	X
spielen	X	X			X	X		
turnen						X		
basteln	X	X		X				X
singen	X	X			X			

b) *Mögliche Lösung:* Ich male und zeichne in Kunst. Ich
schreibe, rechne, lerne und zeichne in Mathe. Ich spiele
und turne in Mathe …

7. *freie Aufgabe*

Lektion 36: So ist es bei uns!

1. a) 1 Nürnberg, 2 elf, 3 Gymnasium, 4 Englisch,
5 Klassenarbeit, 6 Deutsch, 7 Kunst, 8 gut, 9 Ingenieur.
Lösungswort: GYMNASIUM
b) Nadine wohnt in der Schweiz, in Lausanne. Sie ist neun
Jahre alt. Sie geht in die Grundschule, in die vierte Klasse.
Nadines Lieblingsfach ist Deutsch. Da ist sie immer gut in
der Klassenarbeit. Sie ist auch gut in Mathematik. Nur in
Sport ist sie nicht so gut. Nadines Zeugnis ist nicht
schlecht. Sie möchte einmal Lehrerin werden.
c) *freie Aufgabe*

2. a)

ich	du	er/es/sie	wir	ihr	sie/viele
muss	musst	muss	müssen	müsst	müssen
darf	darfst	darf	dürfen	dürft	dürfen

b) *Mögliche Lösung:* Ihr dürft fernsehen. Wir müssen
Ordnung machen. Er muss Hausaufgaben machen. Sie darf
zu Oma gehen. Sie dürfen spielen. Viele Kinder müssen
lernen. Du darfst reiten. usw.

3. a) Heute ist wieder Jakobs Freund Max da. Die zwei
spielen immer Tennis. Tim und Leo möchten so gerne
mitspielen. Aber sie dürfen nicht. Sie sind noch zu klein,
sagt Jakob. Aber sie müssen immer die Bälle holen. Sie
sind so sauer.
b) *Mögliche Lösung:* Liebe Tante Claudia, heute ist wieder
Utas Freundin Lisa da. Die zwei spielen Tischtennis. Ich
möchte so gern mitspielen. Aber ich darf nicht. Ich bin
noch zu klein, sagt Uta. Aber ich muss immer die Bälle
holen. Ich bin so sauer! Viele Grüße, Deine Lara

4. a/b) A Mama, *dürfen* wir Fußball spielen? – Nein, ihr *müsst* erst Hausaufgaben machen. Dann *dürft* ihr spielen. – Also los! Hausaufgaben! Schnell!
B Papa, *darf* ich noch ein bisschen fernsehen? – Nein, du *musst* ins Bett. – Mist! Jan *darf* noch fernsehen. Nur ich nicht!
C Kinder, ich *muss* jetzt zu Oma. Die Hausaufgaben nicht vergessen. In Ordnung? – Mama, *müssen* wir gleich Hausaufgaben machen? – Peter, du *darfst* noch ein bisschen lesen. Aber Laura *muss* gleich Mathe machen.

5.

Sammle die Bücher ein!	Sammelt die Bücher ein!
Mach den Tisch sauber!	Macht den Tisch sauber!
Gieß die Blumen!	Gießt die Blumen!
Rechne die Aufgabe!	Rechnet die Aufgabe!
Schreib die Geschichte!	Schreibt die Geschichte!

6. 1 Abitur, 2 Zeugnis, 3 Glück, 4 Universität, 5 Französisch, 6 Fabrik, 7 Klassenlehrer, 8 Realschule, 9 Informatik, 10 Geschwister, 11 anderen, 12 Ingenieurin

Lektion 33 – 36: Weißt du das noch?

1. *Mögliche Lösung:* Alissa macht eine Party. Ich bringe CDs mit. Du erzählst eine Geschichte. Tobias liest ein Buch. Wir schreiben einen Brief. Die Kinder besuchen Freunde. Uli und Jan laden einen Freund ein. Ihr möchtet ein Fahrrad. Ich brauche einen Bleistift. Du malst ein Pferd.

2. Körperteile: Kopf, Bauch, Arm, Bein, Fuß, Hand
Tiere: Affe, Tiger, Bär, Löwe, Pferd, Robbe, Elefant
Essen und Trinken: Pizza, Limonade, Saft, Wasser, Brötchen, Schokolade
Schulsachen: Heft, Buch, Füller, Radiergummi, Lineal, Block

3. a) Ohr/lehrer, Hals/aufgaben, Haus/schmerzen, Grund/arbeit, Wochen/schule, Flug/salat, Sport/saft, Klassen/ball, Lieblings/ende, Fuß/tennis, Stunden/zeug, Abend/ringe, Tisch/essen, Orangen/plan
b) Abendessen, Flugzeug, Fußball, Grundschule, Halsschmerzen, Hausaufgaben, Kartoffelsalat, Klassenarbeit, Lieblingsfach, Ohrringe, Orangensaft, Sportlehrer, Stundenplan, Tischtennis, Wochenende

Das habe ich gelernt

Lösungsvorschläge siehe Randspalte

Grammatik-Comic

1. keinen, kein, keine, keine

2. Ich habe kein Buch dabei. Ich habe auch keinen Ball dabei. Ach, ich habe keine Badeschuhe dabei. Ich habe keine Badehose dabei.

Modul 5: Alle meine Tiere

Mögliche Lösung: lieb, total lieb, nett, sehr nett, nicht so nett, groß, klein, schön, toll, lustig. Die Katze / Der Hund ist drei Jahre alt.
Das ist meine Hose! Ich habe (zum Geburtstag) ein Buch bekommen.
Lass mich in Ruhe! Macht die Fenster auf/zu! Gieß die Blumen! Macht die Tafel sauber!

Hund, Katze, Papagei, Wellensittich, Schildkröte, Pony, Meerschweinchen, Hase, Maus
Morgen, Vormittag, Mittag, Nachmittag, Abend, Nacht

Lektion 37: Haustiere

1. *Selbstkontrolle*

2. a) *(Schreibaufgabe)*
b) *freie Aufgabe*

3. A4, B1, C6, D2, E3, F5
4 + 1 + 6 – 2 – 3 – 5 = 1

4. *freie Aufgabe*

5. a) 1 jetzt, 2 lieb, 3 gibt, 4 Schule, 5 bekomme, 6 schlafe, 7 spielen, 8 Spaß, 9 spazieren gehen, 10 Milch;
3 + 6 + 7 + 5 + 9 = 30; 2 + 1 + 10 + 4 + 8 = 25
b) *gelenkte Schreibaufgabe*

6. a) 1 am Morgen, 2 am Vormittag, 3 am Mittag, 4 am Nachmittag, 5 am Abend, 6 in der Nacht
b) 2–1–1–3/5–6–5–1–4/5–4–5–2/4
c) *Mögliche Lösung:* Am Morgen stehe ich auf. In der Nacht schlafe ich. Am Nachmittag mache ich Hausaufgaben.
Am Mittag esse ich. Am Abend gehe ich ins Bett …
d) *Mögliche Lösung:* In der Nacht mache ich Hausaufgaben. Am Abend frühstücke ich. Am Nachmittag gehe ich ins Bett. Am Vormittag schlafe ich. Am Abend habe ich Unterricht …

7. a) üben
b) *Mögliche Lösung:* Papa sagt: Ihr dürft jetzt nicht fernsehen. Ihr müsst Mathe lernen. Mama sagt: Ihr dürft jetzt nicht spielen. Ihr müsst Gitarre üben. Warum dürfen Sonja und Meike fernsehen und spielen? Warum müssen Sonja und Meike nicht Mathe lernen und Gitarre üben? Warum immer nur wir?
c) *Mögliche Lösung:* Papa sagt: Du darfst jetzt nicht schwimmen. Du musst Hausaufgaben machen. Mama sagt: Du darfst jetzt nicht basteln. Du musst Englisch lernen. Warum darf Lara schwimmen und basteln? Warum muss Lara nicht Hausaufgaben machen und Englisch lernen? Warum immer nur ich?

Lektion 38: So viele Tiere!

1. 1 ein Schwein, 2 eine Kuh, 3 eine Gans, 4 eine Katze, 5 ein Papagei, 6 ein Schaf

2. Lösung: SCHWEIN

3. A Anna hat einen Hasen, eine Katze, einen Hund, ein Meerschweinchen, ein Pony, eine Schildkröte und einen Papagei. B Berta hat keinen Hasen, keinen Hund, kein Pony und keine Schildkröte. Sie hat auch ein Meerschweinchen, eine Katze und einen Papagei.

4. a/b) Wie viele denn? Was für Tiere denn? Kann der Papagei sprechen? Und der Wellensittich? Warum denn? Gehört das Meerschweinchen nicht Lilly? Gehört die Schildkröte auch Stefan? Was? Eine Schildkröte?

5. a) *freie Aufgabe*
b) *Mögliche Lösung:* Planetinos Pferd ist klein und ein bisschen dick. Die Antennen sind rot. Die Beine sind kurz, die Füße sind klein. Planetinos Pferd ist lustig/süß/lieb …
c/d) *freie Aufgabe*

6. a) mir b) Ja, der Hase gehört mir. c) dir; Nein, der Hund gehört mir nicht. d) gehört dir; Nein, die Maus gehört mir nicht.

7. a) ziemlich b) ruhig c) dumm d) aufhören e) langsam f) verrückt g) normal; 1 + 4 + 6 − 7 + 5 + 3 − 2 = 10

Lektion 39: Wo ist Mimi?

1. 1 anrufen, 2 Adresse, 3 Baum, 4 Katze, 5 fragen, 6 Wie, 7 suchen, 8 Sachen, 9 traurig, 10 Feuerwehr

2. a/b) A Telefon, suchen, Angst, findet, mitnehmen
B heißt, gesehen
C verrückt, laufen, fliegen, helfen, Vögel, Bäume
c) *Mögliche Lösung:* Meine Katze ist schon vier Tage weg. Sie ist ein Jahr alt, rot-weiß, klein und heißt Mizzi. Wer hat Mizzi gesehen? Bitte melden! Tel. 394718

3. a3, b5, c1, d7, e4, f2, g6; 3 + 5−1 + 7 + 4 − 2 − 6 = 10
b) *gelenkte Schreibaufgabe*

4. Lösung: KATZE

5. 1 Hast, 2 ist, 3 habe, 4 hat, 5 haben, 6 ist, 7 haben (*Lösungsbild: Fisch*)

6. 3–7–1–5–2–4–6

7. a) *von oben nach unten, Bilder links*: 2–1–3, *Bilder rechts*: 4–5
b) *Schreib-/Grammatikaufgabe nach dem angegebenen Muster*

Lektion 40: Tiere und ihre Freunde

1. *Mögliche Lösung:* Ich kann gut Rad fahren. Pferde können schnell rechnen. Leos Oma kann nicht gut reiten. Mein Hund kann nicht Fußball spielen. Ihr könnt gut klettern. Meine Eltern können schnell schwimmen. Wir können gut laufen …

2. a) a ein, der; b einen, ein, der; c der, Den; d die, eine, eine, die; e das, ein, das, ein
b) a2, b1, c5, d3, e4; 2 − 1 + 5 + 3 − 4 = 5
c) *gelenkte Schreibaufgabe*

3. 1 Robbe, 2 Löwe, 3 Vogel, 4 Kuh, 5 Bär, 6 Katze, 7 Maus, 8 Schwein, 9 Meerschweinchen, 10 Schaf, 11 Hund, 12 Hase, 13 Wellensittich, 14 Tiger, 15 Pony, 16 Gans, 17 Affe, 18 Papagei, 19 Elefant, 20 Pferd, 21 Schildkröte

Lektion 37–40: Weißt du das noch?

1. a) ein, kein, eine Katze b) einen, keinen, einen Pinsel c) eine, keine, ein Mann d) – – –, keine, Schildkröten e) ein, kein, ein Drachen f) eine, keine, einen Apfel g) ein, kein, einen Hund

2. a) 1 am, 2 am, 3 um, 4 in, 5 um
b) Am Samstag macht Hanna eine Party. Am ersten Mai habe ich Geburtstag. Um halb vier spielen die Kinder Volleyball. In der dritten Stunde haben wir Deutsch. Um eins ist das Mittagessen fertig.

Das habe ich gelernt

Lösungsvorschläge siehe Randspalte

Grammatik-Comic

1.

Ich mache zu	ich habe zugemacht	du machst zu	du hast zugemacht
ich sehe	ich habe gesehen	du siehst	du hast gesehen
ich vergesse	ich habe vergessen	du vergisst	du hast vergessen
ich sage	ich habe gesagt	du sagst	du hast gesagt
ich höre	ich habe gehört	du hörst	du hast gehört

2. Oh, ich habe meine Brille vergessen. Ich habe doch gesagt, du musst aufpassen. Hast du nicht gehört? Ich habe dich nicht gehört. Du hast deine Schuhe nicht zugemacht. Was hast du gesagt? Hast du den Baum nicht gesehen?

Theater: Hans im Glück

1. *Selbstkontrolle*

2.

Mann	Frau
Arzt	Ärztin
Pilot	Pilotin
Bauer	Bäuerin
Künstler	Künstlerin
Architekt	Architektin
Lehrer	Lehrerin

3. a) Pilotin b) Schauspieler c) Lehrer d) Ärztin b) Künstler

4. b) 1 sieben Jahre, 2 möchte Hans, 3 Er bekommt, 4 Hans ist, müde, 5 kommt ein, 6 Hans nimmt, der, bekommt, 7 Hans kann nicht gut, 8 kommt, 9 gibt, eine Kuh, nimmt das Pferd, 10 Die Kuh gibt keine Milch, 11 kommt, 12 nimmt die Kuh, gibt, ein Schwein, 13 kommt, Er hat, 14 Hans und der Junge, 15 sieht einen, 16 Hans findet die Arbeit, 17 gibt Hans, 18 Hans gibt, 19 möchte Wasser trinken, 20 Wasser, 21 Hans ist froh, 22 Hans, fröhlich/jetzt

Lesen

1. a) 1 Morgen kommt nämlich ein Clown in die Klasse. 2 jetzt bist du schon eine Woche weg. 3 Ich kann Dir die Hausaufgaben bringen.
b) Anna, Carlos, Semra
c) 1 den Clown, 2 Also findet Anna die Schule langweilig, 3 Gute Besserung, 4 Laura besuchen

2. a) für Reitunterricht
b) für Malen und Zeichnen
c) 1 richtig, 2 falsch, 3 falsch, 4 falsch, 5 richtig, 6 falsch

3. a) Geburtstag
b) 1) Die Kinder-Illu ist 10 Jahre alt.
2) Sie hat 27 Briefe bekommen.

c)

	Lea	David	Maria
ist am 17. Mai zehn Jahre alt	R	R	R
hat Bruder oder Schwester	R	R	?
schwimmt gern	?	?	R
Hobby: Lesen	R	?	F
möchte ein Tier	F	?	R

4. a) Schule
b) Mein Zeugnis
c) Deutsch, Textilarbeit/Werken (2x)
d) Tabea
e) Pavlo: Ich mag Mathe, aber ich kann es nicht.
f) Pavlo

5. 1) ein Fußballspieler
2) *(Lösung variiert je nach Schüler)*
3) 2 – Prinz ist da, 1 – Anton ist immer allein, 4 – Prinz holt den Ball, 5 – Die Großen haben Angst, 6 – Anton darf mitspielen, 3 – Der Ball ist weg
4) a) falsch b) richtig c) falsch d) richtig e) falsch f) richtig

Mehrzahl

auf den Karten neben Planetino: Mäntel (1), Bäuche (2), Ärzte (2), Betten (4), Krankenhäuser (3), Köpfe (2), Gesichter (5), Häuser (3)

+ ¨	+ ¨e	+ ¨er	+ en	+ er
Vögel	Mäuse	Räder	Uhren	Kinder
Groß- mütter	Städte		Bären	
Großväter			Elefanten	
Brüder	Würste	Gläser	Türen	Schier
Äpfel	Grüße	Bücher	Eisen- bahnen	
Gärten	Fußbälle	Fahrräder		
Malkästen	Bäume	Blätter	Hemden	
	Rücksäcke	Fächer	Fabriken	
	Kühe			Lieder
	Bälle			

auf den Karten neben Planetino: Straßen (8), Kuchen (6), Pos (9), Farben (8), Clowns (9), Beine (7), Tassen (8), Brötchen (6), Finger (6), Tage (7), Arme (7)

+ – –	+ e	+ n	+ s
Tiger	Tiere	Namen	Hobbys
Onkel	Jahre	Wochen	Omas
Schüler	Freunde	Tanten	Babys
Fernseher	Stifte	Schwestern	Autos
Würstchen	Geschenke	Kartoffeln	Kameras
Poster	Spiele	Adressen	CDs
Lehrer	Hefte	Blumen	
Fenster	Briefe	Klassen	
Mädchen	Lineale	Stunden	
Mäppchen	Monate	Jungen	Zoos
Kätzchen	Tische	Sprachen	Bands
Meer- schweinchen	Schafe	Aufgaben	

Da ändert sich was!

e → i

	geben	helfen	sprechen
ich	gebe	helfe	spreche
du	gibst	hilfst	sprichst
er/es/sie	gibt	hilft	spricht
wir	geben	helfen	sprechen
ihr	gebt	helft	sprecht
sie/viele	geben	helfen	sprechen

e → i

	vergessen	essen	fressen
ich	vergesse	esse	fresse
du	vergisst	isst	frisst
er/es/sie	vergisst	isst	frisst
wir	vergessen	essen	fressen
ihr	vergesst	esst	fresst
sie/viele	vergessen	essen	fressen

e → ie

	sehen	fernsehen	lesen
ich	sehe	sehe fern	lese
du	siehst	siehst fern	liest
er/es/sie	sieht	sieht fern	liest
wir	sehen	sehen fern	lesen
ihr	seht	seht fern	lest
sie/viele	sehen	sehen fern	lesen

a → ä

	schlafen	fahren	anfangen
ich	schlafe	fahre	fange an
du	schläfst	fährst	fängst an
er/es/sie	schläft	fährt	fängt an
wir	schlafen	fahren	fangen an
ihr	schlaft	fahrt	fangt an
sie/viele	schlafen	fahren	fangen an

au → äu

	laufen
ich	laufe
du	läufst
er/es/sie	läuft
wir	laufen
ihr	lauft
sie/viele	laufen

Vorsicht! Ganz anders!

	nehmen	mitnehmen
ich	nehme	nehme mit
du	nimmst	nimmst mit
er/es/sie	nimmt	nimmt mit
wir	nehmen	nehmen mit
ihr	nehmt	nehmt mit
sie/viele	nehmen	nehmen mit

	wissen
ich	weiß
du	weißt
er/es/sie	weiß
wir	wissen
ihr	wisst
sie/viele	wissen

Lösungsschlüssel zu den Tests

Test zu Lektion 21 und 22

1. 1 Haare, 4 Nase, 7 Bauch, 8 Po, 2 Kopf, 6 Hals, 5 Mund

2. 13 Füße, 3 Ohren, 10 Arme, 11 Hände, 12 Finger

3. b) Die Haare sind kurz. c) Die Nase ist lang. d) Die Augen sind klein. e) Der Mund ist groß. f) Der Hals ist dünn.

4. gehen, Möchtest, Hast, kann, kannst, bin, hast, tut, tun, bleibe

5. a) Das sind Jakobs Haare. b) Das sind Mareks Füße. c) Das ist Bodos Auge. d) Das ist Paulas Hand.

6. a) Ich habe keine Lust. b) Tennis? Wie langweilig. c) Schade. d) Ich weiß nicht.

Test zu Lektion 23 und 24

1. kann, möchte, muss, darf

2. 3a Arzt, 1b Medizin, 5c Rezept, 2d Apotheke, 4e Krankenhaus

3. a) Es geht. b) Nein, ich habe keinen Durst. c) Ich habe Ohrenschmerzen. d) Ja, mein Hals tut weh. e) Gute Besserung.

4. 1 Meine Augen tun so weh. 2 Meine Hand tut weh. 3 Ich habe Halsschmerzen. 4 Meine Beine tun weh.

5. 1 Eis, 2 Obst, 3 Lolli, 4 Kuchen, 5 Brötchen, 6 Tee, 7 Saft, 8 Milch, 9 Wasser, 10 Limonade

6. b) Jana kann gut malen. c) Tina darf noch nicht aufstehen. d) Was isst du denn da? e) Paula muss Hausaufgaben machen. f) Ich esse gern Schokolade. g) Olaf, du darfst den Kuchen nicht essen. h) Ich muss zu Hause bleiben.

Test zu Lektion 25 und 26

1. b) Freitag, c) Donnerstag, d) Montag, e) Sonntag, f) Samstag

2. b) Ich spiele am Wochenende Tennis. c) Der Film fängt um 3 Uhr an. d) Meine Schwester fährt am Samstag zu Tante Verena. e) Mein Freund kommt um eins.

3. 1 Elefanten, 2 Löwen, 3 Bären, 4 Pferde, 5 Affen, 6 Tiger

4. (1), 4, 5, 7, 8, 2, 6, 9, 11, 10, 3, 12

5. b) Oma, c) Onkel, d) Kusine, e) Großvater

6. a) Wir können doch in den Zirkus gehen. b) Der Film läuft am Samstag um drei Uhr. c) Meine Freunde möchten heute Fußball spielen. d) Wir müssen um vier Uhr fernsehen.

Test zu Lektion 27 und 28

1. vierunddreißig – 34; fünfundsechzig – 65; achtundfünfzig – 58; einundzwanzig – 21; dreiundvierzig – 43; sechsund- neunzig – 96

2. a) Komm b) Lauf! c) Rechne! d) Gib her!

3. 1 sprechen, 2 schwimmen, 3 laufen, 4 fliegen, 5 klettern, 6 singen

4. b) können, c) müssen, d) möchten, e) möchtet, f) könnt

5. 2 Ich finde ihn auch sehr nett. 3 Ich finde sie auch sehr nett. 4 Ich finde es auch sehr lieb. 5 Ich finde ihn auch doof. 6 Ich finde sie auch doof. 7 Ich finde es auch nicht nett.

6. möchtest, bitte, macht, kostet, Cent, möchte, zusammen, Euro, Hier, Vielen

Test zu Lektion 29 und 30

1. 1 Fahrrad, 2 Computer, 3 Uhr, 4 Pony, 5 Schlittschuhe, 6 Ohrringe, 7 Handy, 8 Kamera, 9 Schildkröte, 10 Fernseher

2. a) – – –, b) einen, c) eine, d) ein, e) einen

3. b) Mai, c) November, d) Januar, e) August, f) Dezember, g) März

4. zwölften, zwanzigsten, siebten, dritten, dreißigsten, ersten

5. Geburtstag, zehnten, Party, am, euch, gern, dich, Wann, um, später, möchtest, mir

Test zu Lektion 31 und 32

1. 2 Käse, 3 Würstchen, 4 Kartoffel, 5 Obst, 6 Wurst, 7 Apfel, 8 Orange, 9 Brot

2. dir, mir, dir, mir

3. a) Am 14. Juni. b) Ich möchte eine Schildkröte. c) Ja, am Wochenende. d) Würstchen. e) Comics.

4. Was möchtet ihr denn? – Wir möchten Autos. Was kosten denn die da? – Zwei Euro 50 das Stück. – Was? So teuer? – Aber die hier kosten nur 80 Cent. – Das ist ja billig. Dann nehmen wir fünf Stück. – Das macht vier Euro. – Hier bitte. – Danke.

5. 1 Taschenrechner, 2 Poster, 3 Kuli, 4 CD, 5 Stift, 6 Comics

6. einen Taschenrechner, einen Kuli, ein Poster, eine CD, ––– Comics

7. Kulis, CDs, Stifte, Taschenrechner, Poster

Test zu Lektion 33 und 34

1. a) Kunst. b) Englisch. c) Musik. d) Mathematik. e) Informatik. f) Sport.

2. a) in, b) um, c) am

3. b) In welche, c) Wie viele, d) Was, e) Was

4. Uhr a) Viertel vor acht, Uhr b) fünf vor halb sieben, Uhr c) zehn nach fünf, Uhr d) fünf nach halb sechs

5. (*Kontrolle durch den Lehrer*)

6.

Mo	Di	Mi	Do	Fr
Deutsch				
		Kunst		Deutsch
	Deutsch		Sport	
			Sport	

7. a) Am Samstag haben wir frei. b) In der fünften Stunde haben wir Sport. c) Am Dienstag in der zweiten Stunde haben wir Englisch. (*auch möglich:* Am Dienstag haben wir in der zweiten Stunde Englisch.)

8. 2 frühstücken, 3 in die Schule gehen, 4 Mittagessen, 5 Hausaufgaben machen, 6 Abendessen, 7 ins Bett gehen

Test zu Lektion 35 und 36

1. richtig: Eva hat ein Heft, Eva hat eine Uhr, Eva hat kein Lineal, Eva hat keine Schere.
falsch: Eva hat keinen Bleistift, Eva hat keine Stifte, Eva hat einen Malkasten.

2. Hier, nimm die da: 2/3; Hier, nimm das da: 4; Hier, nimm die da: 2/3; Hier, nimm den da: 1

3. mein, ein, kein, keinen, einen, –––, eine, keine, keine, meine, meine, Einen/Meinen

4. a) Arzt, b) Lehrerin, c) Ingenieur, d) Künstler, e) Sekretärin

5. a) macht, b) rechne, c) kommt, d) sagt, e) mach

6. a) Dürften, b) musst, c) müsst, d) dürfen, e) dürft

Test zu Lektion 37 und 38

1. 1 Gans, 2 Schaf, 3 Kuh, 4 Meerschweinchen, 5 Hase, 6 Schildkröte, 7 Wellensittich
Lösung: Schwein

2. 1 am Morgen, 2 am Vormittag, 3 am Mittag, 4 am Nachmittag, 5 am Abend, 6 in der Nacht

3. a) Am Morgen frühstückt Maria. b) Am Nachmittag machen wir Hausaufgaben. c) Am Abend darf ich nicht fernsehen.

4. a) der, das; b) die, das; c) das, das

5. a) Nein, ich habe gar kein Tier. b) Ein Meerschweinchen. c) Neun Monate. d) Er ist bunt.

6. der, kein, ein, dir, mir, gehört, heißt, lieb, dürfen, müssen, komm, kann

Test zu Lektion 39 und 40

1. A: Sehr groß, immer grau
B: Klein, grau, weiß oder bunt
C: Ziemlich groß, schwarz oder weiß

2. a) schwimmen. b) fliegen. c) Ponys können laufen. d) Affen können klettern. e) Ein Papagei kann sprechen.

3. 1 Ein Hund. 2 Nein, einen Hund. 3 Er ist klein und dick. 4 Er ist schwarz. 5 Er kann viel fressen. 6 Nein, er ist zu dick. 7 Am Morgen und am Abend.

4. a) Ich bin ... Jahre alt. b) Ich wohne in der ...-Straße (*auch in der Muttersprache möglich!* Beispiel: „Ich wohne in der rue Vavin."). c) Meine Augen sind braun/blau/grau/grün/schwarz. d) Ich möchte einen Hund / eine Katze ...

5. 1 gehört. 2 bekommen. 3 vergessen. 4 angerufen. 5 gekommen. 6 gesehen.

6. a) ist, b) haben, c) hast, d) habe, e) hat, f) ist

7. gesucht, war, hast, geholt, war, war, hat, gesagt, war

Transkriptionen

der Texte zum Hören und Nachsprechen und der Hörgeschichten

Hinweis: Bei allen Übungen zur Aussprache ist jeweils beim Zeichen ■ eine Pause zum Nachsprechen, Mitmachen, Zeigen oder Klatschen auf der CD. Die Pause kann der Lehrer je nach Bedürfnis der Schüler verlängern, indem er die „Pause"-Taste drückt.

Themenkreis Was tut denn weh

Comic 1

Giraffe: O je, o je!
Junge: Was ist denn los?
Giraffe: Mein Hals tut so weh.
Junge: Warte mal!
Junge: Hier! Nimm den Schal!
Giraffe: Danke!
Junge: Aber hilft das? Der Schal ist so klein.
Giraffe: Das geht schon. Danke.

Comic 2

Nilpferd: Hallo, Kroko. Was hast du denn?
Kroko: Au, au, au! Mein Zahn tut so weh!
Nilpferd: Warte! Ich hole den Zahnarzt.
Zahnarzt: Also, Kroko. Lass mal sehen! Mach mal auf! Das haben wir gleich! So.
Nilpferd: Und? Hast du noch Schmerzen?
Kroko: Nein, das nicht! Aber ich pfff kann nicht pfff so gut pfff sprechen. Es macht pffff immer pffff.

Lektion 21

2a

Kopf ■ Gesicht ■ ein Auge ■ ein Ohr ■ ein Zahn ■ viele Zähne ■ Mund ■ Nase ■ Haare ■ Hals ■ Bauch ■ Po
ein Arm ■ zwei Arme ■ eine Hand ■ zwei Hände ■ ein Finger ■ zehn Finger ■ ein Bein ■ zwei Beine ■ ein Fuß ■ zwei Füße

2b

meine Nase ■ deine Nase ■ mein Bauch ■ mein Hals ■ mein Po ■ dein Kopf ■ deine Füße ■ meine Hände ■ mein Gesicht ■ deine Haare ■ deine Ohren ■ meine Zähne ■ dein Hals ■ deine Arme ■ deine Finger

2c

Gesicht ■ ein Auge ■ ein Ohr ■ ein Zahn ■ Bauch ■ ein Bein ■ ein Fuß ■ Nase ■ Kopf ■ Haare ■ Mund ■ Hals ■ ein Arm ■ eine Hand ■ ein Finger ■ Po ■ zwei Hände ■ zehn Finger ■ zwei Arme ■ zwei Beine ■ zwei Füße ■ zwei Ohren ■ zwei Augen ■ viele Zähne

2d

ein Gesicht ■ ein Auge ■ ein Ohr ■ ein Zahn ■ ein Schal ■ ein Bauch ■ ein Buch ■ ein Bein ■ ein Fuß ■

ein Tuch ■ eine Nase ■ ein Mantel ■ ein Kopf ■ Haare ■ Hose ■ ein Mund ■ ein Hals ■ ein Arm ■ ein Blatt ■ eine Hand ■ ein Hemd ■ ein Finger ■ ein Po ■ zwei Hände ■ zwei Mäppchen ■ zehn Finger ■ zwei Arme ■ zwei Beine ■ zwei Füße ■ zwei Füller ■ eine Schere ■ zwei Ohren ■ zwei Augen ■ Zähne

4a

Ach, mein Bauch. ■ Ach, mein Buch. ■ Ach, mein Tuch. ■ Gute Nacht. ■ acht Drachen, achtzehn Drachen. ■ Das macht Spaß.

4c

Mein Bauch macht so. ■ Ach, ein Drachen. ■ Das macht Spaß. ■ Mach das Buch auf. ■ Das ist mein Buch. ■ Das ist doch auch mein Buch. ■ Ach so! ■ Gute Nacht

Lektion 23

2c
Übung 1

Arzt ■ Krankenhaus ■ Medizin ■ Rezept ■ Apotheke ■ Bett ■ Schmerzen

2c
Übung 2

Tina ist krank.
Der Arzt kommt.
Guten Tag, Herr Doktor.
Wie geht's?
Hast du Schmerzen?
Ich habe Kopfschmerzen.
Muss ich ins Krankenhaus?
Du musst im Bett bleiben.
Du darfst bald aufstehen.
Die Mutter holt Medizin aus der Apotheke.
Hier ist das Rezept.
Du wirst gesund.
Gute Besserung.

3a

1. Tina ist krank. Sie ist schon drei Tage im Bett
2. Sie kann nicht Musik hören, denn sie hat Ohrenschmerzen.
3. Sie kann nichts essen, denn sie hat Halsschmerzen.
4. Der Arzt sagt, sie muss nicht ins Krankenhaus.

5. Tina muss nur noch fünf Tage im Bett bleiben, Medizin nehmen und viel Tee trinken.

Lektion 24

1a

Tee ■ Kaffee ■ Kakao ■ Saft ■ Wasser ■ Limo/ Limonade ■ Milch ■ Kuchen ■ Lolli ■ Eis ■ Obst ■ Brötchen ■ Schokolade ■ Saft ■ Tee ■ Wasser ■ Obst ■ Kaffee ■ Milch ■ Eis ■ Kakao ■ Limonade ■ Lolli ■ Limo ■ Kuchen ■ Schokolade ■ Brötchen

1b

Tochter: Du, Mami, ich möchte morgen Tina besuchen. Sie ist doch krank.

Mutter: Gute Idee!

Tochter: Was kann ich denn mitbringen?

Mutter: Na ja, normalerweise bringt man Kranken Obst mit, oder Saft.

Tochter: Obst, Saft … Das ist ja langweilig.

Mutter: Aber irgendetwas zum Essen oder Trinken.

Tochter: Vielleicht ein Eis.

Mutter: Eis! Tina ist krank!

Tochter: Stimmt. Oder einen Lolli? – Ich weiß! Schokolade … und … Limo.

Mutter: Limonade? Nein. Schokolade vielleicht. Aber Schokolade ist nicht so gesund.

Tochter: Ich kann Tina doch nicht Brötchen mitbringen und Wasser oder Milch!

Mutter: Brötchen, Wasser, Milch … das geht natürlich nicht. Aber wie ist es mit Kuchen?

Tochter: Kuchen! Das ist eine gute Idee!

Mutter: Und Frau Wegmann macht euch bestimmt Kakao oder Tee dazu.

Tochter: Hoffentlich nicht Kaffee! Den mag ich nämlich gar nicht.

Mutter: Frau Wegmann macht sicher keinen Kaffee für Kinder.

Tochter: Du hast recht.

Themenkreis Zirkus, Zirkus!

Comic 1

Lehrerin: Kinder, nicht vergessen! Wir gehen heute in den Zirkus. Um drei Uhr!

3 Kinder: Super!

Lehrerin: Wo ist denn Olaf?

Junge 1: Ach, da kommt er ja!

Mädchen 1: Was ist das denn?

Junge 2: Wie siehst du denn aus?

Olaf: Warum? Wir gehen doch in den Zirkus!

Kinder: Oh Olaf!

Comic 2

Clown 1: Sieh mal! Meine Füße sind sooo groß.

Clown 2: Das glaube ich nicht. Darf ich?

Clown 1: Hahaha!

Clown 1: Deine Füße sind aber auch sehr groß. Darf ich?

Clown 2: Au, au, au!

Clown 1: Oh!

Lektion 25

1a

Hallo, Kinder. Hier ist wieder – wie jeden Montag – euer Tom vom Sender „Lollipop".
Na, was habt ihr diese Woche vor? Noch keine Idee? Ich habe ein paar tolle Tipps für euch.
Am Dienstag läuft der tolle Film „Pongo" im Cinema-Kino. Beginn ist fünf Uhr. Der Film läuft noch mal am Samstag. Wieder um fünf im Cinema.
Wer zu Hause bleiben will, der kann ja fernsehen. Es kommt nämlich eine spannende Serie über Indianer. Teil 1 läuft schon am Montag, also heute, um sechs Uhr. Teil 2 gibt es am Donnerstag um sechs Uhr. Und Teil 3 ist am Samstag um zwei Uhr, immer im Kinder-TV.
Wie ihr sicher wisst, ist der Zirkus „Tamburelli" da. Vielleicht habt ihr schon die Clowns in der Stadt gesehen. Es gibt eine Vorstellung am Mittwoch und eine Vorstellung am Samstag um vier Uhr. Aber Achtung! Es gibt nur noch wenige Karten!
Also, habt ihr Lust auf Zirkus? Nichts wie hin!
Und nun ein paar Tipps nur fürs Wochenende.
Habt ihr Interesse am Reiten? Der Reitclub „Hottehü" macht am Samstag – wie jedes Jahr – ein Reitturnier für Kinder. Das Turnier findet auf dem Gelände des Reitclubs statt und fängt um ein Uhr an.
Hallo, Leseratten, für euch habe ich auch etwas. Die Stadtbibliothek macht am Wochenende wieder ihre Lesetage. Die Bibliothek ist am Samstag und Sonntag den ganzen Tag offen. Ihr könnt euch informieren und stundenlang Bücher ansehen. Ihr könnt lesen, so lange ihr wollt.
Und jetzt zum Schluss noch ein ganz heißer Tipp: Fußballfreunde aufgepasst. Vier Schulen ermitteln ihren Fußballchampion. Die Spiele finden am Freitag, am Samstag und am Sonntag jeweils um drei Uhr und fünf Uhr auf dem städtischen Sportplatz statt.
Und nun eine schöne Woche und viel Spaß, Euer Tom

1c

Das Reitturnier ist am Samstag um ein Uhr.
Der Zirkus spielt am Mittwoch und am Samstag um vier Uhr.
Die Lesetage sind am Samstag und am Sonntag.
Der Film läuft am Dienstag und am Samstag um fünf Uhr.
Die Fernsehserie läuft am Montag und am Donnerstag um sechs Uhr und am Samstag um zwei Uhr.
Die Fußballspiele sind am Freitag, am Samstag und am Sonntag um drei und um fünf Uhr.

2c

Dialog 1

Leon: Hallo, Timo. Hier ist Leon.

Timo: Hallo, Leon. Na, was gibt's?

Leon:	Hast du am Samstag schon etwas vor?
Timo:	Warum?
Leon:	Da kommt ein Zirkus. Wir können doch in den Zirkus gehen.
Timo:	Warte mal, Samstag, Samstag. Nein, das geht nicht.
Leon:	Warum denn nicht?
Timo:	Da ist das Reitturnier. Meine Schwester macht da mit. Da muss ich hin.
Leon:	Aber das Turnier fängt doch schon um ein Uhr an und der Zirkus erst um vier.
Timo:	Erst um vier? Das geht.
Leon:	Also, kommst du mit?
Timo:	Ja klar.
Leon:	Super!

2c
Dialog 2

Leon:	Hallo, Paula. Hier ist Leon.
Paula:	Hallo, Leon. Na, was gibt's?
Leon:	Hast du am Samstag schon etwas vor?
Paula:	Warum?
Leon:	Da kommt ein Zirkus. Wir können doch in den Zirkus gehen.
Paula:	Warte mal, Samstag, Samstag. Nein, das geht nicht.
Leon:	Warum denn nicht?
Paula:	Da läuft der Film „Pongo". Den muss ich sehen.
Leon:	Der Film läuft doch auch am Dienstag.
Paula:	Ach ja, Dienstag! Das ist eine gute Idee.
Leon:	Also, kommst du mit?
Paula:	Ja klar.
Leon:	Super!

2c
Dialog 3

Leon:	Hallo, Hakan. Hier ist Leon.
Hakan:	Hallo, Leon. Na, was gibt's?
Leon:	Hast du am Samstag schon etwas vor?
Hakan:	Warum?
Leon:	Da kommt ein Zirkus. Wir können doch in den Zirkus gehen.
Hakan:	Warte mal, Samstag, Samstag. Nein, das geht nicht.
Leon:	Warum denn nicht?
Hakan:	Da sind die Lesetage. Und ich lese doch so gern.
Leon:	Die Bibliothek ist doch auch am Sonntag offen.
Hakan:	Richtig. Dann gehe ich eben am Sonntag.
Leon:	Also, kommst du mit?
Hakan:	Ja klar.
Leon:	Super!

2c
Dialog 4

Leon:	Hallo, Sonja. Hier ist Leon.
Sonja:	Hallo, Leon. Na, was gibt's?
Leon:	Hast du am Samstag schon etwas vor?
Sonja:	Warum?
Leon:	Da kommt ein Zirkus. Wir können doch in den Zirkus gehen.
Sonja:	Warte mal, Samstag, Samstag. Nein, das geht nicht.
Leon:	Warum denn nicht?
Sonja:	Da ist doch das Fußballturnier. Meine Schule spielt da auch mit. Das möchte ich sehen.
Leon:	Spielt denn deine Mannschaft auch am Samstag?
Sonja:	Ja, am Freitag, am Samstag und am Sonntag. Ich kann leider nicht mitkommen.
Leon:	Schade!

3a

Leon:	Hallo, Ronny. Hier ist Leon.
Ronny:	Hallo, Leon. Na, wie geht's?
Leon:	Danke, ganz gut. Du, Ronny …
Ronny:	Also mir geht es eigentlich auch gut, aber…
Leon:	Sag mal, Ronny …
Ronny:	… aber ich habe immer so viel zu tun. Jeden Tag ist …
Leon:	Du, Ronny, am Samstag …
Ronny:	Nein, nicht am Samstag, am Montag ist Volleyball und am Freitag Basketball. Am Dienstag um drei Uhr habe ich Gitarrenunterricht und um fünf Uhr Tennis. Am Mittwoch ist Radfahren, aber nicht einfach so, in der Gruppe, Mountainbiking im Gelände. Das ist vielleicht anstrengend!
Leon:	Ronny, was ich fragen wollte …
Ronny:	Und erst am Donnerstag! Da mache ich Karate! Das macht fit. Das solltest du auch mal machen. Am Sonntag laufe ich. Da mache ich nur ein leichtes Lauftraining, nur ein bisschen Waldlauf. Sag mal, warum hast du mich eigentlich angerufen? Was gibt's?
Leon:	Na ja, am Samstag kommt ein Zirkus. Wir gehen alle hin. Möchtest du mitkommen?
Ronny:	Am Samstag. Nein, das geht nicht.
Leon:	Warum denn nicht? Du hast doch am Samstag nichts zu tun.
Ronny:	Das ist richtig. Aber Samstag ist mein Erholungstag. Da bleibe ich zu Hause.
Leon:	Schade!

Lektion 26

2a

1. Wie heißt der Zirkus? ■ Richtig. Tamburelli, Zirkus Tamburelli.
2. Wer ist der Direktor? ■ Der Vater.
3. Wie viele Affen hat der Zirkus? ■ Richtig. Zwei.

4. Wer arbeitet mit den Pferden und Elefanten? ■ Die Mutter.

5. Wer ist der Dompteur für die Löwen und Tiger? ■ Onkel Marco.

6. Wie heißt der Bär? ■ Caligula.

7. Wie alt ist der große Bruder? ■ 18.

8. Was macht Benjamin? ■ Er ist Jongleur.

9. Wie viele Akrobaten gibt es? ■ Vier.

10. Wer sind die Akrobaten? ■ Tante Elvira, Cousin Elvis, Kusine Nadja und Ramon.

11. Was macht Onkel Josef? ■ Er ist Clown.

12. Was machen die Geschwister Paolo und Rosalie? ■ Sie sind auch Clowns.

13. Wie heißen die Clowns? ■ Pepe, Tschip und Rosalia.

14. Wer sitzt an der Kasse? ■ Oma und Opa.

15. Warum sitzen die Großeltern an der Kasse? ■ Sie möchten dabei sein.

Lektion 27

1d
Übung 1

Herzlich Willkommen! ■ Herzlich Willkommen! ■ Jumbo ist intelligent. ■ Jumbo ist intelligent. ■ Hier ist der Papagei. ■ Hier ist der Papagei. ■ Ich bin müde. ■ Ich bin müde. ■

1d
Übung 2

Cäsar, spring! ■ Nein, ich springe nicht.

Caligula, tanz! ■ Nein, ich tanze nicht.

Lora, sag „Guten Tag"! ■ Nein, ich sage nichts!

Fips, gib den Hut her! ■ Nein, ich gebe den Hut nicht her.

Rudi, lauf! ■ Nein, ich laufe nicht.

3a

Einmal Klatschen ist zehn.

Zweimal Klatschen ist 20 – und so weiter

Einmal Schnippen ist 1.

Zweimal Schnippen ist 2 – und so weiter.

Beispiel: 45

Und jetzt du:

70 ■ 30 ■ 50 ■ 20 ■ 100 ■ 60 ■ 80 ■ 24 ■ 52 ■ 38 ■ 83 ■ 68 ■ 49

3b

10x Klatschen (K) → Richtig: 100

7x K und 7x Schnippen (Sch) → Richtig: 77

2x K und 5x Sch → Richtig: 25

5x K und 2x Sch → Richtig: 52

3x K und 4x Sch → Richtig: 34

9x K und 1x Sch → Richtig: 91

3c

16 ■ 42 ■ 28 ■ 94 ■ 49 ■ 100 ■ 81 ■ 35 ■ 67 ■ 58 ■ 73

4a

20 ■ 30 ■ 40 ■ 50 ■ 60 ■ 70 ■ 80 ■ 90 ■ 61 ■ 62 ■ 66 ■ 69 ■ 70 ■ 21 ■ 42 ■ 48 ■ 84 ■ 22 ■ 39

Lektion 28

1a

Direktor: Und nun meine Damen und Herren, liebe Kinder, ist Pause bei uns hier im Zirkus. Zeit für eine Erfrischung. An unserem Kiosk gibt es Eis, Schokolade und Getränke und vieles mehr. Wir haben auch etwas Besonderes: unsere Tierschau. Am Zeltausgang wartet schon unser Marco. Schnell! Schnell! Die Tierschau fängt gleich an.

Mädchen: Tierschau, toll, da gehen wir hin!

Marco: Herzlich willkommen bei unserer Tierschau. Wir gehen gleich zu den Raubtieren. Das sind die Löwen Cäsar und Kleopatra und unser Tiger Nestor. Die kennt ihr ja schon aus der Vorstellung. Cäsar und Nestor sind tolle Tiere. Sie können so weit springen. Die machen mir viel Freude. Aber Vorsicht! Nicht so nah rangehen. Die sind gefährlich.

Junge: Wieso gefährlich? Die schlafen ja!

Marco: Die haben ja gearbeitet und sind müde. Und hier ist unser Bär Caligula. Der kommt nach der Pause dran. Caligula kann sehr gut tanzen.

Mädchen: Was? Bären können tanzen? Das glaube ich nicht.

Marco: Na klar! Du wirst schon sehen!

Junge: Mensch, die Elefanten sind aber groß! Und der kleine da!

Mädchen: Warum ist das Elefantenbaby nicht bei der Vorstellung dabei?

Marco: Das ist noch zu klein. Aber es kann schon ein wenig rechnen.

Junge: Können Elefanten wirklich rechnen?

Marco: Ja, sicher.

Junge: Na, ich weiß nicht.

Mädchen: Wo sind denn die Affen?

Marco: Da kommen wir jetzt gleich hin. Hier sind sie schon, Bob und Fips.

Junge: Die können ganz toll klettern.

Marco: Stimmt! Und hier sind unsere Robben. Na, Josefa, möchtest du spielen? Fang den Ball!

Publikum: Bravo! Super! *(Applaus)*

Mädchen: Robben können doch auch super schwimmen, oder?

Marco: Da hast du recht. So – Und zum Schluss gehen wir noch zu den Pferden. Hier sind Rudi, Sigi, Agathe und Diana. Sind sie nicht wunderbar?

Mädchen:	Darf ich mal darauf reiten?
Marco:	Das geht leider nicht.
	Hier endet unsere Tierschau. In etwa zehn Minuten geht die Vorstellung weiter.
Junge/Mäd.:	Danke! Das war richtig interessant.

4b

Oma:	Was möchtest du denn?
Kind:	Ein Eis, bitte.
Oma:	Hier bitte.
Kind:	Was kostet das?
Oma:	Zwei Euro 40.
Kind:	Hier bitte.
Oma:	Danke.
Oma:	Na, was möchtet ihr?
2 Kinder:	Wir möchten …
Oma:	Na, was denn?
Kind 1:	Bitte einmal Wasser …
Kind 2:	… und einmal Saft.
Oma:	Einmal Saft, das macht ein Euro 70. Und einmal Wasser, 90 Cent. Das macht zusammen 2 Euro 60.
2 Kinder:	Hier bitte.
Oma:	Vielen Dank!

Lektion 29

Themenkreis Wir feiern
Comic

Fee:	Hallo, Martin.
Martin:	Hallo, wer bist du denn?
Fee:	Ich bin die Fee Esmeralda.
Fee:	Du hast doch bald Geburtstag.
Martin:	Ja, morgen.
Fee:	Du darfst dir alles wünschen, was du möchtest.
Martin:	Was? Ich darf mir alles wünschen? Hm … Ich wünsche mir … ein Pferd.
Fee:	Da ist es schon.
Martin:	Oh!
Martin:	Was wünsche ich mir denn noch? Ich möchte einen Computer und ein Skateboard.
Fee:	Sieh nur!
Martin:	Ich wünsche mir dann noch eine Eisenbahn, Schier …
Fee:	Schon da!
Martin:	Aber die Sachen sind so weit weg!
Fee:	Das macht nichts. Komm!
Fee:	Komm! Komm nur, komm!
Martin:	Ja, ich komme.

Lektion 29

1a

Sohn:	Du, Mama …
Mutter:	Ja? Was ist denn?
Sohn:	Ich habe doch bald Geburtstag.
Mutter:	Richtig. In zwei Wochen, oder?

Sohn:	Genauer gesagt, am Samstag in zwei Wochen.
Mutter:	Stimmt. Und?
Sohn:	Na ja. Mein Geburtstag ist dieses Jahr genau an einem Samstag. Da kann ich doch vielleicht …
Mutter:	… eine Party machen?
Sohn:	Genau.
Mutter:	Eine Party! Hm …
Sohn:	Bitte, Mama, bitte.
Mutter:	Wie viele Kinder willst du denn einladen?
Sohn:	Ich weiß nicht. Vielleicht 15.
Mutter:	Was? So viele?
Sohn:	Oder weniger.
Mutter:	Also, wenn du so viele Freunde hast, dann musst du eben so viele Kinder einladen.
Sohn:	Heißt das, ich darf die Party machen?
Mutter:	Von mir aus ja. Aber wir müssen natürlich noch mit Papa sprechen.
Sohn:	Papa ist bestimmt einverstanden.
Vater:	Womit bin ich einverstanden?
Mutter:	Carlo hat doch bald Geburtstag und er möchte eine Party machen.
Sohn:	Papa, bitte!
Vater:	Also ich habe nichts dagegen.
Sohn:	Danke, Papa, danke.
Mutter:	Und was ist mit mir?
Sohn:	Danke, Mama!

3a

Computer ■ Uhr ■ Schlittschuhe ■ Pony ■ Ohrringe ■ Fernseher ■ Schildkröte ■ Handy ■ Schier ■ Kamera ■ Katze ■ Skateboard ■ Kamera ■ Schier ■ Fernseher ■ Eisenbahn ■ Ohrringe ■ Uhr ■ Fahrrad ■ Hund ■ Handy ■ Schildkröte ■ Inlineskates ■ Computer ■ Schlittschuhe ■ Gameboy ■ Pony ■ Bücher ■ Computerspiel ■ MP3-Player

3b

Computer ■ Uhr ■ Schlittschuhe ■ Pony ■ Ohrringe ■ Fernseher ■ Schildkröte ■ Handy ■ Schier ■ Kamera

3b

h – Hund, Handy
f – Fernseher, Fahrrad
sch – Schlittschuhe, Schier, Spiel, Schildkröte
p – Pony, MP3-Player
k – Kamera, Katze, Computer, Computerspiel
o – Ohrringe
u – Uhr

Lektion 30

3a

Carlo:	Carlo Calabrese.
Steffi:	Hallo, Carlo, hier ist Steffi.
Carlo:	Hallo, Steffi.
Steffi:	Danke für deine Einladung.
Carlo:	Und? Kommst du?

Steffi:	Ja klar.
Carlo:	Prima.
Steffi:	Sag mal. Kann ich dir irgendwas helfen? Brauchst du noch irgendwas?
Carlo:	Na ja, ich brauche noch ein paar CDs. Wir brauchen doch auch Musik, oder?
Steffi:	Kein Problem. Ich habe ein paar tolle neue CDs. Ich kann auch meine Schwester fragen. Sonst noch was?
Carlo:	Ich weiß nicht. Wir brauchen auch Spiele.
Steffi:	Spiele? Was für Spiele?
Carlo:	Ich weiß noch nicht. Hast du vielleicht eine Idee?
Steffi:	Im Moment nicht. Aber vielleicht fällt mir noch was ein. Wir haben ja noch ein bisschen Zeit. Brauchst du vielleicht Kuchen? Ich kann nämlich sehr gut Kuchen backen.
Carlo:	Kuchen, wahrscheinlich. Aber da muss ich erst noch mit meiner Mutter sprechen.
Steffi:	Okay. Sag mir einfach Bescheid, wenn du Hilfe brauchst.
Carlo:	Danke, das ist nett.
Steffi:	Also, ruf mich an. Tschüs, Carlo.
Carlo:	Tschau.

3c

1. Steffi möchte helfen.
2. Carlo braucht CDs.
3. Steffi kann CDs mitbringen.
4. Sie brauchen auch Spiele.
5. Steffi kann sehr gut Kuchen backen.

6a

Januar ■ Februar ■ März ■ April ■ Mai ■ Juni ■ Juli ■ August ■ September ■ Oktober ■ November ■ Dezember
März ■ August ■ Februar ■ Juli ■ Januar ■ April

6a

am ersten Januar
am zweiten Februar
am dritten März
am vierten April
am fünften Mai
am sechsten Juni
am siebten Juli
am achten August
am neunten September
am zehnten Oktober
am elften November
am zwölften Dezember
am 20. Januar
am 21. August
am 28. Februar
am 30. März
am 31. Dezember

6b

am ersten Juni
am dritten Mai
am elften November
am siebten April
am 31. Januar

6c

Du hörst: „am dritten Mai".
Du schreibst: „am" – drei mit Punkt – „Mai".
Und jetzt los!
am 20. Februar
am 1. Oktober
am 15. August
am 13. März
am 9. Dezember
am 31. Juli

Lektion 31

1a

Mutter:	Also, wir haben nur noch eine Woche Zeit. Was müssen wir denn vorbereiten? Was brauchen wir denn alles?
Vater:	Essen und Getränke.
Carlo:	Und Eis!
Pia:	Eis ist doch auch etwas zum Essen.
Carlo:	Pia, du bist doof.
Mutter:	Lasst mal, Kinder. Fangen wir mal mit dem Essen an. Wie ist es mit Pizza? Oder lieber Brote oder Brötchen mit Käse und Wurst?
Pia:	Brote sind langweilig. Das ist ja wie in der Schulpause.
Mutter:	Da hast du recht. Was denn noch?
Vater:	Vielleicht Würstchen mit …
Pia:	Kartoffelsalat.
Carlo:	Au ja, Würstchen mit Kartoffelsalat. Und Kuchen.
Mutter:	Natürlich auch Kuchen, Kekse und Eis. Und Pudding vielleicht?
Pia:	Hm, lecker.
Carlo:	Und was gibt es zu trinken?
Vater:	Was möchtest du denn?
Carlo:	Limo, Saft und …
Mutter:	Vielleicht etwas Warmes, Kakao zum Beispiel.
Pia:	Ich habe eine Idee: Kinderpunsch!
Carlo:	Kinderpunsch? Was ist das denn?
Pia:	Das ist mit Saft und Obst, ist warm und schmeckt sehr gut!
Carlo:	Was für Obst?
Pia:	Äpfel und Orangen.
Carlo:	Super!
Vater:	Haben wir sonst noch etwas vergessen?
Mutter:	Carlo, ihr wollt doch bestimmt auch Spiele machen.
Carlo:	Ja klar.

Mutter:	Dann brauchen wir auch Preise für die Sieger.	*Kind 2:*	Hier bitte. ((*Geldgeräusche*))
Carlo:	Stimmt.	*Verkäuferin:*	Danke.

Mutter:	Dann brauchen wir auch Preise für die Sieger.
Carlo:	Stimmt.
Pia:	Vielleicht CDs, Comics und Poster.
Carlo:	Und Figuren und kleine Autos
Mutter:	Ja. Und Kulis, Stifte und Taschenrechner vielleicht.
Vater:	Habe ich das eben richtig verstanden: Ihr macht Spiele. Und wer gewinnt, bekommt etwas?
Carlo:	Genau.
Vater:	Dann möchte ich auch mitspielen.
Alle:	(*lachen*)

1b

Kartoffelsalat ■ Pudding ■ Apfel ■ Käse ■ Kuli ■ Keks ■ Taschenrechner ■ Würstchen ■ Brot ■ Poster ■ Orange ■ CD ■ Pizza ■ Wurst

1b

k – Kartoffeln
k – Käse
k – Kakao
k – Kekse
k – Kuchen
k – Kuli
p – Pizza
p – Pudding
p – Poster
t – Taschenrechner

5c

Dialog 1

Kind 1:	Bitte, wo gibt es Stifte?
Verkäuferin:	Stifte sind gleich da drüben.
Kind 1:	Vielen Dank. Ach, da sind sie ja.
Kind 2:	Was? So teuer? 70 Cent das Stück!
Kind 1:	Sieh mal, die hier kosten nur 30 Cent.
Kind 2:	Das ist ja billig. Dann nehmen wir zwölf Stück.

Dialog 2

Kind 1:	Bitte, wo gibt es Autos?
Verkäuferin:	Autos sind gleich da drüben.
Kind 1:	Vielen Dank. Ach, da sind sie ja.
Kind 2:	Was? So teuer? Zwei Euro 40 das Stück!
Kind 1:	Sieh mal, die hier kosten nur 60 Cent.
Kind 2:	Das ist ja billig. Dann nehmen wir sechs Stück.

Dialog 3

Verkäuferin:	Na, was möchtet ihr denn?
Kind 2:	Was kostet denn eine CD?
Verkäuferin:	Die hier kosten fünf Euro 90.
Kind 1:	Prima. Dann nehmen wir die zwei.
Verkäuferin:	Das macht 11 Euro 80.

Kind 2:	Hier bitte. ((*Geldgeräusche*))
Verkäuferin:	Danke.

Dialog 4

Verkäuferin:	Na, was möchtet ihr denn?
Kind 2:	Was kostet denn ein Taschenrechner?
Verkäuferin:	Die hier kosten zwei Euro 80.
Kind 1:	Prima. Dann nehmen wir die drei.
Verkäuferin:	Das macht acht Euro 40.
Kind 2:	Hier bitte. ((*Geldgeräusche*))
Verkäuferin:	Danke.

Lektion 32

2a

alle:	… zum Geburtstag, lieber Carlo, alles Gute, viel Glück!
Carlo:	Und jetzt die Torte.
Vater:	Du musst aber zuerst die Kerzen ausblasen.
Carlo:	Ach ja, richtig! Achtung! Pfffffffffff.
alle:	(*Applaus*) Bravo!
Pia:	Zehn Kerzen! Das ist ja auch nicht so schwer.
Mutter:	Und jetzt musst du die Torte anschneiden.
Carlo:	Wer? Ich?
Pia:	Natürlich du.
Carlo:	Na gut … Wer möchte ein Stück?
Kinder:	Ich! Ich! Ich!
Carlo:	Steffi, du auch? Steffi! Steffi!
Steffi:	Was ist los?
Mutter:	Möchtest du auch ein Stück Torte?
Steffi:	Ja gern, danke.
Vater:	Wer möchte Limonade? Wer möchte Saft?
Kind 1:	Ich möchte Saft.
Kind 2:	Und ich Limo.
Mutter:	Es gibt auch Kinderpunsch.
Pia:	Ich möchte Punsch.
Kind 3:	Punsch? Was ist das denn?
Pia:	Das ist warm und schmeckt gut.
Kind 3:	Also gut, ich möchte Punsch.
Kind 1 + 2:	Ich auch. Ich auch.
Vater:	Punsch? Doch nicht Saft und Limo? Na gut.
Mutter:	Steffi, was möchtest du denn?
Carlo:	Steffi!
Steffi:	Ja?
Carlo:	Sag mal. Warum guckst du eigentlich immer zur Tür?
Steffi:	Was mache ich? So ein Quatsch.
Pia:	Kann ich noch ein Stück Torte haben?
Mutter:	Ja klar. Es ist aber auch Kuchen da.
Kind 1:	Au ja, ich möchte Kuchen.
Mutter:	Es gibt auch noch Eis.
Kind 1:	Oh! Ich möchte lieber Eis.
Kind 2:	Kann ich Eis *und* Kuchen haben?

Mutter:	Ja klar. Aber esst nicht zu viel. Es gibt nachher noch Würstchen mit Kartoffelsalat.
Vater:	Steffi, was möchtest du denn?
Carlo:	Steffi!
Planetino:	(hinter der Tür) Öllös Götö, vööl Glöck …
Carlo:	Was ist das?
Planetino:	(jetzt lauter) öllös Götö, vööl Glöck …
Carlo:	Planetino! Wo kommst du denn her!?

Lektion 33

Themenkreis Schule
Comic 1

Maus:	Super! Wir haben jetzt zwei Stunden Sport.
Elefant:	O je!
Elefant:	Was machen wir denn heute?
Maus:	Wir turnen.
Elefant:	Ach ja?
Maus:	Sieh mal. Das macht doch Spaß!
Elefant:	Na, ich weiß nicht.
Maus:	Jetzt du!
Elefant:	Das macht keinen Spaß. ((Reck bricht entzwei.))
Maus:	O je!

Comic 2

Mario:	Heute haben wir zwei Stunden Sport. Wir turnen und spielen Fußball. Super!
Mario:	Dann haben wir zwei Stunden Musik. Wir singen und der Lehrer spielt Gitarre dazu. Ich singe gern.
Mario:	Und dann haben wir noch zwei Stunden Kunst. Da malen wir. Das macht Spaß!
Mutter:	Mario! Aufstehen! – Ist dein Rucksack fertig? Du hast heute zwei Stunden Mathematik und zwei Stunden Deutsch!
Mario:	(etwas verschlafen) Ach ja!

2a
Musik ■ Mathematik ■ Deutsch ■ Sachunterricht ■ Englisch ■ Sport ■ Kunsterziehung ■ Religion ■ Ethik ■ Textilarbeit/Werken ■ Mathe ■ Kunst ■ Deutsch

2b
Mathematik (– – – °) ■ Musik (– °) ■ Deutsch (°) ■ Kunsterziehung (° – – –) ■ Religion (– – – °) ■ Textilarbeit/Werken (– ° – – / ° – °) ■ Sport (°) ■ Ethik (° –) ■ Sachunterricht (° – – –) ■ Mathe (° –) ■ Kunst (°) ■ Englisch (° –)

2c
° – – –: Richtig! Kunsterziehung
– °: Richtig! Musik
° – – –: Richtig! Sachunterricht
–° – – / ° –: Richtig! Textilarbeit/Werken
– – – °: Richtig! Mathematik oder Religion

°: Richtig! Deutsch oder Sport oder Kunst
° –: Richtig! Mathe oder Englisch oder Ethik

6a
sch – Schuh, Schule, Schulsachen
sch – schw – schwarz, schwer, Schwester
sch – schl – schlafen, Schlittschuhe
sch – schr – Schrank, schreiben
s(ch)p – Sport, Sportlehrer
s(ch)p – Spiel, spielen, Spielsachen, Spitzer
s(ch)p – spr – springen, Springseil
s(ch)t – Stunde, Stundenplan
s(ch)t – Stift, Stiefel

7a
1. In welche Klasse geht die Schülerin? ■ In die vierte Klasse Grundschule.
2. Wie viele Fächer haben die Schüler? ■ Sie haben neun Fächer.
3. Wie viele Stunden Deutsch haben sie? ■ Sie haben sechs Stunden Deutsch.
4. Und wie viele Stunden Mathe? ■ Fünf Stunden.
5. Was ist Amelies Lieblingsfach? ■ Sport.
6. Was für Fächer kommen im Sachunterricht vor? ■ Geschichte, Erdkunde oder Geografie, Sozialkunde, Physik, Chemie, Biologie.

Lektion 34

2
5 vor 12 ■ 10 vor 12 ■ Viertel vor 12 ■ 20 vor 12 ■ 5 nach 12 ■ 10 nach 12 ■ Viertel nach 12 ■ 20 nach 12 ■ halb 12 ■ 5 vor halb 12 ■ 5 nach halb 12
Viertel nach 12 ■ 20 vor zwölf ■ 5 nach halb zwölf ■ 5 nach zwölf ■ 5 vor zwölf ■ Viertel vor zwölf ■ halb zwölf ■ 20 nach zwölf ■ 10 nach zwölf ■ 10 vor zwölf ■ halb zwölf

3b
Viertel vor eins ■ 20 vor sechs ■ fünf nach halb acht ■ zehn vor vier ■ fünf nach drei ■ fünf vor sieben ■ 20 nach acht ■ halb sechs ■ fünf vor halb zwei ■ Viertel nach fünf ■ halb elf ■ Viertel vor zehn ■ zwölf Uhr

6b
Beispiel: Um wie viel Uhr duschst du? – Um halb sieben.
1. Um wie viel Uhr frühstückst du? – Um sieben Uhr.
2. Um wie viel Uhr packst du deinen Rucksack? – Um 20 nach sieben.
3. Um wie viel Uhr gehst du in die Schule? – Um halb acht.
4. Um wie viel Uhr gehst du nach Hause? – Um ein Uhr.
5. Um wie viel Uhr machst du deine Hausaufgaben? – Um Viertel nach zwei.
6. Bist du pünktlich? – Ja, ich bin sehr pünktlich.

6c

Beispiel: Um vier Uhr gehe ich schwimmen. – Was machst du um vier Uhr?

Um vier Uhr gehe ich schwimmen.

1. Um halb sieben stehe ich auf. – Was machst du um halb sieben?

Um halb sieben stehe ich auf.

2. Um ein Uhr ist die Schule aus. – Was ist um ein Uhr?

Um ein Uhr ist die Schule aus.

3. Um vier Uhr gehe ich schwimmen. – Was machst du um vier Uhr?

Um vier Uhr gehe ich schwimmen.

4. Um halb sechs sehe ich fern. – Was machst du um halb sechs?

Um halb sechs sehe ich fern.

5. Um halb acht lese ich ein Buch. – Was machst du um halb acht?

Um halb acht lese ich ein Buch.

Lektion 35

1a

Mäd. 1:	Heute kommt der neue Lehrer.
Mäd. 2:	O je!
Mäd. 1:	Warum? Vielleicht ist er ganz nett!
Mäd. 2:	Der ist bestimmt nicht nett … und ganz alt.
Mäd. 1:	*(leise)* Da kommt er!
Mäd. 2:	Der ist ja ganz jung!
Mäd. 1:	Ja, höchstens 28.
Mäd. 2:	Und der sieht süß aus, und so freundlich!
Mäd. 1:	Ich glaube, der ist nett.
Mäd. 2:	Ja, das glaube ich auch.
Rektor:	Kinder, das ist euer neuer Klassenlehrer, Herr Both.
alle S:	Guten Tag, Herr Both.
Lehrer:	Hallo, Kinder. Ich bin Tobias Both. Und ich hoffe, wir verstehen uns gut. Ich bin sicher, wir verstehen uns gut.
Mäd. 2:	*(leise)* Da bin ich auch sicher.
Rektor:	Herr Both geht mit euch gleich zur Turnhalle. Ihr habt ja in der ersten Stunde Sport.
alle S:	Super! Ja! …
Lehrer:	Also los!

———

Lehrer:	Sag mal, wie siehst du denn aus? Hast du keine Turnhose?
Junge 1:	Tut mir leid. Ich habe meine Turnhose vergessen.
Lehrer:	So? Und du? Hast du kein Turnhemd?
Mäd. 2:	Tut mir leid. Ich habe mein Turnhemd vergessen.
Lehrer:	So, so!
Lehrer:	Und was ist mit dir? Hast du keine Turnschuhe dabei?
Junge 2:	Tut mir leid. Ich habe meine Turnschuhe zu Hause vergessen.
Lehrer:	So, so! Aber das nächste Mal! Versprochen?
Junge 2:	In Ordnung.
Mäd 1:	Herr Both!
Lehrer:	Ja?
Mäd 1:	Und was ist das?
Lehrer:	O je! Ich habe keine Turnschuhe dabei.
alle S:	So, so! Aber das nächste Mal!
Lehrer:	Versprochen!

2b

Dialog 1

Lehrer:	Nimm bitte einen Pinsel. Julia, hast du keinen Pinsel?
Schülerin:	Tut mir leid. Ich habe meinen Pinsel vergessen.
Lehrer:	Das macht nichts. Hier! Nimm meinen Pinsel.

Dialog 2

Lehrer:	Nimm bitte ein Lineal. Julia, hast du kein Lineal?
Schülerin:	Tut mir leid. Ich habe mein Lineal vergessen.
Lehrer:	Das macht nichts. Hier! Nimm mein Lineal.

Dialog 3

Lehrer:	Nimm bitte eine Schere. Julia, hast du keine Schere?
Schülerin:	Tut mir leid. Ich habe meine Schere vergessen.
Lehrer:	Das macht nichts. Hier! Nimm meine Schere.

Dialog 4

Lehrer:	Nimm bitte Farbstifte. Julia, hast du keine Farbstifte?
Schülerin:	Tut mir leid. Ich habe meine Farbstifte vergessen.
Lehrer:	Das macht nichts. Hier! Nimm meine Farbstifte.

4b

Dialog 1

Mädchen 1:	Was haben wir denn jetzt?
Mädchen 2:	Kunst.
Mädchen 1:	Was brauchen wir denn da?
Mädchen 2:	Einen Block, einen Malkasten und einen Pinsel.
Mädchen 1:	Au weia! Ich habe einen Block und einen Malkasten, aber keinen Pinsel.
Mädchen 2:	Das macht doch nichts. Hier! Nimm den da!
Mädchen 1:	Danke.

Dialog 2

Mädchen 1:	Was haben wir denn jetzt?
Mädchen 2:	Sachunterricht.
Mädchen 1:	Was brauchen wir denn da?
Mädchen 2:	Ein Blatt, eine Schere und Farbstifte.

Mädchen 1: Au weia! Ich habe ein Blatt und eine Schere, aber keine Farbstifte.
Mädchen 2: Das macht doch nichts.
Hier! Nimm die da!
Mädchen 1: Danke.

Lektion 36

2b
Lehrerin: Tobias, Maria, macht bitte die Tafel sauber!
Lara/Hannes: Frau Seiler, dürfen wir die Tafel sauber machen?
Lehrerin: Nein, Tobias und Maria sind dran.
Mädchen: Frau Seiler, darf ich die Hefte einsammeln?
Lehrerin: Nein, das machen Basti und Alina.
Mädchen: Immer dürfen die anderen die Hefte einsammeln
Ich möchte auch mal.
Lehrerin: Du kommst auch noch dran.
Basti, Alina, sammelt bitte die Hefte ein.
Lehrerin: Leo, Sofia, gießt bitte die Blumen!
Leo/Sofia: Wie bitte?
Lehrerin: Ihr müsst noch die Blumen gießen.
Leo / Sofia: Ach ja, natürlich.
Lehrerin: Gleich ist Pause.
Seid ihr fertig? Dann dürft ihr schon gehen.
Sabine, Vadim, macht bitte die Fenster auf!
Lehrerin: Lara, Hannes, was ist denn?
Kommt jetzt bitte!
Lara/Hannes: Einen Moment, wir müssen noch das Klassenzimmer in Ordnung bringen.

Lektion 37

Themenkreis Alle meine Tiere
Comic 1
Papagei: Dring! Dring!
Ulla: Ulla Jensen.
Nanu!
Ulla: Komisch.
Papagei: Dring! Dring!
Ulla: (*verärgert*) Hallo! Hallo? Hallo!
Ulla: Das Telefon ist kaputt.
Papagei: Dring! Dring! Hehe!

Comic 2
Mäusemama: Schnell, Kinder! Da kommt eine Katze!
Mäusekinder: Hilfe! Eine Katze!
Katze: Miau.
Mauskind 1: Mama, ich habe Angst.
Mäusemama: Nur keine Angst!
Mäusemama: Wau, wau!
Katze: Hilfe! Ein Hund!
Mäusekinder: Bravo, Mama!
Mäusemama: Seht ihr? Sprachen sind wichtig.

Lektion 37

1a
Hanna: Du, Mama!
Mutter: Ja?
Hanna: Du, Papa!
Vater: Was ist denn?
Hanna: Lukas aus meiner Klasse hat vor Kurzem einen Hund bekommen.
Vater: Aha!
Hanna: Der ist so süß!
Vater: Schön! Und was willst du uns damit sagen?
Hanna: Na ja. …äh …
Mutter: Nun raus mit der Sprache.
Hanna: Ich möchte auch soo gern ein Tier!
Mutter: Ein Haustier?
Hanna: Ja, ein Haustier.
Mutter: Na ja. Warum nicht!
Vater: Und was möchtest du?
Hanna: Ich weiß nicht. Vielleicht auch einen Hund.
Vater: Einen Hund? Das geht leider nicht. Das weißt du auch.
Hanna: Ja, ich weiß. Am liebsten möchte ich ja ein Pony.
V + M: Wie bitte? Ein Pony. Nein, das ist zu teuer.
Hanna: Das weiß ich ja.
Mutter: Wie ist es denn mit einem Meerschweinchen?
Hanna: Ein Meerschweinchen? Die sind ja ganz nett, aber …
Nein! Dann lieber eine Maus.
Mutter: Eine Maus? Das kommt gar nicht infrage. Eine Schildkröte ist doch schön, und so ruhig.
Hanna: Ich weiß nicht. Ich glaube, eine Schildkröte ist langweilig.
Vater: Möchtest du vielleicht einen Vogel, einen Wellensittich zum Beispiel?
Hanna: Eva aus meiner Klasse hat einen Wellensittich. Der ist ja ganz nett. Aber er spricht nicht.
Vater: Wenn du einen Vogel haben willst, der spricht, dann musst du einen Papagei nehmen.
Mutter: Einen Papagei? Der ist ja so groß, macht Schmutz und …
Hanna: Ich möchte auch keinen Vogel, außer … außer vielleicht eine Gans.
Vater: Eine Gans? Wie kommst du denn darauf?
Hanna: Na ja, letzten Sommer in den Ferien, der Junge hatte eine Gans. Die war nett.
Vater: Da waren wir auf dem Land. Der Junge wohnt auf einem Bauernhof.
Mutter: Am Ende möchtest du auch noch ein Schwein, ein Schaf und eine Kuh.

Hanna:	Quatsch! Ich möchte doch kein Schaf und schon gar keine Kuh. Aber ein Schwein … Das ist keine schlechte Idee.
Vater:	Du kannst doch kein Schwein in der Wohnung halten.
Hanna:	Warum denn nicht?
Mutter:	Na, hör mal!
Vater:	Ich hab's! Ein Hase! Wir kaufen dir einen Hasen!
Hanna:	Ach nein! Ich mag keinen Hasen.
Mutter:	Ja dann … Kein Hund, kein Meerschweinchen, kein Hase, keine Schildkröte, kein Wellensittich, kein Papagei …
Vater:	… keine Gans, keine Kuh, kein Schaf und kein Schwein ...
Hanna:	… kein Pony und keine Maus. Was gibt es denn dann überhaupt noch?
Mutter:	Warte mal. Wir haben doch etwas vergessen! Eine Katze!
Vater:	Eine Katze! Natürlich! Na, was sagst du dazu?
Hanna:	Eine Katze! Oh, eine süße kleine Katze. Bekomme ich eine?
M + V:	Ja!

2a

h – Hund, Hase
p – Pony, Papagei
sch – Schaf, Schildkröte, Schwein
m – Maus, Meerschweinchen
k – Katze, Kuh
g – Gans
w – Wellensittich

2b

Schildkröte: ° – –
Katze: ° –
Wellensittich: ° – – –
Schwein: °
Papagei: – – °
Gans: °
Hase: ° –
Meerschweinchen: ° – –

2c

° – – : Richtig: Meerschweinchen oder Schildkröte
– -°: Richtig: Papagei
° – : Richtig: Hase oder Pony oder Katze
° – – –: Richtig: Wellensittich
°: Richtig: Schaf oder Schwein oder Kuh oder Gans oder Hund oder Maus

4a

Welche Farbe hat das Kätzchen von Nummer 6? ■ Schwarz.
Wie viele Häschen hat der Hase von Nummer 8 bekommen? ■ Sechs.
Wie alt sind die Katzen von Nummer 3? ■ 10 Monate
Welche Farbe haben die Mäuschen? ■ Sie sind bunt.

Was kostet das Meerschweinchen mit Käfig? ■ 20 Euro.
Welche Farbe hat das Häschen von Nummer 4? ■ Weiß.
Wie alt ist der Hund von Nummer 2? ■ Zwei Jahre.

4b

1 Wie alt sind die Katzen von Nummer 3? ■ Sie sind zehn Monate alt.
2 Welche Farbe haben die Mäuschen? ■ Sie sind bunt.
3 Wie ist der Hund von Nummer 2? ■ Er ist sehr lieb.
4 Wie alt sind die Kätzchen von Nummer 1? ■ Sie sind zehn Wochen alt.
5 Welche Farbe hat das Häschen von Nummer 4? ■ Es ist weiß.

4d

Hanna:	Hallo.
Kathi:	Hi! Suchst du mich?
Hanna:	Ja. Du hast doch einen Zettel am Schwarzen Brett aufgehängt.
Kathi:	Das stimmt.
Hanna:	Sind die Kätzchen noch da?
Kathi:	Eines habe ich schon weggeben. Aber zwei sind noch da.
Hanna:	Wie sehen die denn aus?
Kathi:	Das eine ist schwarz und am Kopf und am Bauch ein bisschen weiß.
Hanna:	Ach, wie süß!
Kathi:	Das andere ist rot-weiß, auch sehr hübsch. Es sind übrigens zwei Mädchen.
Hanna:	Das ist mir egal. Ich möchte auf jeden Fall eins.
Kathi:	Möchtest du eins oder alle beide?
Hanna:	Darüber muss ich noch mit meinen Eltern reden. Was ich noch fragen wollte: Was kostet denn eins?
Kathi:	Die Kätzchen kosten nichts. Wir sind ja froh, wenn sie einen guten Platz finden.
Hanna:	Sag mir doch bitte noch deine Adresse.
Kathi:	Also, Wagner, Oberländerstraße 23.
Hanna:	Bist du heute Nachmittag zu Hause?
Kathi:	Ja, den ganzen Nachmittag.
Hanna:	Dann komme ich sicher mit meinen Eltern vorbei.
Kathi:	Okay. Tschüs dann!
Hanna:	Tschau. Bis heute Nachmittag.

6a

Mutter:	Also, Hanna, jetzt hast du eine Katze.
Vater:	Vielen Dank, Frau Wagner. Danke, Kathi.
Frau W:	Viel Spaß mit deinem neuen Haustier, Hanna.
Hanna:	Danke.
Kathi:	Hattest du schon mal eine Katze?
Hanna:	Nein, das ist das erste Mal. Und ich freue mich so.

Frau W:	Das Kätzchen hat es sicher gut bei dir. Aber du musst auch wissen, dass du jetzt eine Menge Arbeit hast.
Hanna:	Ich weiß. Ich muss die Katze regelmäßig füttern.
Frau W:	Ja; aber nicht zu viel, sonst wird das Tier zu dick. Und dicke Tiere werden schneller krank.
Hanna:	Wie oft muss ich sie denn füttern?
Frau W:	Einmal am Tag, am besten am Morgen. Das reicht.
Hanna:	Wirklich?
Kathi:	Am Abend kannst du ihr noch ein Schälchen Milch geben.
Hanna:	Am Morgen füttern und am Abend Milch. In Ordnung.
Frau W:	Und Wasser muss auch immer da sein. Am besten du stellst am Mittag, wenn du aus der Schule kommst, eine Schale Wasser hin.
Hanna:	Verstanden.
Frau W:	Und dann ist da noch das Problem mit dem Saubermachen.
Hanna:	Saubermachen? Muss ich die Katze denn waschen?
Frau W:	Nein, natürlich nicht. Katzen sind sehr saubere Tiere. Die waschen sich, besser sie putzen sich immer selbst, und das sehr gründlich.
Hanna:	Ja, aber dann verstehe ich nicht …
Frau W:	Na ja, Katzen gehen auf die Toilette.
Hanna:	Was?
Kathi:	Nicht auf eine Toilette, wie du meinst. Es gibt da extra Katzenklos. Die kann man kaufen.
Hanna:	Und da geht die Katze drauf?
Frau W:	Ja. Ich habe dir ja gesagt, Katzen sind sehr saubere Tiere. Und deshalb muss das Katzenklo auch immer sauber sein.
Hanna:	Ich muss also das Katzenklo sauber machen.
Frau W:	Ja, jeden Tag, am besten am Abend.
Hanna:	Na gut.
Vater:	Da wartet eine Menge Arbeit auf dich. Am Morgen, am Mittag, am Abend …
Hanna:	Und am Nachmittag!
Mutter:	Am Nachmittag?
Hanna:	Ja, am Nachmittag. Da muss ich nämlich mit der Katze spielen. Und in der Nacht träume ich von Mimi.
Vater:	Mimi? Wer ist Mimi?
Hanna:	Ach Papa, das Kätzchen natürlich!
Vater:	Ach ja, natürlich! Hallo, Mimi.

Lektion 38

1

Mädchen 1:	Was für ein Tier ist das?
Junge 1:	Ein Schwein?
Mädchen 2:	Eine Maus?
Mädchen 1:	Richtig. Du bist dran.

2a

Lilly:	Lilly Scholz.
Hanna:	Hallo, Lilly. Hier ist Hanna.
Lilly:	Hallo, Hanna. … Moment mal. – Ruhe! Seid endlich ruhig! (Geräusche Katze und Hund)
Hanna:	Du, Lilly, ich muss dir unbedingt was erzählen.
Lilly:	Ich weiß nicht, was heute mit dem Hund und der Katze los ist! Warte mal! Napoleon! Rosa! Hört auf! – (Knurren) Also, erzähl mal.
Hanna:	Ich habe gestern …
Lilly:	Kiki! Kiki! Geh weg da! (Zwitschern und Flattern von einem Wellensittich)
Hanna:	Kiki? Wer ist Kiki?
Lilly:	Mein Wellensittich. Er sitzt auf meinem Kopf. Kiki, geh weg da! – Also weiter.
Hanna:	Also, ich habe gestern …
Stefan:	Balduin, komm! Komm! Ja, Balduin, brav!
Lilly:	Stefan, warum musst du unbedingt hier mit dem Meerschweinchen spielen?
Hanna:	Ach, dein Bruder ist auch da?
Lilly:	Ja, leider. Ich möchte in Ruhe telefonieren. Und er spielt mit dem Meerschweinchen. Stefan, hör auf! Und mach das Fenster zu! Pauline soll draußen bleiben. (Wiehern von draußen)
Hanna:	Wer ist denn Pauline?
Lilly:	Das Pony. – Nun erzähl mal.
Hanna:	Also: Ich habe in der Schule …
Lilly:	Jetzt fängt der Papagei an! Er sitzt da oben auf dem Schrank und schreit. Lora, sei ruhig! – Entschuldige!
Hanna:	Kurz und gut. Ich habe gestern …
Lilly:	Au! Au!
Hanna:	Was ist denn jetzt schon wieder los?
Lilly:	Der Hase sitzt auf meinem Fuß und beißt mich in den Zeh! – Isidor, geh weg! Ich weiß nicht, was heute mit den Tieren los ist. Alle sind verrückt. Nur die Schildkröte ist normal. Sie sitzt unter dem Stuhl und frisst Schokolade. – Was? Schokolade? Nein, Frieda, nein! Keine Schokolade! Stefan, hast du etwa Frieda Schokolade gegeben?
Stefan:	Ja, warum?

Lilly:	Bist du verrückt? Eine Schildkröte darf doch keine Schokolade fressen. – Stefan ist wirklich doof. – Entschuldige, Hanna. Erzähl weiter.
Hanna:	Stell dir vor, ich habe gestern eine Katze bekommen.
Lilly:	Das ist ja toll!
Hanna:	Die ist so süß.
Lilly:	Die möchte ich unbedingt sehen.
Hanna:	Komm doch vorbei!
Lilly:	Ja klar, so bald wie möglich.
Hanna:	Also, bis bald.
Lilly:	Tschüs.

Lektion 39

1a

Hanna:	*(traurig)* Hallo, Lilly.
Lilly:	He, was ist denn los?
Hanna:	Mimi ist weg.
Lilly:	Komm, wir suchen. *((Schritte))*
Hanna:	Hast du meine Katze gesehen?
Junge:	Wie sieht sie denn aus?
Hanna:	Sie ist rot-weiß. Sie heißt Mimi.
Junge:	Tut mir leid.
Lilly:	Was machen wir denn jetzt?
Hanna:	Ich weiß nicht.
Katze:	Miau, miau.
Lilly:	Hast du das gehört?
Hanna:	Das ist Mimi. Mimi, wo bist du?
Lilly:	Sieh mal! Da oben!
Hanna:	Mimi, da bist du ja! Komm runter!
Katze:	Miau!
Lilly:	Ich glaube, sie kann nicht runter.
Hanna:	Und jetzt?
Lilly:	Wir rufen die Feuerwehr an.
Hanna:	Die Feuerwehr? Warum denn?
Lilly:	Die Feuerwehr kann da helfen.
Hanna:	*(wählt)* 1-1-2
Feuerwehrmann:	Feuerwehr Neustadt.
Hanna:	Hier ist Hanna Wiese. Meine Katze ist auf einen Baum geklettert und kommt nicht mehr runter.
Feuerwehrmann:	Wir kommen. Wie ist deine Adresse?
Hanna:	Herrenstraße 14.
Feuerwehrmann:	Hier hast du deine Katze.
Hanna:	Vielen Dank! Mimi, was machst du nur für Sachen!

1c

Hast du meine Katze gesehen?
Wie sieht sie denn aus?
Hast du das gehört?
Sieh mal! Da oben!
Komm runter!
Wir rufen die Feuerwehr an.
Die Feuerwehr kann da helfen.

Meine Katze ist auf einen Baum geklettert.
Wie ist deine Adresse?
Was machst du nur für Sachen!

3b

Wer kommt zu Hanna? ■ Lilly.
Warum ist Hanna traurig? ■ Mimi ist weg.
Was machen die Mädchen? ■ Sie gehen los und suchen die Katze.
Wen fragen die zwei? ■ Einen Jungen.
Hat der Junge Mimi gesehen? ■ Nein, er hat Mimi nicht gesehen.
Was hören die Mädchen? ■ Sie hören ein „miau".
Was hat die Katze gemacht? ■ Sie ist auf einen Baum geklettert.
Warum kommt Mimi nicht runter? ■ Sie kann nicht.
Was machen die Mädchen dann? ■ Sie gehen nach Hause und rufen die Feuerwehr an.
Wann kommt die Feuerwehr? ■ Sie kommt gleich.
Wer holt die Katze runter? ■ Ein Feuerwehrmann.
Warum ist Hanna froh? ■ Mimi ist wieder da.

4b

Hallo Toni,
stell Dir vor, was gestern passiert ist.
Meine Katze war weg. Lilly und ich haben sie gesucht. Wir haben auch einen Jungen gefragt. Aber der Junge hat meine Katze nicht gesehen. Da haben wir ein „miau" gehört. Mimi ist auf einen Baum geklettert und nicht mehr runtergekommen. Wir haben die Feuerwehr angerufen. Die ist gleich gekommen. Ein Feuerwehrmann hat Mimi geholt. Ich war so froh!
Liebe Grüße
Deine Hanna

4c

Meine Katze war weg.
Wir haben gesucht.
Wir haben einen Jungen gefragt.
Er hat die Katze nicht gesehen.
Wir haben etwas gehört.
Mimi ist auf einen Baum geklettert.
Sie ist nicht mehr runtergekommen.
Wir haben angerufen.
Die Feuerwehr ist gekommen.
Ein Feuerwehrmann hat Mimi geholt.

Theater

A1a
Text 1

Mann: Guten Tag, meine Damen und Herren. Mein Name ist Rüdiger Wirz. Ich bin Ihr Flugkapitän auf dem Flug von Frankfurt nach New York. In Kürze bekommen wir Starterlaubnis. Ich wünsche Ihnen einen guten Flug.
(Start eines Flugzeugs)

Sprecher: Was ist der Mann von Beruf? ■ Richtig. Pilot.

Text 2

(Muhen im Kuhstall)

Frau: Ja, Resi. Komm her, jetzt bist du dran.

Sprecher: Was ist die Frau von Beruf? ■ Richtig. Bäuerin.

Text 3

Mann: Das ist das Ende, das Ende! Was kann ich tun?

Sprecher: Was ist der Mann von Beruf? ■ Richtig. Schauspieler.

Text 4

Mann 1: Hier muss noch der Anbau fertig gemacht werden. Und dann das Dach.

Mann 2: Schön! Dann ist das Haus ja bald fertig.

Sprecher: Was ist der Mann von Beruf? ■ Richtig. Architekt.

5:

Mann: Guten Morgen.

Kinder: Guten Morgen, Herr Müller.

Mann: Heute schreiben wir eine Klassenarbeit.

Kinder: *(stöhnen)* Aaahhhh!

Sprecher: Was ist der Mann von Beruf? ■ Richtig. Lehrer.

A1c

1. Sie macht Unterricht. Sie ist Lehrerin von Beruf.
2. Er arbeitet im Krankenhaus. Er ist Arzt von Beruf.
3. Sie kann ein Flugzeug fliegen. Sie ist Pilotin von Beruf.
4. Sie macht Kranke wieder gesund. Sie ist Ärztin von Beruf.
5. Er verkauft Fleisch und Würstchen. Er ist Metzger von Beruf.
6. Er macht Scheren und Messer scharf. Er ist Scherenschleifer von Beruf.
7. Er hat Kühe und Schweine. Er ist Bauer von Beruf.
8. Sie baut ein Haus. Sie ist Architektin von Beruf.
9. Sie spielt Theater. Sie ist Schauspielerin von Beruf.
10. Ist der Fernseher kaputt? Er bringt ihn wieder in Ordnung. Er ist Techniker von Beruf.

C

Hans: Meister, ich habe sieben Jahre hier gearbeitet. Die Arbeit hat Spaß gemacht. Aber jetzt möchte ich nach Hause.

Meister: Du hast viel gearbeitet. Hier hast du ein Stück Gold.

Lied: Ich bin der Hans im Glück! Ach wie bin ich froh!
Jetzt hab' ich ein Stück Gold, la-la-la-li-la-lo
Ich bin der Hans im Glück! Ach wie bin ich froh!

***

Hans: Ach, du hast es gut! Du kannst reiten und ich muss zu Fuß gehen.
Und das Gold ist so schwer.

Reiter: Tauschen wir? Ich gebe dir mein Pferd und du gibst mir das Gold.

Hans: Einverstanden.
Wie schön! Ich habe ein Pferd.

Reiter: Ha ha ha! Und ich habe ein Stück Gold.

Lied: Ich bin der Hans im Glück! Ach wie bin ich froh!
Jetzt habe ich ein Pferd …

***

Hans: Hopp, hopp, Pferdchen! Schnell, schnell!

Bauer: Halt, Pferdchen, halt!

Hans: Au, au!
Wer bist du denn?

Bauer: Ich bin ein Bauer. Was ist denn passiert?

Hans: Ach, das Pferd ist doof. Ich möchte nicht mehr reiten.
Du hast es gut. Du hast eine Kuh. Du musst nicht reiten.
Und die Kuh gibt Milch.

Bauer: Tauschen wir? Ich gebe dir meine Kuh und du gibst mir dein Pferd.

Hans: Ja klar!
Wie schön! Ich habe eine Kuh!

Bauer: Und ich habe das Pferd. He he he!

Lied: Ich bin der Hans im Glück! Ach wie bin ich froh!
Jetzt hab' ich eine Kuh …

***

Hans: Ich habe Durst. Komm her, Kuh! Ich möchte Milch.
Au!

Metzger: Was ist denn los?

Hans: So ein Mist! Die Kuh ist ja gemein!
Sie gibt auch keine Milch, und ich habe so einen Durst!

Metzger: Ach, die Kuh ist alt. Die gibt keine Milch mehr.
Ich weiß das, ich bin Metzger.

Hans: Du hast es gut! Du hast ein Schwein.
Das gibt Fleisch und Würstchen.

Metzger: Tauschen wir? Ich gebe dir das Schwein und du gibst mir deine Kuh.

Hans:	Vielen Dank. Du bist wirklich nett. Wie schön! Ich habe ein Schwein!
Metzger:	Der ist ja doof! Jetzt habe ich die Kuh.
Lied:	Ich bin der Hans im Glück! Ach wie bin ich froh! Jetzt hab' ich ein Schwein …

***

Hans:	Guten Tag!
Gänsehirt:	Guten Tag! Woher hast du denn das Schwein?
Hans:	Da war ein Metzger. Und wir haben getauscht.
Gänsehirt:	Komisch. Weißt du, da hat jemand ein Schwein gestohlen.
Hans:	Ein Schwein gestohlen?
Gänsehirt:	Ja. Und vielleicht ist das dein Schwein.
Hans:	O je, was mache ich denn jetzt?
Gänsehirt:	Du, ich helfe dir. Wir tauschen. Gib mir das Schwein und du bekommst meine Gans.
Hans:	Du bist wirklich nett. Danke! Danke! Wie schön! Ich habe eine Gans.
Gänsehirt:	Ein Schwein gestohlen, so ein Quatsch! Ha, ha! Jetzt habe ich das Schwein und er hat die Gans.
Lied:	Ich bin der Hans im Glück! Ach wie bin ich froh! Jetzt hab' ich eine Gans …

***

Schleifer:	Ich schleife die Schere und drehe ge- schwind und hänge mein Mäntelchen nach dem Wind. Juj, juj, juj, juj, juj, juj, juj, juj, juj, juj, juj, juj, juj, juj, juj, juj, juj, juj, juj, juj, juj. – Juj, juj, juj, juj, juj, juj, juj, ju.
Hans:	Was machst du denn da?
Schleifer:	Ich bin Scherenschleifer. Ich mache Scheren und Messer scharf.
Hans:	Aha.
Schleifer:	Ja. Mir geht's gut. Ich habe immer Geld.
Hans:	Warum?
Schleifer:	Na ja. ich habe immer Arbeit. Alle Leute haben Scheren und Messer. Ich schleife die Sachen und bekomme Geld dafür.
Hans:	Jetzt verstehe ich. Das ist ja toll! Kann ich auch so was machen?
Schleifer:	Ja klar. Du brauchst nur einen Schleifstein.
Hans:	Wirklich?
Schleifer:	Weißt du was? Hier habe ich noch einen Schleifstein. Der Stein ist schon alt und ein bisschen kaputt. Aber er geht noch. Gib mir deine Gans. Dann kannst du den Stein haben.
Hans:	Ja gern! Wie schön! Ich habe einen Schleifstein.

Schleifer:	Ha ha, der ist ja doof! Ich habe jetzt die Gans.
Lied:	Ich bin der Hans im Glück! Ach wie bin ich froh! Jetzt hab' ich einen Stein …

***

Hans:	Ach, der Stein ist so schwer. Ich bin so müde. Und ich habe Durst. Oh, ein Brunnen! Da kann ich trinken. Oh! Jetzt ist der Stein weg. Aber das macht nichts. Der Stein war ja viel zu schwer.
Lied:	Ich bin der Hans im Glück! Ach wie bin ich froh! Jetzt hab' ich gar nichts mehr, la-la-la-li- la-lo.

Alphabetische Wortliste

Die Wortliste enthält die Wörter des Kursbuches mit Angabe der Seiten, auf denen sie zum ersten Mal genannt werden. Nomen mit der Angabe (Sg.) verwendet man nur oder meist im Singular. Nomen mit der Angabe (Pl.) verwendet man nur oder meist im Plural. Passiver Wortschatz ist *kursiv* gesetzt.

A

Abendessen, das, –	51
Abitur, das (Sg.)	55
abnehmen	80
achte	34
achtundzwanzig	23
Achtung, die (Sg.)	23
achtzig	23
Adresse, die, -n	36
Advent, der (Sg.)	84
Adventsgesteck, das, -e	84
Adventskranz, der, ̈-e	84
Adventssonntag, der, -e	84
Affe, der, -n	20
Akrobat, der, -en	20
alle Jahre = jedes Jahr	85
alle	15
allerdings	15
Alltag, der (Sg.)	27
als	15
am ersten	34
am liebsten	15
am liebsten	21
am Nachmittag	27
am	18
anderer/es/e	56
Anfang, der, ̈-e	27
anfangen	19
Angst haben	25
Angst, die, ̈-e	25
ankommen	27
anmalen	8
annehmen	71
anrufen	15
anrufen	67
anschneiden	40
antworten	33
anzünden	84
Apfel, der, ̈-	37
Apfelsaft, der (Sg.)	38
Apfelschnappen, das (Sg.)	41
Apotheke, die, -n	12
April, der (Sg.)	34
Arbeit, die, -en	27
arbeiten	21
Architekt, der, -en	73
Architektin, die, -nen	73
Arm, der, -e	6
Arzt, der, ̈-e	12
Ärztin, die, -nen	73
auffüllen	38

Aufgabe, die, -n	62
aufhören	65
aufkleben	85
aufnehmen	18
aufpassen	63
aufschreiben	49
aufstehen	15
aufstellen	84
auftreten	27
aufwachen	15
Auge, das, -n	6
August, der (Sg.)	34
aus sein	49
ausfüllen	8
ausschneiden	50
aussehen	15
außerdem	48
außerhalb	21

B

backen	34
balancieren	23
bald	12
Band, das, ̈-er	88
Band, die, -s	66
Bär, der, -en	20
Bärengehege, das, –	71
Bauch, der, ̈-e	6
bauen	73
Bauer, der, -n	73
Bäuerin, die, -nen	73
Baum, der, ̈-e	48
Becher, der, –	41
beginnen	27
beide	41
Bein, das, -e	6
Beispiel, das, -e	48
bekommen	34
beobachten	71
Bericht, der, -e	51
Beruf, der, -e	73
beschreiben	70
besonders	41
besonders	46
Besuch, der, -e	54
besuchen	13
Besucher, der, –	41
Bett, das, -en	10
Betttuch, das, ̈-er	79
bewachen	71
beweglich	78

beweisen	71
Bibliothek, die, -en	19
billig	39
Biologie (als Schulfach)	48
bleiben	9
Blume, die, -n	48
Boden, der, ̈-	21
Borte, die, -n	88
brauchen	8
brauchen	34
Brief, der -e	48
Brieffreund, der, -e	48
Briefklammer, die, -n	78
bringen	83
Brot, das, -e	37
Brötchen, das, –	13
Brunnen, der, –	74
bunt	15
bunt	66

C

CD, die, -s	37
Cent, der, –	39
Chemie (als Schulfach)	48
Christuskind, das (Sg.)	85
Clown, der, -s	8
Clown, der, -s	20
Cousin, der, -s	21

D

da drüben	39
dabei sein	21
darauf	84
das nächste Mal	52
Datum, das, Daten	43
dauern	51
dazu	8
dekorieren	85
denken	15
deshalb	46
Deutsch (als Schulfach)	45
Deutschland	55
Dezember, der (Sg.)	34
Dienstag, der, -e	18
direkt	15
Direktor, der, -en	21
Doktor, der, Doktoren	12
Dompteur, der, -e	20
Donnerstag, der, -e	18
dort	27

Haustür, die, -en	36	Kartoffel, die, -n	37	leider	19
helfen	5	Kartoffelsack, der, ⸚e	87	leiten	85
Herbst, der (Sg.)	83	Kartoffelsalat, der, -e	37	lernen	8
hereinspazieren	20	Karton, der, -s	50	Lesetag, der, -e	18
Hermelin-Häschen, das, –	61	Käse, der (Sg.)	37	letzter/es/e	10
herunterfallen	74	Kasse, die, -n	21	Leute, die (Pl.)	20
Herz, das, -en	84	Kätzchen, das, –	61	Lichtquelle, die, -n	79
Herzlich willkommen!	22	Katzenklo, das, -s	62	lieb	25
herzlich	22	Katzenkorb, der, ⸚e	63	Lieblings-	46
Hexe, die, -n	87	kaum	27	Lieblingsfach, das, ⸚er	46
Hilfe, die, -n	59	kein/e	53	liegen	15
hinauf	15	Keks, der, -e	37	Limo, die (Sg.)	13
hineinrühren	38	kennen	21	Limonade, die (Sg.)	13
hineinstellen	84	kennenlernen	27	loben	84
hinten	50	Kerze, die, -n	40	Loch, das, ⸚er	78
hinter	41	Kinderpunsch, der (Sg.)	37	Löffel, der, –	41
Hobby, das, -s	27	Klassenarbeit, die, -en	55	Lohn, der, ⸚e	74
hoch	15	Klassenlehrer, der, –	57	Lolli, der, -s	13
hoffen	34	Klee, der (Sg.)	83	losgehen	15
hoffentlich	34	klettern	15	Löwe, der, -n	20
holen	5	klettern	24	lustig	25
Honig, der (Sg.)	14	Komm runter!	67	lustig	8
hören (auf jemanden)	21	Kopf, der, ⸚e	6		
(ein)hundert	23	Kopfhörer, der, –	80	**M**	
Hündin, die, -nen	71	Kopfschmerzen, die (Pl.)	12	Macherei, die, -en	15
Hunger, der (Sg.)	13	Korken der, –	50	Mai, der (Sg.)	34
		Körper, der, –	78	mal	5
I		kosten	26	Mal, das, -e	52
ideal	51	Kostümfest, das, -e	8	man	27
immer	40	krank	10	manchmal	21
in Ordnung bringen	27	Kranke, der/die, -n	13	Manege, die, -n	21
in Ordnung bringen	56	Krankenbesuch, der, -e	13	Mann, der, ⸚er	21
in Ordnung	63	Krankenhaus, das, ⸚er	12	Mannschaft, die, -en	19
Indianer, der, –	18	Krankenwagen, der, –	15	Mäntelchen, das, –	75
Informatik (als Studienfach)	55	Kreis, der, -e	8	Marktfrau, die, -en	87
Ingenieur, der, -e	55	Kuchen, der, –	13	Marmelade, die, -n	14
intelligent	22	Kuh, die, ⸚e	60	März, der (Sg.)	34
interviewen	51	Kuli, der, -s	37	Mathematik (als Schulfach)	45
		Kunst (als Schulfach)	45	Maus, die, ⸚e	24
J		Kunsterziehung		Mäuschen, das, –	61
Jahreszeit, die, -n	83	(als Schulfach)	46	Medizin, die (Sg.)	12
Januar, der (Sg.)	34	Künstlerin, die, -nen	55	Meerschweinchen, das, –	60
jeder/es/e	15	Kusine, die, -n	21	mehr	20
jemand	27			mehrere	41
Job, der, -s	27	**L**		meinen	27
Jongleur, der, -e	20	Labrador, der (Sg.)	71	meistens	55
Juli, der (Sg.)	34	lachen	36	Meister, der, –	74
jung	52	Lampe, die, -n	79	melden (sich)	61
Juni, der (Sg.)	34	landen	15	melken	74
		langsam	66	Mensch, der, -en	85
K		Lass mal sehen!	5	merken	15
Kaffee, der (Sg.)	13	lassen	5	Messer, das, –	73
Käfig, der, -e	61	laufen	11	Metzger, der, –	73
Kakao, der (Sg.)	13	laufen: Der Film läuft.	18	Milch, die (Sg.)	13
Kamera, die, -s	30	leben	71	Mir geht es gut.	10
Karate, das (Sg.)	19	legen	84	Mischling, der, -e	61
Karneval, der (Sg.)	8	Lehrer, der, –	73	mit der Zeit	27
		leicht	15	mitbringen	13

Wortliste | Transkriptionen | Lösungsschlüssel | Tests | Feste im Jahr | Theater | L40 L39 L38 L37 Modul 10 | L36 L35 L34 L33 Modul 9 | L32 L31 L30 L29 Modul 8 | L28 L27 L26 L25 Modul 7 | L24 L23 L22 L21 Modul 6 | Einführung

159

Bastelanleitung „Socken-Puppe"

Material:

- zwei Socken (möglichst in verschiedenen Farben)
- zwei Knöpfe
- Wolle oder eine weitere Socke
- Nadel und Faden

Im Lehrwerkservice finden Sie unter *www.hueber.de/planetino/handpuppe* Fotos und eine weitere Bastelanleitung: für eine Planetino-Handpuppe aus Filz.

So wird's gemacht:

1. Eine Socke von der Spitze her einschneiden.

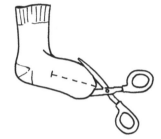

2. Die Spitze einer zweiten (andersfarbigen) Socke abschneiden.

3. Diese Spitze auf beiden Seiten einschneiden.

4. Die Socke und die aufgeschnittene Spitze auf links wenden.

5. Die Spitze in das Maul schieben und rundum festnähen.

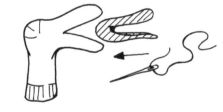

6. Die Socke wieder wenden.

7. Auf die Socke Knöpfe als Augen aufnähen.

8. Haare aus Wolle oder eine weitere Socke als Ohren annähen.

Für Ihre Notizen

Für Ihre Notizen

Für Ihre Notizen